# O poder dos Quietos

SUSAN CAIN

# O poder dos Quietos

*Tradução*
Ana Carolina Bento Ribeiro

AGIR

EDITORA NOVA FRONTEIRA PARTICIPAÇÕES S.A.
Rua Nova Jerusalém, 345 — Bonsucesso — 21042-235
Rio de Janeiro — RJ — Brasil
Tel.: (21) 3882-8200 — Fax: (21) 3882-8212/8313



CIP-BRASIL. CATALOGAÇÃO NA FONTE
SINDICATO NACIONAL DOS EDITORES DE LIVROS, RJ

---

C136p Cain, Susan
O poder dos quietos: como os tímidos e introvertidos podem mudar um mundo que não para de falar / Susan Cain; tradução Ana Carolina Bento Ribeiro. - Rio de Janeiro: Agir, 2012.
352p.: 23 cm

Tradução de: Quiet: the power of introverts in a world that can't stop speaking.
Índice
ISBN 978-85-220-1326-5

1. Introversão. 2. Relações humanas. I. Título.

CDD: 155.232
CDU: 316.47-056.48

*Para a família da minha infância*

*Uma espécie em que todos fossem o general Patton, herói norte-americano da Segunda Guerra, não seria bem-sucedida, não mais do que uma raça em que todos fossem Vincent van Gogh. Prefiro pensar que o planeta precisa de atletas, filósofos, símbolos sexuais, pintores, cientistas. Precisa de pessoas com coração mole, coração de pedra, sangue-frio e fraquezas. Precisa daqueles que possam devotar suas vidas a estudar quantas gotículas de água são secretadas pelas glândulas salivares dos cachorros em determinada circunstância e precisa daqueles que podem capturar a impressão passageira de flores de cerejeira em um poema de catorze sílabas ou dedicar 25 páginas à descrição dos sentimentos de um garotinho deitado na cama no escuro esperando o beijo de boa-noite da mãe...*

*Certamente, a presença de habilidades surpreendentes pressupõe que a energia necessária em outras áreas foi canalizada para longe delas.*

— Allen Shawn

# Sumário

**Parte Três: Todas as culturas têm um Ideal da Extroversão?**



**Parte Quatro: Como amar, como trabalhar**

# Apresentação

## Max Gehringer

Um livro nos atrai por sua capa, por seu título, por sua chamada, ou por tudo isso ao mesmo tempo. Este livro me atraiu, como imagino que tenha atraído a maior parte de seus leitores, devido a uma pergunta inquietante: De que lado do espectro social eu estou? Sou um introvertido? Um extrovertido? Ou é possível ser uma média das duas coisas? Certo, não é uma pergunta, são quatro. Elas vêm rondando as mentes de muitos de nós, e talvez há bastante tempo, sem que o passar dos anos e as experiências nos tenham fornecido uma resposta definitiva e convincente. Até agora.

Foi por isso que li este livro não como se mascasse um chiclete, mas tentando digerir cada frase. Interrompi a leitura em vários momentos para pesquisar nomes, lugares e fatos. Ao terminar, descobri aliviado que a grande questão — estou lendo este livro para tentar mudar o que sou ou para me sentir melhor sendo o que sou? — me dava como resposta a segunda opção. A proposta do livro é mostrar que a introversão não é uma doença, nem um pecado social, nem uma falha grave na formação. É uma característica inata que, para render bons frutos, tanto na vida pessoal quanto na carreira profissional, não precisa ser curada, remendada ou disfarçada.

Os introvertidos raramente ouviram ou leram algo parecido antes. Pelo contrário. Crianças caladas, que preferem ficar em seu canto, mesmo que pareçam satisfeitas, são quase sempre incentivadas a se soltar mais, a procurar amigos, a sair da toca. Tanto em casa como na escola, elas são classificadas como envergonhadas, retraídas, sem iniciativa, e comparadas negativamente com colegas que parecem já ter nascido para brilhar sob as luzes dos refletores. O introvertido foi aquele aluno que sabia a resposta a uma pergunta que a professora fez, mas não levantou a mão para responder. Foi aquele que, quando havia um teatrinho numa festa da escola e o coordenador solicitava voluntários para atuar, imediatamente decidia que seu lugar era na plateia, e não no palco.

O introvertido foi aquele pré-adolescente que, arrastado para uma festinha com colegas da mesma idade, ficou sentado o tempo todo em sua cadeira, observando os acontecimentos, enquanto os colegas mais animados corriam, dançavam e falavam alto. Foi aquele adolescente que aprendeu a tocar um instrumento musical para exprimir sua arte, mas nunca cogitou se apresentar em público para mostrar como era talentoso. E na vida adulta foi, e continua sendo, aquele profissional incapaz de insinuar que está fazendo um excelente trabalho. Se o chefe notar, tudo bem. Se não, paciência. O mundo dos que querem e precisam se sobressair não é o mundo dele. Mas, como se verá fartamente neste livro, grandes mudanças ocorreram no mundo por obra dos introvertidos.

O introvertido é uma pessoa sensível que se sente confortável tendo a si mesmo como companhia. Ele quer entender o que se passa a seu redor, mas não sente necessidade de alardear seus pontos de vista. Entre um filósofo em causa própria e um alienado social, ele se encaixa perfeitamente na primeira definição, mas a arbitrariedade das convenções tende a empurrá-lo para a segunda. Porque, ao buscar líderes em seus quadros, a maioria das empresas parece confundir liderança com autopromoção e exuberância. O introvertido sabe que dificilmente será o general que sai brandindo a espada à frente de suas tropas, mas tem tudo para ser o estrategista cujo plano garantirá a vitória na batalha. Se não for um novo Alexandre, o Grande, nada impede que ele seja um novo Albert Einstein, um dos muitos introvertidos célebres que não se dobraram aos requisitos que poderiam encaixá-los em uma categoria à qual eles não pertenciam, e não queriam pertencer.

O propósito deste livro é mostrar aos introvertidos e aos calados que eles estão em ótima companhia. Não apenas em qualidade (muita gente se surpreenderá com o número de gênios cuja introversão era notória), como também em quantidade — pelo menos, um terço da população. Os que sofreram até agora com as críticas à sua atitude, ou falta dela, se sentirão reconfortados ao descobrir que sempre estiveram certos. Não importa se uma pessoa é introvertida ou extrovertida. O que importa é como essas características podem ser bem-utilizadas, e as chances de sucesso são iguais para os dois lados. Isso me fez lembrar de um fato passado há muitos anos, quando eu estava começando a carreira profissional, e que peço uma breve licença para relatar.

Eu tinha um chefe — estranhamente, um japonês chamado Benedito — que era um introvertido de carteirinha. Ele não apenas falava pouco, como ainda falava tão baixo que eu só conseguia ouvi-lo se me inclinasse sobre a mesa. O seu Benedito contrariava tudo o que eu aprendera até então sobre liderança, porque na época o líder era medido por seus decibéis, e não por suas ideias. Os oráculos de plantão prognosticaram que o seu Benedito não teria vida longa na empresa, por sua quietude, sua falta de pulso, sua mania de contemporizar mesmo quando podia arrasar o oponente. Mas ele não somente sobreviveu, como continuou escalando o organograma até chegar ao topo. Muitos anos depois, tornei a encontrá-lo e perguntei como ele havia conseguido superar tantos obstáculos sem precisar se encaixar no clássico modelo do executivo bem-sucedido. Ele me respondeu (e eu tive que me inclinar para ouvi-lo): "Por que tanta gente acredita que precisa copiar modelos, em vez de tentar ser um modelo para si mesmo?"

Finalmente, um esclarecimento pequeno, porém importante, antes que você termine esse aperitivo e passe ao prato principal. Timidez e introversão são palavras usualmente empregadas com sentido semelhante, mas definem coisas diferentes. Um introvertido pode eventualmente ser tímido, mas não necessariamente é. Tímidas são pessoas que gostariam de mudar seu comportamento por temerem as consequências dele (o verbo latino *timere*, origem da palavra, significa "ter medo"). Introvertidos não compartilham dessa necessidade. Eles não sentem falta de ser o que não são, nem qualquer receio de continuar sendo como são.

Gostou até aqui? Então gostará muito mais até a última página. Boa leitura e bom proveito.

# Nota da autora

Oficialmente, tenho trabalhado neste livro desde 2005, e não oficialmente durante toda a minha vida adulta. Falei com e escrevi para centenas, talvez milhares de pessoas, sobre os tópicos presentes aqui e li muitos livros, artigos acadêmicos, reportagens, discussões em chats e posts de blogs. Alguns deles menciono no livro, outros forneceram informação para quase todas as frases que escrevi. *O poder dos quietos* se apoia em muitos depoimentos, principalmente de acadêmicos e pesquisadores que tanto me ensinaram. Num mundo ideal, eu teria nomeado cada uma das minhas fontes, mentores e entrevistados. Mas em nome de uma leitura mais fácil, alguns deles aparecem apenas nas notas e agradecimentos.

Pela mesma razão, não fiz uso de parênteses ou colchetes em certas citações, mas me assegurei de que palavras a mais ou a menos não mudassem o significado desejado pelo locutor ou escritor. Se você quiser citar estas fontes escritas do original, as marcações que levam às citações completas aparecem nas notas.

Mudei nomes e detalhes que identificassem algumas das pessoas cujas histórias eu conto e também nas histórias do meu próprio trabalho como advogada e consultora. Para proteger a privacidade dos participantes do workshop sobre falar em público de Charles di Cagno, que não planejavam ser incluídos em um livro quando se matricularam na aula, a história da minha primeira noite na aula é uma mistura baseada em várias sessões; assim como a história de Greg e Emily, que é inspirada em várias entrevistas com casais semelhantes. Sujeitas às limitações da memória, todas as outras histórias são recontadas como aconteceram ou me foram transmitidas. Não chequei os fatos das histórias que as pessoas me contaram sobre si mesmas, mas só incluí aquelas que acreditei serem verdadeiras.

# Introdução

## O norte e o sul do temperamento

Montgomery, Alabama, Estados Unidos. Primeiro de dezembro de 1955. Começo da noite. Um ônibus para no ponto e uma mulher em seus quarenta anos cuidadosamente vestida sobe nele. Ela anda de coluna ereta, apesar de ter passado o dia inclinada sobre uma tábua de passar em um sombrio porão da alfaiataria da loja de departamentos da cidade. Seus pés estão inchados, seus ombros doem. Ela se senta na primeira fileira de bancos reservada aos negros e assiste quieta ao ônibus encher-se de passageiros. Até que o motorista ordena que ela ceda o lugar a um branco.

A mulher balbucia uma única palavra que deslancha um dos mais importantes protestos pelos direitos civis do século XX, uma palavra que ajuda os Estados Unidos a se tornarem melhores.

A palavra é "não".

O motorista ameaça mandar prendê-la.

— Você pode fazer isso — disse Rosa Parks.

Um policial chega. Ele pergunta a Rosa por que ela não se levanta.

— Por que vocês nos humilham? — respondeu ela, simplesmente.

— Não sei — disse ele. — Mas a lei é a lei e você está presa.

Na tarde de seu julgamento e condenação por atentado à ordem pública, a Associação para o Desenvolvimento de Montgomery promoveu um protesto a favor de Rosa na Igreja Batista de Holt Street, na parte mais pobre da cidade. Cinco mil pessoas se reuniram para apoiar o solitário ato de coragem daquela mulher. Elas se espremeram dentro da igreja até que os bancos não fossem mais suficientes. O resto esperou pacientemente do lado de fora, ouvindo através de alto-falantes. O reverendo Martin Luther King Jr. dirigiu-se à multidão: "Chega uma hora em que as pessoas ficam cansadas de serem pisoteadas pelos pés de ferro da opressão. Chega uma hora em que as pessoas ficam cansadas de serem empurradas para fora do brilho do sol de julho e de serem abandonadas em meio ao penetrante frio de uma montanha em novembro."

Ele elogia a coragem de Rosa e a abraça. Ela fica de pé em silêncio; apenas sua presença é o bastante para animar a multidão. A associação lança na cidade um boicote aos ônibus que dura 381 dias. As pessoas enfrentam quilômetros para chegar ao trabalho. Elas pegam carona com estranhos. Elas mudam o curso da história dos Estados Unidos.

Sempre imaginei Rosa Parks como uma mulher imponente, com um temperamento ousado, alguém que pudesse se impor ante um ônibus cheio de passageiros mal-encarados. Mas quando ela morreu em 2005, aos 92 anos, a enxurrada de obituários apresentavam-na como alguém de fala mansa, doce e de baixa estatura. Eles diziam que ela era "tímida e reservada", mas tinha a "coragem de uma leoa". Estavam cheios de frases como "humildade radical" e "bravura quieta". O que significa ser quieto *e* ter bravura?, estas descrições questionavam implicitamente. Como você pode ser tímido *e* corajoso?

A própria Rosa parecia ciente desse paradoxo, chamando sua autobiografia de *Quiet Strenght* [Força silenciosa] — um título que nos desafia a questionar nossas ideias preestabelecidas. Por que o quieto não *deveria* ser forte? O que mais os quietos podem fazer a que nós não damos crédito?

Nossas vidas são moldadas tão profundamente pela personalidade quanto pelo gênero ou código genético. E o aspecto mais importante da personalidade — "o norte e o sul do temperamento", como diz um cientista — é onde cada um se localiza no espectro introversão-extroversão. Nosso lugar nesse contínuo influencia como escolhemos amigos e colegas, como levamos uma conversa, resolvemos diferenças e demonstramos amor. Afeta a carreira que escolhemos e se seremos ou não bem-sucedidos nela. Governa o quanto temos tendência a nos exercitar, a cometer adultério, a funcionar bem sem dormir, a aprender com nossos erros, a fazer grandes apostas no mercado de ações, a adiar gratificações, a ser bons líderes e a perguntar: "E se?"[1] Isso se reflete nos caminhos do nosso cérebro, nos neurotransmissores e nos cantos mais remotos do nosso sistema nervoso. Atualmente, introversão e extroversão são dois dos aspectos mais pesquisados na psicologia da personalidade, despertando a curiosidade de centenas de cientistas.

Apesar de descobertas animadoras, esses pesquisadores, auxiliados pela tecnologia mais avançada, fazem parte de uma longa e histórica tradição. Poetas e filósofos têm pensado sobre introvertidos e extrovertidos desde o início dos tempos. Os dois tipos de personalidade aparecem na Bíblia e nos escritos de doutores gregos e romanos, e alguns psicólogos evolucionistas dizem que a história desses comportamentos vai muito além: o reino animal também apresenta "introvertidos" e "extrovertidos", como veremos, de moscas-das-frutas a peixes e macacos. Sem os dois estilos de personalidade, assim como sem outros pares complementares — masculinidade e feminilidade, Ocidente e Oriente, liberais e conservadores —, a humanidade seria irreconhecível, e imensamente diminuída.

Veja a parceria de Rosa Parks e Martin Luther King Jr.: um formidável orador recusando-se a ceder seu lugar em um ônibus segregado não causaria o mesmo efeito de uma mulher modesta que claramente preferiria manter-se em silêncio, não fosse o que a situação exigia. E Parks não teria o necessário para eletrizar uma multidão se tivesse tentado se levantar e anunciar que tinha um sonho. Mas com a ajuda de Martin Luther King, ela não precisou fazê-lo.

No entanto, hoje abrimos espaço para um número notavelmente limitado de estilos de personalidade. Dizem que para sermos bem-sucedidos temos que ser ousados, que para sermos felizes temos que ser sociáveis. Vemo-nos como uma nação de extrovertidos — o que significa que perdemos de vista quem realmente somos. Dependendo de que estudo você consultar, de um terço a metade dos norte-americanos é introvertido — em outras palavras, *uma em*

[1] Correlação: exercitar-se: extrovertidos; cometer adultério: extrovertidos; funcionar bem sem dormir: introvertidos; aprender com os próprios erros: introvertidos; fazer grandes apostas: extrovertidos; adiar gratificações: introvertidos; ser um bom líder: em alguns casos, introvertidos, em outros, extrovertidos, dependendo do tipo de liderança em jogo; perguntar "E se?": introvertidos.

*cada duas ou três pessoas que você conhece*. (Considerando que os Estados Unidos estão entre as nações mais extrovertidas, o número deve ser pelo menos tão alto quanto em outras partes do mundo.) Se você não for um introvertido, certamente está criando, gerenciando, namorando ou casado com um.

Se essas estatísticas o surpreendem, provavelmente é porque muitas pessoas fingem ser extrovertidas. Introvertidos disfarçados passam batidos em parquinhos, vestiários de escolas e corredores de empresas. Alguns enganam até a si mesmos, até que algum fato da vida — uma dispensa, a saída dos filhos de casa, uma herança que permite que passem o tempo como quiserem — os leva a avaliar sua própria natureza. Você só precisa abordar o tema deste livro com seus amigos e conhecidos para descobrir que mesmo as pessoas mais improváveis consideram-se introvertidas.

Faz sentido que tantos introvertidos escondam-se até de si mesmos. Vivemos em um sistema de valores que chamo de Ideal da Extroversão — a crença onipresente de que o ser ideal é gregário, alfa, e sente-se confortável sob a luz dos holofotes. O típico extrovertido prefere a ação à contemplação, a tomada de riscos à cautela, a certeza à dúvida. Ele prefere as decisões rápidas, mesmo correndo o risco de estar errado. Ela trabalha bem em equipes e socializa em grupos. Gostamos de acreditar que prezamos a individualidade, mas muitas vezes admiramos um determinado tipo de indivíduo — o que fica confortável sendo o centro das atenções. É claro que permitimos que solitários com talento para a tecnologia que criam empresas em garagens tenham a personalidade que quiserem, mas esses são exceções, não a regra, e nossa tolerância estende-se principalmente àqueles que ficaram incrivelmente ricos ou que prometem fazê-lo.

Introversão — com suas companheiras sensibilidade, seriedade e timidez — é, hoje, um traço de personalidade de segunda classe, classificada em algum lugar entre uma decepção e uma patologia. Introvertidos vivendo sob o Ideal da Extroversão são como mulheres vivendo em um mundo de homens, desprezadas por um traço que define o que são. A extroversão é um estilo de personalidade atraente ao extremo, mas a transformamos em um padrão opressivo que a maioria de nós acha que deve seguir.

O Ideal da Extroversão tem sido bem-documentado em vários estudos, apesar de essa pesquisa nunca ter sido agrupada sob um único nome. Pessoas loquazes, por exemplo, são avaliadas como mais espertas, mais bonitas, mais interessantes e mais desejáveis como amigas. A velocidade do discurso conta tanto quanto o volume: colocamos aqueles que falam rápido como mais competentes e simpáticos que aqueles que falam devagar. A mesma dinâmica aplica-se a grupos, em que pesquisas mostram que os eloquentes são considerados mais inteligentes que os reticentes — apesar de não haver nenhuma correlação entre o dom do falatório e boas ideias. Até a palavra "introvertido" ficou estigmatizada — um estudo informal feito pela psicóloga Laurie Helgoe mostrou que os introvertidos descrevem sua própria aparência física com uma linguagem vívida ("olhos verde-azulados", "exótico", "maçãs do rosto salientes"), mas quando se pede para descreverem introvertidos em geral eles delineiam uma imagem insossa e desagradável ("desajeitado", "cores neutras", "problemas de pele").

Mas cometemos um erro grave ao abraçar o Ideal da Extroversão tão inconsequentemente. Algumas das nossas maiores ideias, a arte, as invenções — desde a teoria da evolução até os girassóis de Van Gogh e os computadores pessoais — vieram de pessoas quietas e cerebrais que sabiam como se comunicar com seu mundo interior e os tesouros que lá seriam encontrados. Sem introvertidos, o mundo não teria:

A teoria da gravidade
A teoria da relatividade
"O segundo advento", de W.B. Yeats
Os noturnos de Chopin
*Em busca do tempo perdido*, de Proust
Peter Pan
*1984* e *A revolução dos bichos*, de George Orwell
"O Gato do Chapéu", do Dr. Seuss
Charlie Brown
*A lista de Schindler*, *E.T.* e *Contatos imediatos de terceiro grau*, de Steven Spielberg
O Google
Harry Potter[2]

Como escreveu o jornalista científico Winifred Gallagher: "A glória da disposição que faz com que se pare para considerar estímulos em vez de render-se a eles é sua longa associação com conquistas intelectuais e artísticas. Nem o $E=mc^2$ de Einstein nem *Paraíso perdido*, de John Milton, foram produzidos

[2] *Sir* Isaac Newton, Albert Einstein, W.B. Yeats, Frédéric Chopin, Marcel Proust, J.M. Barrie, George Orwell, Theodor Geisel (Dr. Seuss), Charles Schulz, Steven Spielberg, Larry Page, J.K. Rowling.

por festeiros." Mesmo em ocupações menos óbvias para os introvertidos, como finanças, política e ativismo, alguns dos grandes saltos foram dados por eles. Neste livro veremos figuras como Eleanor Roosevelt, Al Gore, Warren Buffett, Gandhi — e Rosa Parks —, que conquistaram o que conquistaram não "apesar de", mas *por causa de* sua introversão.

Mesmo assim, como *O poder dos quietos* explorará, muitas das mais importantes instituições da vida contemporânea são criadas para aqueles que gostam de projetos em grupo e altos níveis de estímulo. Nas turmas infantis, cada vez mais as mesas das salas de aula são arrumadas em forma de concha, a melhor para encorajar o aprendizado em grupo, e pesquisas sugerem que a grande maioria dos professores acha que o aluno ideal é um extrovertido. As crianças assistem a programas de TV em que os protagonistas não são crianças como qualquer uma, mas estrelas do rock, por exemplo, como Hannah Montana.

Quando adultos, muitos de nós trabalham para empresas que insistem em que trabalhemos em grupo, em escritórios sem paredes, para supervisores que valorizam "um bom relacionamento interpessoal" acima de tudo. Para avançarmos em nossas carreiras, espera-se que nos promovamos descaradamente. Os cientistas cujas pesquisas conseguem financiamento muitas vezes possuem personalidades confiantes, talvez até demais. Os artistas cujos trabalhos adornam as paredes de museus de arte contemporânea posam de forma a impressionar nos vernissages. Os autores que têm seus livros publicados — tidos no passado como uma raça reclusa — hoje são avaliados pelos editores para assegurar que possam participar de programas de entrevistas. (Você não estaria lendo este livro se eu não tivesse convencido meu editor de que sou suficientemente pseudoextrovertida para promovê-lo.)

Se você é um introvertido, também sabe que o preconceito contra os quietos pode provocar uma profunda dor psicológica. Quando criança, pode ter ouvido seus pais se desculparem pela sua timidez. ("Por que você não pode ser mais parecido com os meninos Kennedy?", repetiam constantemente os pais de um homem que entrevistei.) Ou na escola você pode ter sido estimulado a "sair da sua concha" — expressão nociva que não valoriza o fato de que alguns animais naturalmente carregam seu abrigo aonde quer que vão, assim como alguns humanos. "Ainda ouço todos os comentários da minha infância em minha cabeça, dizendo que eu era preguiçoso, burro, lento, chato", escreveu um membro de uma lista de e-mail chamada Refúgio dos Introvertidos. "Quando eu tive idade suficiente para entender que eu simplesmente era introvertido, a suposição de que algo estava inerentemente errado comigo já era parte do meu ser. Queria encontrar esse vestígio de dúvida e tirá-lo de mim."

Agora que você é um adulto, talvez ainda sinta uma ponta de culpa quando recusa um convite para jantar a fim de ler um bom livro. Ou talvez você goste de comer sozinho em restaurantes, podendo passar sem os olhares de pena dos outros clientes. Ou lhe dizem que você "fica muito na sua cabeça", uma frase muitas vezes utilizada contra os quietos e cerebrais.

É claro que há outro nome para pessoas assim: pensadores.

Eu vi em primeira mão o quanto é difícil para os introvertidos avaliarem seus próprios talentos e o quanto é magnífico quando eles finalmente conseguem. Durante anos treinei pessoas de todos os tipos — de advogados de empresas a estudantes universitários, de gerentes financeiros a casais — em habilidades de negociação. Nós cobríamos o básico, é claro: como se preparar para uma negociação, quando fazer a primeira oferta, e o que fazer quando alguém diz "é pegar ou largar". Mas também ajudei clientes a entender suas personalidades naturais e como tirar o máximo proveito delas.

Minha primeira cliente foi uma jovem chamada Laura. Ela era uma advogada de Wall Street, mas era quieta e sonhadora, tinha pavor dos holofotes e não gostava de agressividade. De alguma forma ela conseguira passar pelo calvário da faculdade de direito de Harvard — um lugar onde as aulas acontecem em enormes anfiteatros e onde certa vez ela ficou tão nervosa que vomitou no caminho para a aula. Agora que estava no mundo real, ela não tinha certeza de poder representar seus clientes com a força que eles esperavam dela.

Em seus primeiros três anos no emprego, Laura era tão inexperiente que nunca precisou testar essa capacidade. Mas um dia o advogado com quem ela trabalhava tirou férias, deixando-a encarregada de uma importante negociação. O cliente era uma fábrica sul-americana que estava a ponto de dar o calote em um empréstimo bancário e esperava renegociar seus termos; um sindicato de banqueiros que assegurara o empréstimo de risco sentava-se do outro lado da mesa de negociação.

Laura preferiria se esconder embaixo da tal mesa, mas estava acostumada a lutar contra tais impulsos. Corajosa, mas tensa, ela tomou seu lugar na cadeira principal, ladeada por seus clientes: o consultor jurídico de um lado e a diretora financeira do outro. Eram os clientes favoritos de Laura: corteses e de fala mansa, muito diferentes dos tipos que se achavam os donos do mundo que sua firma normalmente representava. No passado, Laura levara o consultor jurídico a um jogo de beisebol e a diretora financeira para comprar uma bolsa para sua irmã. Mas agora essas saídas confortáveis — o tipo de programa de que Laura gostava — pareciam estar em outro mundo. Em volta da mesa, estavam sentados nove banqueiros insatisfeitos, com seus ternos feitos sob medida e sapatos caros, acompanhados da advogada, uma mulher com um rosto quadrado e modos enérgicos. Claramente não pertencendo ao grupo dos inseguros, essa mulher lançou um discurso impressivo sobre como os clientes de Laura teriam sorte em simplesmente aceitar os termos dos banqueiros. Era, disse ela, uma oferta magnânima.

Todos esperaram que Laura respondesse, mas ela não conseguia pensar em nada para dizer. Então ela simplesmente ficou sentada ali. Piscando. Todos os olhares sobre ela. Seus clientes mexendo-se desconfortáveis em suas cadeiras. Seus pensamentos rondando em um círculo familiar: *Eu sou quieta demais para esse tipo de coisa, modesta demais, cerebral demais*. Ela imaginou a pessoa que seria mais adequada para salvar a situação: alguém ousado, fluente, pronto para bater na mesa. No colégio, diferentemente de Laura, essa pessoa teria sido chamada de "sociável", o maior elogio que seus colegas de sétima série podiam fazer, maior até que "bonita" para uma menina ou "atlético" para um garoto. Laura prometeu a si mesma que tinha apenas que vencer aquele dia. Amanhã ela procuraria outra carreira.

Então ela se lembrou do que eu dissera várias vezes: ela era introvertida, e assim tinha poderes de negociação únicos — talvez menos óbvios, mas não menos formidáveis. Provavelmente se preparara mais do que qualquer um ali. Ela tinha uma fala mansa, mas firme. Raramente falava sem pensar. Com seus modos suaves, poderia tomar posições firmes, até mesmo agressivas, soando perfeitamente razoável. E tendia a fazer perguntas — muitas — e realmente ouvir as respostas, o que, não importa qual seja o tipo de personalidade, é crucial para grandes negociações.

Então Laura começou a falar o que lhe vinha naturalmente:

"Vamos dar um passo atrás. Em que se baseiam seus números?"

"E se nós estruturarmos o empréstimo dessa maneira, você acha que pode funcionar?"

"Dessa maneira?"

"Há alguma outra maneira?"

Em um primeiro momento, suas perguntas foram hesitantes. Ela ganhou gás enquanto continuava, colocando-as de forma mais firme e deixando claro que havia feito seu dever de casa e não baixaria a cabeça. Mas também permaneceu leal ao seu estilo, nunca levantando a voz ou perdendo o decoro. Todas as vezes que os banqueiros faziam uma asserção que parecia inflexível, Laura tentava ser construtiva. "Você está dizendo que esse é o único jeito? E se tentarmos uma outra abordagem?"

No fim das contas, aquelas perguntas simples mudaram o humor da sala, como os livros sobre negociações dizem que acontece. Os banqueiros pararam de discursar e desceram de sua posição dominante — algo que, antes, Laura sentia não ter de modo algum capacidade de provocar — e começaram a ter uma conversa normal.

Mais discussão. Nenhum acordo ainda. Um dos banqueiros acelerou novamente, jogando seus papéis e saindo bruscamente da sala. Laura ignorou aquela atitude, principalmente porque não sabia mais o que fazer. Mais tarde, alguém contou a ela que naquele momento crítico, ela se saíra bem num processo chamado "jiu-jítsu da negociação"; mas ela sabia que só estava fazendo o que você aprende naturalmente se é uma pessoa quieta em um mundo de vozes altas.

Finalmente os dois lados firmaram um acordo. Os banqueiros deixaram o prédio, os clientes favoritos de Laura foram para o aeroporto e Laura foi para casa, deitou na cama com um livro e tentou esquecer as tensões do dia.

No dia seguinte, a advogada dos banqueiros — a mulher vigorosa e de rosto forte — ligou para oferecer-lhe um emprego. "Nunca vi alguém tão cordial e tão durona ao mesmo tempo", disse ela. E no dia após aquele, o principal banqueiro do grupo ligou para ela perguntando se *seu* escritório de advocacia representaria *sua* empresa no futuro. "Precisamos de alguém que possa nos ajudar a firmar acordos sem que o ego atrapalhe", disse ele

Mantendo sua forma suave de fazer as coisas, Laura acertara um novo negócio para seu escritório e uma oferta de emprego para si. Levantar a voz e bater na mesa era desnecessário.

Hoje Laura entende que a introversão é uma parte essencial de quem ela é, e aceita sua personalidade reflexiva. As constantes vozes em sua cabeça que a acusavam de ser quieta e modesta demais surgem com muito menos frequência. Laura sabe que pode confiar em si quando necessário.

O que exatamente quero dizer quando falo que Laura é *introvertida*? Quando comecei a escrever este livro, a primeira coisa que quis foi descobrir exatamente como os pesquisadores definem introversão e extroversão. Eu sabia que, em 1921, o influente psicólogo Carl Jung publicara um livro bombástico, *Tipos psicológicos*, popularizando os termos "introvertido" e "extrovertido" como os pilares centrais da personalidade. Introvertidos são atraídos pelo mundo interior do pensamento e do sentimento, disse Jung, extrovertidos pela vida externa de pessoas e atividades. Introvertidos focam no significado que tiram dos eventos ao seu redor; extrovertidos mergulham nos próprios acontecimentos. Introvertidos recarregam suas baterias ficando sozinhos; extrovertidos precisam recarregar quando não socializam o suficiente. Se você já fez o teste de personalidade de Myers-Briggs, que é baseado no pensamento de Jung e é usado pela maioria das universidades e grandes empresas, já deve estar familiarizado com essas ideias.

Mas o que os pesquisadores contemporâneos têm a dizer? Logo descobri que não há uma definição geral para introversão ou extroversão; estas não são categorias unitárias como "cabelos cacheados" ou "dezesseis anos", com as quais todos podem concordar em quem se enquadra em uma delas. Por exemplo, os partidários do modelo dos cinco grandes tipos de personalidade psicológica definem introversão não em termos de uma rica vida interior, mas pela falta de qualidades como autoconfiança e sociabilidade. Há quase tantas definições de "introvertido" e "extrovertido" quanto há psicólogos da personalidade, que passam um bom tempo discutindo qual significado é o mais acertado. Alguns acham que as ideias de Jung são datadas; outros juram que ele foi o único a entender.

Ainda assim, os psicólogos de hoje tendem a concordar em vários pontos importantes: por exemplo, que introvertidos e extrovertidos diferem quanto ao nível de estímulo externo que precisam para funcionar bem. Introvertidos sentem-se "bem" com menos estímulo, como quando tomam uma taça de vinho com um amigo próximo, fazem palavras cruzadas ou leem um livro. Extrovertidos gostam da vibração extra de atividades como conhecer pessoas novas, esquiar em montanhas perigosas ou colocar música alta. "Outras pessoas são estimulantes demais", diz o psicólogo da personalidade David Winter, explicando por que introvertidos preferem passar as férias lendo na praia em vez de fazer a festa em um cruzeiro. "Elas despertam sensações de ameaça, medo, escape e amor. Cem pessoas são muito estimulantes se comparadas a cem livros ou cem grãos de areia."

Muitos psicólogos também concordam que introvertidos e extrovertidos trabalham de forma diferente. Extrovertidos tendem a terminar tarefas rapidamente. Eles tomam decisões rápidas (e às vezes drásticas) e sentem-se confortáveis com muitas tarefas ao mesmo tempo e ao correr riscos. Gostam da "excitação da caça" por recompensas como dinheiro e status.

Introvertidos muitas vezes trabalham de forma mais lenta e ponderada. Eles gostam de se focar em uma tarefa de cada vez e podem ter um grande poder de concentração. São relativamente imunes às tentações da fama e fortuna.

Nossas personalidades também moldam nossos estilos sociais. Extrovertidos são pessoas que darão vida ao seu jantar entre amigos e rirão generosamente de suas piadas. Eles tendem a ser assertivos, dominantes e necessitam muito de companhia. Extrovertidos pensam em voz alta e rapidamente; preferem falar a escutar, raramente se encontram sem palavras e ocasionalmente vomitam palavras que nunca quiseram dizer. Sentem-se confortáveis em conflitos, mas não com a solidão.

Os introvertidos, por outro lado, podem ter várias habilidades sociais e gostar de festas e reuniões de negócios, mas depois de um tempo desejam estar em casa de pijamas. Eles preferem devotar suas energias sociais aos amigos íntimos, colegas e família. Ouvem mais do que falam e muitas vezes sentem que se exprimem melhor escrevendo do que falando. Tendem a não gostar de conflitos. Muitos têm horror a jogar conversa fora, mas gostam de discussões profundas.

Algumas coisas que os introvertidos não são: a palavra "introvertido" não significa eremita ou misantropo. Introvertidos *podem* ser assim, mas a maioria é perfeitamente amigável. Uma das frases mais humanas — "Apenas conecte-se!" — foi escrita pelo distintamente introvertido E.M. Forster em um romance explorando a questão de como conquistar "o amor humano em seu auge".

Os introvertidos também não são necessariamente tímidos. Timidez é o medo da desaprovação social e da humilhação, enquanto a introversão é a preferência por ambientes que não sejam estimulantes demais. A timidez é inerentemente dolorosa; a introversão, não. Uma das razões pelas quais as pessoas confundem os dois conceitos é que muitas vezes eles se sobrepõem (apesar de psicólogos discutirem até que ponto). Alguns psicólogos mapeiam essas duas tendências em eixos verticais e horizontais, com o espectro introvertido-extrovertido no eixo horizontal e o espectro ansioso-estável no vertical. Com esse modelo, fica-se com quatro quadrantes de tipos de personalidade: extrovertidos calmos, extrovertidos ansiosos (ou impulsivos), introvertidos calmos e introvertidos ansiosos. Em outras palavras, você pode ser um extrovertido tímido, como a cantora Barbra Streisand, que tem uma grande personalidade, mas um medo do palco paralisante; ou um introvertido não tímido, como Bill Gates, que sempre fica na dele mas não é perturbado pelas opiniões dos outros.

É claro que você também pode ser tímido *e* introvertido: T.S. Eliot era uma famosa alma reservada que escreveu em "A terra desolada" que ele podia "mostrar-lhe medo em um punhado de poeira". Muitas pessoas tímidas voltam-se para dentro, em parte como um refúgio da socialização que lhes causa ansiedade. E muitos introvertidos são tímidos, em parte como resultado do recebimento da mensagem de que há algo errado com sua preferência pela reflexão, e em parte porque sua fisiologia, como veremos, os compele a se distanciar de ambientes muito estimulantes.

Mas com todas as diferenças, timidez e introversão têm algo profundo em comum. O estado mental de um extrovertido tímido sentado quieto em uma reunião de negócios pode ser muito diferente daquele de um introvertido calmo — a pessoa tímida tem medo de falar, enquanto o introvertido está simplesmente superestimulado —, mas para o mundo externo os dois parecem iguais. Isso pode dar aos dois tipos ideias sobre como nossa reverência ao status alfa nos cega para coisas que são boas, inteligentes e sábias. Por razões muito distintas, pessoas tímidas e introvertidas podem escolher passar seus dias nos bastidores, fazendo coisas como invenções, pesquisa ou segurando a mão de doentes graves — ou em posições de liderança que executam com uma competência quieta. Esses não são papéis alfa, mas as pessoas que os têm também são modelos.

Se você ainda não tem certeza de onde se encaixa no espectro introvertido-extrovertido, pode descobrir aqui. Responda a cada questão com "V" (verdadeiro) ou "F" (falso), escolhendo a resposta que lhe é mais frequente.[3]

1. ___ Prefiro conversas individuais a atividades em grupo.
2. ___ Geralmente prefiro me expressar por escrito.
3. ___ Gosto da solidão.
4. ___ Pareço me importar menos que meus colegas com fama, fortuna e status.
5. ___ Não gosto de jogar conversa fora, mas gosto de tópicos profundos que importam para mim.
6. ___ As pessoas dizem que sou um bom ouvinte.
7. ___ Não gosto muito de correr riscos.
8. ___ Gosto de trabalhos que me permitam "mergulhar" com poucas interrupções.
9. ___ Gosto de celebrar aniversários de maneira reservada, com apenas um ou dois amigos ou familiares.
10. ___ As pessoas me definem como alguém "de fala mansa" ou "meigo".
11. ___ Prefiro não mostrar meu trabalho ou discutir sobre ele com os outros até ter terminado.
12. ___ Não gosto de conflitos.
13. ___ Trabalho melhor sozinho.
14. ___ Tendo a pensar antes de falar.
15. ___ Sinto-me exaurido depois de estar em público, mesmo que tenha me divertido.
16. ___ Às vezes deixo ligações caírem na caixa postal.

[3] Este é um questionário informal, não um teste de personalidade com validade científica. As questões foram formuladas com base nas características da introversão geralmente aceitas por pesquisadores contemporâneos.

17. ___ Se tivesse que escolher, preferiria passar um fim de semana com absolutamente nada para fazer a um com muitas coisas programadas.
18. ___ Não gosto de fazer muitas coisas ao mesmo tempo.
19. ___ Consigo me concentrar com facilidade.
20. ___ Em situações de sala de aula, prefiro palestras a seminários.

Quanto mais tiver respondido "verdadeiro", mais introvertido você provavelmente é. Se tiver um número parecido de "verdadeiros" e "falsos", provavelmente você é um ambivertido — sim, essa palavra existe.

Mas mesmo que tenha respondido cada questão como um introvertido ou extrovertido, isso não significa que seu comportamento é previsível em todas as circunstâncias. Não se pode dizer que todo introvertido é um leitor voraz ou que todo extrovertido atrai os holofotes em uma festa, não mais do que se pode dizer que toda mulher é uma construtora natural de consenso e que todos os homens amam esportes de contato. Como Jung acertadamente colocou, "não existe introvertido ou extrovertido puro. Um homem assim estaria em um sanatório para lunáticos".

Isso se deve em parte ao fato de que somos indivíduos gloriosamente complexos, mas também ao fato de que há muitos *tipos* diferentes de introvertidos e extrovertidos. Introversão e extroversão interagem com nossos outros traços de personalidade e histórias pessoais, produzindo tipos de pessoas radicalmente diferentes. Então se a pessoa for um norte-americano com veia artística cujo pai queria que tivesse entrado para o time de futebol assim como seus irmãos durões, será um tipo de introvertido muito diferente de, digamos, uma executiva finlandesa cujos pais cuidavam de um farol. (A Finlândia é um país famoso por sua introversão. Piada finlandesa: como saber que um finlandês gosta de você? Se ele estiver olhando para o seu sapato em vez do dele.)

Muitos introvertidos também são "altamente sensíveis", o que soa poético, mas na verdade é um termo técnico da psicologia. Se você é do tipo sensível, então é mais apto que a média das pessoas a se sentir encantado pela "Sonata ao luar" de Beethoven, ou por uma frase bem-formulada ou um ato extraordinário de gentileza. Você pode se sentir enojado pela violência ou feiura com mais facilidade, e é provável que tenha uma consciência muito forte. Quando criança, provavelmente era chamado de tímido, e até hoje fica nervoso ao ser avaliado, ao fazer um discurso ou em um primeiro encontro. Mais tarde vamos examinar por que essa coleção de atributos aparentemente sem relação tende a pertencer à mesma pessoa e por que essa pessoa muitas vezes é introvertida. (Ninguém sabe ao certo quantos introvertidos são altamente sensíveis, mas sabe-se que 70% dos sensíveis são introvertidos, e os 30% restantes dizem precisar muito de uma "pausa" nas atividades de vez em quando.)

Toda essa complexidade significa que nem tudo o que você ler em *O poder dos quietos* irá se aplicar a você, mesmo que você se considere um perfeito introvertido. Para começar, passaremos um tempo falando de timidez e sensibilidade, enquanto você pode não ter nenhum desses traços. Tudo bem. Pegue o que se aplica a você e use o resto para melhorar sua relação com os outros.

Dito isso, em *O poder dos quietos* não tentaremos nos apegar demais a definições. Definir termos com precisão é vital para pesquisadores cujos estudos dependem de apontar exatamente onde a introversão acaba e outros traços, como a timidez, começam. Mas em *O poder dos quietos*, nos preocuparemos mais com os *frutos* dessas pesquisas. Os psicólogos de hoje, acompanhados pelos neurocientistas e suas máquinas de escanear o cérebro, desenterraram ideias reveladoras que estão mudando a forma de vermos o mundo — e nós mesmos. Eles respondem perguntas como: Por que algumas pessoas são falantes enquanto outras medem as palavras? Por que algumas pessoas se enterram no trabalho enquanto outras organizam festas no escritório? Por que algumas pessoas sentem-se confortáveis em posições de autoridade enquanto outras preferem não liderar nem serem lideradas? Introvertidos *podem* ser líderes? A nossa preferência pela extroversão é a ordem natural das coisas ou é socialmente determinada? De uma perspectiva evolutiva, a introversão deve ter sobrevivido como traço de personalidade por alguma razão — que razão é essa? Se você for um introvertido, deve devotar suas energias a atividades que surgem naturalmente ou deve se forçar, como fez Laura naquele dia na mesa de negociação?

As respostas podem surpreendê-lo.

Mas se houver apenas uma ideia nova que você possa tirar deste livro, no entanto, espero que seja um novo senso de que você tem o direito de ser como é. Posso garantir pessoalmente os efeitos transformadores deste livro. Lembra-se daquele primeiro cliente de que falei, aquele que chamei de Laura para proteger sua identidade?

Aquela história era sobre mim. Eu fui minha primeira cliente.

# Parte Um
## O Ideal da Extroversão

# 1
# O SURGIMENTO DO "COMPANHEIRO PODEROSO E SIMPÁTICO"

## Como a extroversão tornou-se o ideal cultural

*Olhos de estranhos, aguçados e críticos.*
*Você consegue encará-los com orgulho — confiante —, sem medo?*
— Propaganda do sabonete Woodbury (1922)

A data: 1902. O local: Igreja Harmony, estado norte-americano do Missouri, uma cidadezinha que mal se vê no mapa localizada em uma planície de inundação a cerca de 160 quilômetros de Kansas City. Nosso jovem protagonista: um estudante de ensino médio de bom coração, mas inseguro, chamado Dale.

Magrelo, nada atlético e rabugento, Dale é filho de um dono de fazenda de porcos de altos padrões morais, mas eternamente falido. Ele respeita seus pais, porém teme seguir seus passos marcados pela pobreza. Dale também se preocupa com outras coisas: raios e trovões, ir para o inferno e ficar calado em momentos cruciais. Ele teme até o dia de seu casamento: e se ele não conseguir pensar em nada para dizer à sua futura esposa?

Um dia, um orador do movimento Chautauqua chega à cidade. Esse movimento nasceu em 1873, baseado no estado de Nova York, e mandava oradores pelo país, falando sobre literatura, ciência e religião. Os camponeses norte-americanos apreciam esses indivíduos pelo toque de glamour que trazem do mundo exterior — e seu poder de impressionar o público. Esse orador em particular cativa o jovem Dale com seu próprio conto do pobre que fica rico: um dia ele fora um humilde garoto do campo com um futuro insosso, mas desenvolvera uma forma carismática de falar e subira no palco com os Chautauqua. Dale ouve atentamente cada uma de suas palavras.

Alguns anos depois, Dale fica novamente impressionado com o poder de falar em público. Sua família se muda para uma fazenda a cinco quilômetros de Warrensburg, no Missouri, para que ele possa cursar a faculdade sem pagar alojamento e comida. Dale observa que os estudantes que vencem os concursos de debates são vistos como líderes e decide ser um deles. Ele se inscreve em todos os concursos e corre para casa a fim de praticar. Repetidamente, ele perde; Dale é obstinado, mas não é um orador muito bom. No entanto, finalmente seus esforços são recompensados. Ele se transforma em um campeão do discurso e um herói do campus. Outros alunos dirigem-se a ele para lições de discurso; ele os treina e eles também começam a vencer.

Quando Dale deixa a faculdade, em 1908, seus pais ainda são pobres, mas os negócios nos Estados Unidos estão se expandindo. Henry Ford está vendendo seus Modelos T como pãezinhos quentes, utilizando o slogan "Para os negócios e para o prazer". J.C. Penney, Woolworth e Sears Roebuck tornam-se nomes familiares. A eletricidade ilumina as casas de classe média; encanamentos internos poupam viagens noturnas aos banheiros exteriores.

A nova economia pede um novo tipo de homem — um vendedor, um operador social, alguém de sorriso fácil, um aperto de mão imponente e a capacidade de se dar bem com os colegas ao mesmo tempo em que os eclipsa. Dale juntou-se às inchadas fileiras de vendedores, caindo na estrada com poucas posses além de sua língua afiada.

O sobrenome de Dale é Carnegie (na verdade, Carnagey; ele mudou a grafia depois, provavelmente para evocar Andrew, o grande industrial). Após alguns duros anos vendendo carne para a Armour and Company, ele passa a dar aulas de como falar em público. Carnegie dá sua primeira aula na escola noturna da Associação Cristã de Moços, na 125th Street, na cidade de Nova York. Ele pede 2 dólares por sessão, que é o salário usual dos professores de escolas noturnas. O diretor da associação, duvidando que uma aula como essa vá atrair muito interesse, recusa-se a pagar esse valor.

Mas a aula é um sucesso imediato e Dale segue para formar o Dale Carnegie Institute, dedicado a ajudar homens de negócios a se desfazer das inseguranças que o dominaram quando jovem. Em 1913 ele publica seu primeiro livro: *Como falar em público e influenciar pessoas no mundo dos negócios*. "No tempo em que pianos e banheiros eram luxo", escreveu Carnegie, "os homens viam a habilidade de falar como um dom peculiar, necessário apenas a advogados, clérigos e políticos. Hoje percebemos que essa é uma arma indispensável para aqueles que avançam na dura competição dos negócios".

A metamorfose de Carnegie de camponês em vendedor e depois em ícone do falar em público também é a história da ascensão do Ideal da Extroversão. A jornada de Carnegie refletiu a evolução cultural que chegou ao auge na virada do século XX, transformando para sempre quem somos e quem admiramos, como agimos em entrevistas de emprego e o que procuramos em um funcionário, como cortejamos nossos parceiros e criamos nossos filhos. Os Estados Unidos mudaram do que o influente historiador de cultura Warren Susman chamou de Culto ao Caráter para o Culto à Personalidade — e abriu a caixa de Pandora das ansiedades pessoais das quais nunca nos recuperaríamos totalmente.

No Culto ao Caráter, o caráter ideal era o de alguém sério, disciplinado e honorável. O que contava não era tanto a impressão que alguém causava em público, mas como o indivíduo se portava na esfera privada. A palavra "personalidade" não existia em inglês até o século XVIII, e a ideia de "ter uma boa personalidade" não foi difundida até o século XX.

Mas quando abraçaram o Culto à Personalidade, os norte-americanos começaram a focar em como os outros os viam. Tornaram-se atraídos por pessoas que são ousadas e divertidas. "O papel social requerido de todos no novo Culto à Personalidade era o de um *performer*", escreveu Susman. "Todo norte-americano deveria se tornar um ser versátil".

A ascensão da indústria nos Estados Unidos foi uma força maior por trás dessa evolução cultural. A nação rapidamente se desenvolveu de uma sociedade agrária de casinhas na pradaria para uma usina urbanizada: "O negócio dos Estados Unidos são os negócios." Nos primórdios do país, a maioria dos norte-americanos vivia como a família de Dale Carnegie, em fazendas ou cidades pequenas, interagindo com pessoas que conheciam desde a infância. Mas com a chegada do século XX, uma tempestade de grandes negócios, urbanização e imigração em massa empurrou a população para as cidades. Em 1790, apenas 3% dos norte-americanos moravam em cidades; em 1840, apenas 8%; em 1920, mais de um terço do país. "Não podemos todos viver em cidades", escreveu o editor de notícias Horace Greeley em 1867. "Mas quase todos parecem determinados a fazê-lo."

Os norte-americanos se pegaram não mais trabalhando com vizinhos, mas com estranhos. "Cidadãos" transformaram-se em "funcionários", enfrentando a questão de como causar uma boa impressão em pessoas com quem não tinham laços cívicos ou familiares. "A razão para que um homem conquiste uma promoção e uma mulher sofra desprezo da sociedade", escreveu o historiador Roland Marchand, "tornou-se menos explicável através de um longo favoritismo ou velhas disputas de família. No mundo cada vez mais anônimo dos negócios e das relações sociais, pode-se suspeitar de que qualquer coisa — incluindo uma primeira impressão — faz a diferença crucial". Os norte-americanos responderam a essas pressões tentando tornar-se vendedores que pudessem vender não apenas a última engenhoca da empresa, mas também a si mesmos.

Uma das lentes mais poderosas pelas quais podemos ver a transformação do Culto ao Caráter para o Culto à Personalidade é a tradição dos livros de autoajuda, em que Dale Carnegie desempenhou um papel tão notável. Livros de autoajuda sempre dominaram amplamente a psique dos norte-americanos. Muitos dos mais antigos guias de conduta eram parábolas religiosas, como *O peregrino*, publicado em 1678, que advertia os leitores a comportar-se com austeridade caso quisessem alcançar o Reino dos Céus. Os manuais de conselhos do século XIX eram menos religiosos, mas ainda pregavam os valores de um caráter nobre. Eles apresentavam estudos de caso de heróis da história como Abraham Lincoln, reverenciado não apenas como um comunicador nato, mas também como um homem modesto que, como disse Ralph Waldo Emerson, não "ofendia pela superioridade". Também celebravam pessoas comuns que levavam vidas pautadas pela alta moral. Em 1899, um manual chamado *Character: The Grandest Thing in the World* [Caráter: A maior coisa do mundo] apresentava uma tímida balconista que abriu mão de seu parco salário para ajudar um mendigo que estava morrendo de frio e então fugiu para que ninguém visse o que ela fizera. O leitor entendia que a virtude dela vinha não apenas de sua generosidade, mas também de seu desejo de permanecer anônima.

Mas por volta de 1920, populares guias de autoajuda mudaram o foco da virtude interior para o encantamento exterior — "saber *o que* e *como* falar", como diz um manual. "Criar uma personalidade é ter poder", aconselhava outro.

"Tente de todas as formas ter pronto domínio de atitudes que façam as pessoas pensarem: 'Ele é um companheiro poderoso e simpático'", dizia um terceiro. "É assim que a personalidade começa a ganhar destaque." A revista *Success* e o jornal *The Saturday Evening Post* introduziram seções instruindo os leitores na arte da conversação. O mesmo autor de *Character: The Grandest Thing in the World*, de 1899, Orison Swett Marden, produziu outro título popular em 1921. Ele se chamava *Masterful Personality* [Personalidade dominante].

Muitos desses guias foram escritos para homens de negócios, mas mulheres também eram incitadas a trabalhar uma misteriosa qualidade chamada "fascinação". Tornar-se adulta na década de 1920 era um negócio tão competitivo se comparado ao que suas avós tinham vivido, alertava um guia de beleza, que elas tinham que ser visivelmente carismáticas: "As pessoas que passam na rua não podem saber que somos inteligentes e charmosas se não aparentarmos isso."

Tais conselhos — ostensivamente destinados a melhorar a vida das pessoas — devem ter perturbado até pessoas razoavelmente confiantes. Susman contou as palavras que apareciam com mais frequência em manuais de conselhos de personalidade do início do século XX e comparou-as aos guias de caráter do século XIX. Os guias mais antigos enfatizavam atributos que todos poderiam tentar melhorar, descritos com palavras como:

Cidadania
Dever
Trabalho
Boas ações
Honra
Reputação
Moral
Modos
Integridade

Mas os novos guias celebravam qualidades que eram — não importa o quanto Dale Carnegie tenha feito soar fácil — mais complicadas de se adquirir. Ou você tinha estas qualidades ou não tinha:

Magnético
Fascinante

Impressionante
Atraente
Radiante
Dominante
Vigoroso
Enérgico

Não é coincidência que nos anos 1920 e 1930 os norte-americanos tenham se tornado obcecados por estrelas de cinema. Quem melhor do que um ídolo das matinês como modelo de magnetismo?

Os norte-americanos também recebiam conselhos sobre apresentação pessoal — quer gostassem disso, quer não — da indústria da propaganda. Enquanto as antigas propagandas escritas eram anúncios diretos dos produtos ("LINHO EATON'S HIGHLAND: O PAPEL DE CARTA MAIS FRESCO E LIMPO"), os novos anúncios movidos pela personalidade tomavam os consumidores como artistas com medo do palco que apenas os produtos anunciados poderiam salvar. Essas propagandas focavam obsessivamente no olhar hostil dos holofotes públicos: "AS PESSOAS AO SEU REDOR ESTÃO JULGANDO-O EM SILÊNCIO", alertava um anúncio do sabonete Woodbury de 1922. "OLHOS CRÍTICOS ESTÃO MEDINDO-O AGORA MESMO", dizia um anúncio da empresa de creme de barbear Williams.

Os anúncios da Madison Avenue, em Nova York, falavam diretamente às ansiedades masculinas de vendedores e gerentes. Em um anúncio de escovas de dentes, um homem de aparência próspera sentava-se atrás de uma mesa, seu braço colocado confiantemente atrás do quadril, perguntando: "JÁ TENTOU VENDER-*SE* A *VOCÊ MESMO*? UMA PRIMEIRA IMPRESSÃO POSITIVA É O FATOR FUNDAMENTAL PARA O SUCESSO SOCIAL E NOS NEGÓCIOS". Um anúncio do creme de barbear Williams mostrava um homem de cabelos sedosos e bigode incitando os leitores: "DEIXE SEU ROSTO REFLETIR CONFIANÇA, NÃO SE PREOCUPE! A SUA APARÊNCIA QUE É JULGADA NA MAIORIA DAS VEZES".

Outros anúncios lembravam às mulheres que seu sucesso no jogo da sedução dependia não apenas da aparência, mas também da personalidade. Em 1921, um anúncio de sabonete mostrava uma jovem cabisbaixa, sozinha em casa após uma saída frustrada. Ela quisera "ser bem-sucedida, alegre, triunfante", dizia o texto. Mas sem a ajuda do sabonete certo, a mulher fora um desastre social.

Dez anos depois, o sabão para roupas Lux divulgou um anúncio mostrando uma carta queixosa dirigida a Dorothy Dix, a grande conselheira da época. "Querida srta. Dix, como posso me tornar mais popular? Sou bonitinha e não sou burra, mas sou muito tímida e insegura diante das pessoas. Tenho sempre certeza de que não vão gostar de mim... — Joan G."

A resposta da srta. Dix voltou clara e firme. Se Joan simplesmente usasse o sabão Lux em sua lingerie, cortinas e almofadas, ela logo ganharia a "convicção interior, profunda e firme de que era encantadora".

Esse retrato do cortejo como uma performance de alto risco refletia os novos costumes ousados do Culto à Personalidade. Sob os códigos sociais restritivos (e às vezes repressivos) do Culto ao Caráter, homens e mulheres mostravam alguma reserva em relação ao jogo da sedução. Mulheres que gesticulassem e falassem muito alto ou olhassem de forma imprópria para estranhos eram consideradas vulgares. Mulheres da classe alta tinham mais liberdade para falar do que seus pares de classe baixa, e de fato eram julgadas por seu talento para dar respostas inteligentes, mas mesmo elas eram aconselhadas a ruborizar e baixar os olhos. Eram alertadas pelos manuais de conduta que "a mais fria reserva" era "mais admirável em uma mulher que um homem quisesse esposar do que a menor aproximação com uma familiaridade inadequada". Homens podiam adotar uma conduta reservada que implicava autocontrole e um poder que não precisava ser ostentado. Se a timidez em si era inaceitável, a reserva era uma marca de boa educação.

Mas com o advento da Cultura da Personalidade, o valor da formalidade começou a se desfazer, tanto para homens quanto para mulheres. Em vez de se aproximar cerimoniosamente das mulheres e fazer sérias declarações de intenções, agora esperava-se que os homens lançassem galanteios verbalmente sofisticados nos quais jogavam às mulheres uma "cantada" de flertes elaborados. Homens que eram quietos demais perto das mulheres arriscavam ser tomados como gays. Como um popular guia de sexo de 1926 observava, "homossexuais são invariavelmente tímidos, reservados, distantes". Esperava-se também que as mulheres caminhassem na tênue linha entre o apropriado e o ousado. Se respondiam de modo muito tímido a investidas românticas, eram às vezes chamadas de "frígidas".

O campo da psicologia também começou a enfrentar a pressão para projetar confiança. Nos anos 1920, um influente psicólogo chamado Gordon Allport criou um teste diagnóstico de "Ascendência-Submissão", para medir a dominância social. "Nossa civilização atual", observou Allport, que era tímido e reservado, "parece premiar a pessoa agressiva, aquela que 'vai à luta'". Em 1921, Carl Jung observou o novo estado decadente da introversão. Jung via os introvertidos como "educadores e promotores de cultura", que mostravam o valor da "vida interior de que tão dolorosamente carecia nossa civilização". Mas ele reconhecia que sua "reserva e embaraço aparentemente sem motivo naturalmente levantavam todos os preconceitos correntes contra o tipo".

Mas a necessidade de parecer seguro de si era mais aparente em um novo conceito da psicologia que se chamava complexo de inferioridade (CI). O CI, como se tornou conhecido na imprensa popular, foi desenvolvido nos anos 1920, por um psicólogo vienense chamado Alfred Adler, para descrever o sentimento de inadequação e suas consequências. "Você se sente inseguro?", perguntava a capa do best-seller de Adler, *A ciência da natureza humana*. "Você é tímido? Você é submisso?" Adler explicou que todos os bebês e crianças pequenas sentem-se inferiores, vivendo em um mundo de adultos e irmãos mais velhos. No processo normal do crescimento, eles aprendem a dirigir esses sentimentos à perseguição de seus objetivos. Mas se as coisas derem errado no processo de amadurecimento, eles podem ser sobrecarregados com o temido CI — um grave problema em uma sociedade cada vez mais competitiva.

A ideia de envolver todas as ansiedades sociais em uma bela embalagem de complexo psicológico atraiu muitos norte-americanos. O complexo de inferioridade tornou-se uma explicação multiuso para problemas em várias áreas da vida, do amor à paternidade e à carreira. Em 1924, a revista *Collier's* publicou uma matéria sobre uma mulher que tinha medo de se casar com o homem que amava porque temia que ele tivesse CI e nunca conquistasse nada. Outra revista popular publicou um artigo chamado "Seu filho e o complexo da moda", explicando às mães o que poderia causar o CI em crianças e como preveni-lo ou curá-lo. Parecia que *todo mundo* tinha CI; para alguns isso era, paradoxalmente, um sinal de distinção. Lincoln, Napoleão, Theodore Roosevelt, Edison e Shakespeare — todos sofreram com CIs, de acordo com um artigo de 1939 da

*Collier's*. "Então", concluiu a revista, "se você tiver um grande, robusto e crescente complexo de inferioridade, você tem toda a sorte do mundo, desde que também tenha a coragem necessária".

Apesar do tom esperançoso desse artigo, especialistas na orientação de crianças nos anos 1920 se reuniram em torno da ideia de ajudá-las a desenvolver personalidades vencedoras. Até então, esses profissionais tinham se preocupado principalmente com meninas sexualmente precoces e meninos delinquentes, mas agora psicólogos, assistentes sociais e médicos focavam na criança comum com a "personalidade desajustada" — principalmente crianças tímidas. A timidez poderia levar a consequências perigosas, alertavam eles, do alcoolismo ao suicídio, enquanto uma personalidade aberta traria sucesso financeiro e social. Os especialistas aconselhavam os pais a proporcionar uma boa socialização a seus filhos e também aconselhavam as escolas a mudar sua ênfase no ensino através dos livros para "ajudar e orientar a personalidade em desenvolvimento". Os educadores acataram essas diretivas com entusiasmo. Por volta de 1950, o slogan da Conferência da Casa Branca sobre crianças e jovens foi "Uma personalidade saudável para todas as crianças".

Pais bem-intencionados da metade do século concordavam que a quietude era inaceitável e que a sociabilidade era ideal tanto para meninos quanto para meninas. Alguns desencorajavam os filhos de seguir hobbies sérios e solitários, como a música clássica, que poderia torná-los impopulares. Eles os mandavam para a escola cada vez mais jovens, e o principal objetivo era aprender a socializar. Crianças introvertidas muitas vezes eram tachadas de problemáticas (uma situação familiar a qualquer um que tenha um filho introvertido atualmente).

*The Organization Man* [O homem corporativo], best-seller de William Whyte em 1956, descreve como pais e professores conspiraram para renovar a personalidade de crianças quietas. Whyte lembra-se de ouvir uma mãe falando: "Johnny não estava indo muito bem na escola. A professora me explicou que ele fazia direitinho as lições, mas seu ajustamento social não era tão bom quanto deveria. Ele escolhia um ou dois amigos para brincar, e às vezes ficava feliz em estar sozinho." Os pais recebiam bem tais intervenções, disse Whyte. "A não ser por alguns poucos pais, a maioria sente-se grata que as escolas trabalhem tão duro para eliminar tendências à introversão e outras anormalidades suburbanas."

Pais envolvidos nesse sistema de valores não eram cruéis ou ignorantes, estavam apenas preparando seus filhos para o "mundo real". Quando essas crianças cresceram e se inscreveram na faculdade e depois se candidataram ao primeiro emprego, encararam o mesmo padrão de sociabilidade. O departamento de admissão das universidades procurava não apenas os candidatos mais excepcionais, mas também os mais extrovertidos. O reitor de Harvard, Paul Buck, declarou no fim dos anos 1940 que Harvard deveria rejeitar o tipo "sensível e neurótico" e os "superestimulados intelectualmente", em favor de jovens do tipo "saudável e extrovertido". Em 1950, o presidente de Yale, Alfred Whitney Griswold, declarou que o ideal da universidade não era o tipo "sisudo, um intelectual altamente especializado, mas um homem completo". Outro reitor disse a Whyte que "ao repassar as candidaturas das escolas de ensino médio, ele sentiu que era apenas senso comum levar em conta não apenas o que a faculdade queria, mas o que iriam querer, quatro anos depois, os recrutadores das empresas. 'Eles gostam de tipos bem sociáveis e ativos. Então, achamos que o melhor candidato é aquele que teve uma média entre 80 e 85 na escola e várias atividades extracurriculares. Vemos pouca utilidade no introvertido *brilhante*'".

Esse reitor definiu muito bem que o funcionário-modelo do meio do século — até mesmo aquele cujo trabalho raramente envolvesse lidar com o público, como um cientista pesquisador no laboratório de uma empresa — não era um pensador profundo, mas um vigoroso extrovertido com a personalidade de um vendedor. "Normalmente, quando a palavra 'brilhante' é usada", explica Whyte, "ou precede a palavra 'mas' (por exemplo: 'Somos todos pelo brilhantismo, mas...'), ou é associada a palavras como errático, excêntrico, introvertido, louco etc.". "Esses homens terão contato com outras pessoas na empresa", disse um executivo dos anos 1950 sobre os lastimáveis cientistas sob suas ordens, "e ajuda se eles puderem causar uma boa impressão".

O trabalho do cientista não era apenas fazer pesquisa, mas também ajudar a vendê-la, e isso requeria algum traquejo social. Na IBM, uma empresa que representava o ideal do homem corporativo, a equipe de vendas se reunia todas as manhãs para cantar o hino da empresa, "Sempre para a frente", e cantarolar a canção "Vendendo a IBM" no ritmo de "Singin' in the Rain". Começava assim: "Vendendo a IBM, estamos vendendo a IBM. Que sentimento glorioso, o mundo é nosso amigo." A cantiga seguia para um glorioso final: "Estamos sempre bem-arrumados, trabalhamos com vigor. Estamos vendendo, apenas vendendo, a IBM."

Então partiam para suas novas vendas, provando que o pessoal de admissão de Harvard e Yale provavelmente estava certo: apenas um tipo de pessoa poderia estar interessado em começar suas manhãs desse jeito.

O restante dos homens corporativos teria que se virar da melhor forma possível. E se a história do consumo farmacêutico serve como indício, muitos sucumbiram sob tanta pressão. Em 1955, a fábrica de remédios Carter-Wallace lançou o ansiolítico Miltown, recolocando a ansiedade como o produto natural de uma sociedade em que todos tentam passar por cima dos outros e que é, ao mesmo tempo, impiedosamente sociável. Miltown era dirigido aos homens e logo se tornou o remédio mais rapidamente vendido na história norte-americana, de acordo com a historiadora social Andrea Tone. Em 1956, um em cada vinte norte-americanos o havia experimentado; em 1960, um terço das receitas dos médicos norte-americanos era para Miltown ou um similar chamado Equanil. "A ANSIEDADE E A TENSÃO SÃO O LUGAR-COMUM DO NOSSO TEMPO", dizia o anúncio do Equanil. Nos anos 1960, o tranquilizante Serentil seguiu-o com uma campanha publicitária ainda mais direta em seu apelo à melhora da performance social. "PARA A ANSIEDADE QUE VEM DA INADEQUAÇÃO", ela enfatizava.

---

É claro que o Ideal da Extroversão não é uma invenção moderna. Extroversão está no nosso DNA — literalmente, de acordo com alguns psicólogos. Descobriu-se que esse traço era menos corrente na África e na Ásia do que na Europa e na América, cujas populações descendem em grande parte dos migrantes do mundo. Segundo esses pesquisadores, faz sentido que os viajantes do mundo fossem mais extrovertidos que aqueles que ficaram em casa — e que tenham passado seus traços a seus filhos e aos filhos de seus filhos. "Como traços de personalidade são transmitidos geneticamente", escreveu o psicólogo Kenneth Olson, "cada onda sucessiva de emigrantes para um novo continente daria origem, com o passar do tempo, a uma população de indivíduos mais engajados do que aqueles que permaneceram no continente de origem".

Também podemos traçar nossa admiração pelos extrovertidos até os gregos antigos, para quem a oratória era uma habilidade nobre, e aos romanos, para quem o pior castigo possível era o banimento da cidade, com sua fervilhante vida social. De maneira similar, os norte-americanos reverenciam seus pais fundadores porque eram falastrões quando o assunto era liberdade: *Dê-me a liberdade ou dê-me a morte!* Até o cristianismo dos antigos reflorescimentos religiosos norte-americanos, datando desde o Primeiro Grande Despertar do século XVIII, dependia da capacidade dos ministros de serem *showmen*, que eram considerados bem-sucedidos se fizessem com que multidões de pessoas normalmente reservadas chorassem, gritassem e geralmente perdessem o decoro. "Nada me traz mais dor e aflição do que ver um ministro quase imóvel, labutando friamente como um matemático que calcula a distância da Terra à Lua", reclamou um jornal religioso em 1837.

Como sugere esse desdém, os antigos norte-americanos reverenciavam a ação e desconfiavam do intelecto, associando a vida mental com a preguiçosa e ineficiente aristocracia europeia que tinham deixado para trás. Em 1828, a campanha presidencial apresentava um ex-professor de Harvard, John Quincy Adams, contra Andrew Jackson, um forte herói militar. Um slogan de campanha de Jackson distinguia os dois: "John Quincy Adams que sabe escrever/ E Andrew Jackson que sabe lutar."

O vencedor da campanha? O lutador derrotou o escritor, como colocou o historiador cultural Neal Gabler. (John Quincy Adams, aliás, é considerado por especialistas em psicologia política um dos poucos introvertidos na história das campanhas presidenciais.)

Mas o advento do Culto à Personalidade intensificou esses preconceitos e aplicou-os não só a líderes religiosos e políticos, mas também a pessoas comuns. E embora fabricantes de sabonete possam ter lucrado com a nova ênfase no charme e no carisma, nem todos ficaram satisfeitos com esse desenvolvimento. "O respeito pela personalidade humana individual chegou conosco a seu ponto mais baixo", observou um intelectual em 1921, "e é deliciosamente irônico que nenhuma outra nação fale tão constantemente sobre personalidade quanto a nossa. Na verdade, temos escolas de 'autoexpressão' e 'autodesenvolvimento', apesar de geralmente querermos a expressão e o desenvolvimento de um corretor de imóveis bem-sucedido".

Outro crítico lamentou a atenção servil que os norte-americanos estavam começando a prestar nos artistas: "É notável quanta atenção o palco e as coisas pertencentes a ele estão recebendo hoje em dia das revistas", reclamou. Apenas vinte anos antes — durante o Culto ao Caráter — tais tópicos teriam sido considerados indecorosos; agora, haviam se tornado "uma parte tão grande da vida em sociedade que se tornaram assunto de conversa em todas as classes".

Até "A canção de amor de J. Alfred Prufrock", famoso poema de 1915 de T.S. Eliot — em que lamenta a necessidade de "preparar o rosto para encontrar os rostos que você encontra" —, parece um grito desesperado sobre as novas demandas da autoapresentação. Enquanto poetas de séculos anteriores vagaram sozinhos como uma nuvem no campo (Wordsworth, em 1802) ou se reanimavam na solidão de Walden Pond (Thoreau, em 1845), o Prufrock de Eliot se preocupa mais com ser visto por "olhos que o fixam em uma frase formulada" e o pregam, contorcendo-se, a uma parede.

Avançando quase cem anos, o protesto de Prufrock é preservado no plano de ensino de escolas de ensino médio, onde é obedientemente memorizado e rapidamente esquecido por adolescentes cada vez mais hábeis em formular suas *personae* virtuais e reais. Esses estudantes habitam um mundo em que status, salário e autoestima dependem mais do que nunca da habilidade em atender as demandas do Culto à Personalidade. A pressão para entreter, vender a nós mesmos e nunca estar visivelmente ansiosos continua aumentando. O número de norte-americanos que se consideram tímidos passou de 40% nos anos 1970 para 50% nos anos 1990, provavelmente porque nos medíamos em relação a níveis mais altos de falta de medo de se apresentar em público. Hoje, pensa-se que o transtorno da ansiedade social — o que essencialmente quer dizer timidez patológica — atinge cerca de uma em cada cinco pessoas. A versão mais recente do *Manual Diagnóstico e Estatístico* (DSM-IV), a bíblia dos psiquiatras sobre transtornos mentais, considera o medo de falar em público uma patologia — não um aborrecimento, não uma desvantagem, mas uma *doença* — se interferir na performance de trabalho do afetado. Um alto gerente da Eastman Kodak disse ao autor Daniel Goleman: "Não é suficiente ser capaz de se sentar na frente do computador animado com uma fantástica análise regressiva se você tem dificuldade em apresentar esses resultados a um grupo executivo." (Aparentemente não é um problema ter dificuldade em fazer análises regressivas se você for capaz de falar em público.)

Mas talvez a melhor maneira de medir o Culto à Personalidade do século XXI seja voltando à arena da autoajuda. Hoje, mais de um século depois de Dale Carnegie ter lançado o primeiro curso de falar em público, seu best-seller *Como fazer amigos e influenciar pessoas* é um sucesso nas livrarias de aeroportos e nas listas de mais vendidos. O Dale Carnegie Institute ainda oferece versões atualizadas das aulas originais de Carnegie, e a capacidade de se comunicar com fluidez continua sendo algo essencial no currículo. A ONG Toastmasters, fundada em 1924, cujos membros se reúnem semanalmente para treinar falar em público e cujo fundador declarou que "falar é vender, e vender envolve falar", ainda está ativa, com mais de 12.500 divisões em 113 países.

O vídeo promocional do site da Toastmasters mostra um esquete no qual dois colegas, Eduardo e Sheila, estão sentados na plateia da 6ª Conferência Anual Global de Negócios enquanto um orador nervoso faz uma apresentação deplorável.

— Estou tão contente por não ser ele — sussurra Eduardo.

— Você está brincando, não é? — responde Sheila, com um sorriso satisfeito. — Você não se lembra da apresentação de vendas para aqueles novos clientes no mês passado? Pensei que você fosse desmaiar.

— Não fui tão mal assim, fui?

— Ah, você foi mal, sim. Muito mal. Até pior.

Eduardo parece apropriadamente envergonhado, enquanto Sheila, bastante insensível, dá a impressão de estar distraída.

— Mas você pode consertar isso — diz Sheila. — Você pode melhorar... Já ouviu falar da Toastmasters?

Sheila, uma jovem morena e atraente, carrega Eduardo para uma reunião da Toastmasters. Ela se voluntaria para participar de um exercício chamado "Verdade ou mentira", no qual deve dizer a um grupo de quinze desconhecidos uma história sobre sua vida, depois da qual eles devem decidir se acreditam ou não nela.

— Aposto que consigo enganar todo mundo — sussurra ela para Eduardo, enquanto marcha até o palanque. Ela conta uma história sobre seus anos como cantora de ópera, concluindo com sua comovente decisão de desistir de tudo para passar mais tempo com a família. Quando termina, o animador [*toastmaster*] da noite pergunta às pessoas do grupo se acreditam na história de

Sheila. Todas as mãos se levantam. O animador vira-se para Sheila e pergunta se era verdade.

— Não consigo nem cantarolar! — diz ela sorrindo, triunfante.

Sheila passa a todos a impressão de uma pessoa dissimulada, mas estranhamente empática. Como os ansiosos leitores dos guias de personalidade dos anos 1920, ela só estava tentando progredir no escritório.

— Há tanta competição no meu ambiente de trabalho — confidencia ela à câmera — que manter minhas habilidades aguçadas tornou-se essencial.

Mas o que significa ter "habilidades aguçadas"? Devemos nos tornar tão competentes na autoapresentação que podemos enganar a todos sem que ninguém suspeite? Devemos adequar nossas vozes, gestos e linguagem corporal ao palco de maneira que possamos contar — vender — qualquer história que quisermos? Essas parecem aspirações mercenárias, um indício do quão longe chegamos — e não de um jeito bom — desde a infância de Dale Carnegie.

Os pais de Dale Carnegie tinham altos padrões morais; eles queriam que o filho seguisse uma carreira na religião ou na educação, não em vendas. Seria improvável que eles aprovassem uma técnica de desenvolvimento pessoal chamada "Verdade ou mentira". Ou ainda que aprovassem os conselhos campeões de vendas de Carnegie sobre como fazer as pessoas o admirarem e seguirem tudo o que você diz. *Como fazer amigos e influenciar pessoas* tem capítulos chamados "Torne as pessoas satisfeitas em fazer o que você quer" e "Como fazer as pessoas gostarem de você instantaneamente".

Tudo isso nos leva à questão: como passamos ao Culto à Personalidade sem perceber que perdemos algo significativo no caminho?

# 2
# O MITO DA LIDERANÇA CARISMÁTICA

## O Culto à Personalidade, cem anos depois

*A sociedade é em si um ensino dos valores da extroversão, e raramente houve uma sociedade que os pregasse com tanto empenho. Nenhum homem é uma ilha, mas John Donne se contorceria ao ouvir com que frequência, e por que razões, esse pensamento é exaustivamente repetido.*

— William Whyte

**A habilidade para vendas como uma virtude: ao vivo com Tony Robbins**

— Você está animada? — grita uma jovem chamada Stacy quando lhe entrego os formulários de inscrição. Sua voz doce eleva-se até uma grande exclamação. Eu assinto e sorrio o máximo que consigo. Ouço pessoas berrando pelo saguão do centro de conferências de Atlanta.

— Que barulho é esse? — pergunto.

— Eles estão animando as pessoas para entrar! — diz Stacy, entusiasmada. — Isso é parte de toda a experiência LPI. — Ela me dá um cordão roxo e um crachá magnético com meu nome para pendurar no pescoço. LIBERE O PODER INTERIOR, proclama o crachá em grandes letras maiúsculas. Bem-vindo ao seminário de Tony Robbins para iniciantes.

Paguei 895 dólares, de acordo com o material promocional, para aprender a ser mais enérgica, ganhar força na minha vida e vencer meus medos. Mas a verdade é que não estou aqui para liberar meu poder interior (apesar de estar contente em pegar algumas dicas); estou aqui porque esse seminário é a primeira parada na minha jornada para entender o Ideal da Extroversão.

Já vi os comerciais de Tony Robbins — ele diz sempre haver algum passando em algum canal —, que me surpreende como uma das pessoas mais extrovertidas da Terra. Mas ele não é um extrovertido qualquer. Ele é o rei da autoajuda, com uma lista de clientes que inclui Bill Clinton, Tiger Woods, Nelson Mandela, Margaret Thatcher, Princesa Diana, Mikhail Gorbachev, Madre Teresa, Serena Williams, Donna Karan — e cinquenta milhões de outras pessoas. E a indústria da autoajuda, na qual centenas de milhares de norte-americanos investem seu coração, sua alma e cerca de 11 bilhões de dólares por ano, por definição revela nosso conceito da personalidade ideal, aquela que esperamos ter se simplesmente seguirmos os setes princípios disso e as três leis daquilo. Quero saber como é essa personalidade ideal.

Stacy me pergunta se trouxe minhas próprias refeições. Parece uma pergunta estranha: quem leva seu jantar de Nova York a Atlanta? Ela explica que vou querer me revigorar no meu lugar; pelos próximos quatro dias, estaremos trabalhando quinze horas por dia, das 8h às 23h, com apenas um curto intervalo à tarde. Tony estará no palco *o tempo todo* e não vou querer perder nenhum instante.

Dou uma olhada no saguão. Outras pessoas parecem ter vindo preparadas. Estão circulando rumo ao salão, carregando alegremente sacos de compras recheados de barrinhas energéticas, bananas e cereais. Pego algumas maçãs amassadas na cafeteria e me dirijo ao auditório. Recepcionistas vestindo camisetas da LPI com sorrisos entusiasmados se alinham na entrada, saltitando, punhos para o ar. Você não pode entrar sem bater mãos com eles. Eu sei porque tentei.

Dentro do grande salão, uma fileira de dançarinos está aquecendo a multidão com a música "Mony Mony", de Billy Idol, amplificada por um dos melhores sistemas de som do mundo, engrandecidos por telas gigantes dos dois lados do palco. Eles se movem em sincronia como dançarinos de um clipe da Britney Spears, mas estão vestidos como gerentes. O bailarino principal é um quarentão quase careca com uma camisa social branca, uma gravata conservadora, mangas enroladas e um entusiasmado sorriso de boas-vindas. A mensagem parece ser a de que todos podemos aprender a ser exuberantes quando chegamos ao trabalho pela manhã.

De fato, os passos de dança parecem simples o suficiente para que imitemos em nossos lugares: pular e bater palmas duas vezes; uma palma à esquerda, outra à direita. Quando a música muda para "Gimme Some Lovin'", muitas pessoas da plateia sobem em suas cadeiras dobráveis de metal, onde continuam a gritar e bater palmas. Eu fico meio rabugenta, de braços cruzados, até decidir que não há nada a fazer a não ser seguir a multidão e saltitar com meus pares.

Finalmente, chega o momento que todos esperavam: Tony Robbins entra no palco. Já um gigante com seus dois metros, ele parece ter centenas de metros de altura no telão. É bonito como um astro de cinema, com cabelos castanhos grossos, um sorriso de comercial de pasta de dentes e bochechas incrivelmente definidas. "Conheça Tony Robbins ao vivo!", prometia a propaganda do seminário e agora ali estava ele, dançando com a multidão eufórica.

Faz cerca de 10°C na sala, mas Tony está vestindo uma camisa polo de mangas curtas e shorts. Muitos da plateia trouxeram cobertores, tendo sabido de alguma forma que o auditório seria mantido frio como uma geladeira, provavelmente para acomodar o altíssimo metabolismo de Tony. Seria preciso uma outra era do gelo para esfriar aquele homem. Ele pula, grita e consegue, de alguma forma, fazer contato visual com todas as 3.800 pessoas da plateia. Os recepcionistas saltitam entusiasmados nos corredores. Tony abre bem os braços, abraçando todos nós. Se Jesus voltasse à Terra e fizesse sua primeira parada no centro de convenções de Atlanta, seria difícil imaginar uma recepção mais exultante.

Isso vale até para a fileira de trás, onde estou sentada com outros que gastaram 895 dólares para uma "entrada geral", em vez de 2.500 dólares pelo estatuto de "membro diamante", que permite sentar-se na fileira da frente, o mais perto possível de Tony. Quando comprei meu ingresso pelo telefone, a representante de vendas me alertou que as pessoas sentadas nas fileiras da frente — onde "com certeza você estará olhando diretamente para Tony", em vez de se basear no telão — geralmente eram "mais bem-sucedidas na vida". "Aquelas são as pessoas que têm mais energia", disse ela. "Aquelas são as pessoas que estão gritando." Não tenho como julgar o sucesso das pessoas perto de mim, mas certamente elas parecem animadas por estar ali. Ao ver Tony, bem iluminado no palco para destacar seu rosto expressivo, elas gritam e pipocam pelos corredores como em um show de rock.

Logo, eu as acompanho. Sempre adorei dançar, e tenho que admitir que girar no meio da multidão ao som dos hits clássicos é uma excelente forma de passar o tempo. De acordo com Tony, o poder liberado vem da alta energia, e entendo o que ele quer dizer. Não surpreende que pessoas venham de longe para vê-lo ao vivo (há uma jovem adorável vinda da Ucrânia sentada — quer dizer, pulando — perto de mim com um sorriso satisfeito). Decidi que realmente tenho que voltar para a aeróbica ao retornar a Nova York.

Quando a música finalmente acaba, Tony dirige-se a nós com uma voz rouca, meio de desenho animado, meio sedutora, apresentando sua teoria da Psicologia Prática. A essência dela é que o conhecimento é inútil a não ser que seja combinado com a ação. Ele tem uma fala que teria feito suspirar Willy Loman, personagem de *A morte do caixeiro-viajante*. Demonstrando a psicologia prática em ação, Tony nos instruía a encontrar um parceiro e cumprimentá-lo como se nos sentíssemos inferiores e com medo da rejeição social. Eu me aproximo de um construtor do centro de Atlanta e trocamos apertos de mão inseguros, olhando timidamente para o chão enquanto "I Want You to Want Me" toca ao fundo.

Tony grita uma série de perguntas bem-pensadas:

— Sua respiração estava forte ou fraca?

— Fraca — grita o público em uníssono.

— Vocês hesitaram ou foram direto a eles?

— Hesitamos!

— Estavam tensos ou relaxados?

— Tensos!

Tony nos pede para repetir o exercício, mas desta vez cumprimentando nossos parceiros como se a impressão que causaremos nos primeiros três ou cinco segundos determinasse se eles fariam negócios conosco. Se eles não fizerem, "todos de quem gostamos vão morrer e arder no inferno".

Fico horrorizada com a ênfase que Tony dá ao sucesso nos negócios — este é um seminário sobre poder pessoal, não sobre vendas. Então lembro que Tony não é apenas um guia, mas um homem de negócios extraordinário: ele começou a carreira na área de vendas e hoje é o chefe de sete empresas privadas. A revista

*Business Week* já estimou seus ganhos em 80 milhões de dólares ao ano. Agora ele parece estar tentando, com todas as forças de sua poderosa personalidade, transmitir seu toque de vendedor. Ele quer que não apenas nos sintamos ótimos, mas que irradiemos ondas de energia; não apenas que gostem da gente, mas que gostem *bastante* da gente; ele quer que saibamos nos vender. Já fui avisada pela Anthony Robbins Companies, através de um relatório personalizado de 45 páginas gerado por um teste de personalidade virtual que fiz em preparação para este fim de semana, que "Susan" deve trabalhar na sua tendência a comunicar, não a vender, suas ideias. (O relatório foi escrito na terceira pessoa, como se fosse ser revisado por algum gerente imaginário avaliando minhas habilidades interpessoais.)

O público divide-se em pares novamente, apresentando-se com entusiasmo e apertando a mão de seus parceiros. Quando terminamos, as perguntas se repetem.

— Vocês se sentiram melhor? Sim ou não?

— Sim!

— Vocês usaram o corpo de forma diferente? Sim ou não?

— Sim!

— Vocês usaram mais músculos do rosto, sim ou não?

— Sim!

— Vocês foram diretamente a eles, sim ou não?

— Sim!

Esse exercício parece ter sido desenvolvido para mostrar como nosso estado fisiológico influencia nosso comportamento e nossas emoções, mas também sugere que essa habilidade para vendas governa até as interações mais neutras. Ele sugere que cada encontro é um jogo de alto nível, no qual ganhamos ou perdemos a aprovação da outra pessoa. Ele nos incita a enfrentar nossas fobias sociais da maneira mais extrovertida possível. Devemos ser vibrantes e confiantes, não podemos hesitar, devemos sorrir para que nossos interlocutores sorriam de volta. Seguir esses passos fará com que nos sintamos bem — e quanto melhor nos sentirmos, melhor podemos nos vender.

Tony parece a pessoa perfeita para demonstrar tais habilidades. Ele me impressiona com seu temperamento "hiper-rítmico" — uma espécie de extroversão exagerada caracterizada, nas palavras de um psiquiatra, por traços "exuberantes, alegres, extremamente vigorosos e confiantes", estando esses traços presentes por toda a vida. Pessoas que os apresentam são excelente companhia, assim como Tony no palco.

Mas e se você admirar o hiper-rítmico entre nós, mas também gostar de seu temperamento calmo e pensativo? E se você amar o conhecimento por si só, sem uma ação planejada? E se você quisesse que existissem mais, em vez de menos, tipos reflexivos no mundo?

Tony parece ter previsto esses questionamentos. "Mas você fala: 'Eu não sou um extrovertido'", nos diz ele no começo do seminário. "E daí? Você não precisa ser extrovertido para se sentir vivo!"

Até que é verdade. Mas, de acordo com Tony, parece que é melhor agir como um se você não quiser estragar as vendas ou ver sua família arder no inferno.

A noite culmina na Caminhada sobre o Fogo, um dos momentos-símbolo do seminário, no qual somos desafiados a cruzar uma pista de três metros coberta com carvão em brasas sem queimar os pés. Muitas pessoas se inscrevem no seminário por terem ouvido falar nessa caminhada e quererem tentar. A ideia é incitar um estado mental tão destemido que você pode aguentar até um calor de 600°C.

Antes desse momento, passamos horas praticando as técnicas de Tony — exercícios, passos de dança, visualizações. Percebo que as pessoas da plateia começam a imitar todos os movimentos e expressões faciais de Tony, incluindo seu gesto-assinatura, que consiste em esticar o braço como se estivesse arremessando uma bola de beisebol. A noite vai ganhando força até que pouco antes da meia-noite caminhamos para o estacionamento carregando tochas, com quase quatro mil pessoas, entoando "SIM! SIM! SIM!" ao som de uma batida tribal. Isso parece eletrizar meus companheiros, mas para mim o canto acompanhado de tambores — "SIM! Ba-da-da-da, SIM! Dum-dum-dum, SIM! Ba-da-da-da" — soa como o tipo de coisa que um general romano faria para anunciar sua chegada na cidade que está prestes a saquear. Os recepcionistas que nos levaram aos portões do auditório durante o dia com batidas de mão e sorrisos abertos metamorfosearam-se nos guardiões da Caminhada sobre o Fogo, com os braços apontando para a ponte em chamas.

Que eu saiba, uma Caminhada sobre o Fogo bem-sucedida não depende tanto do seu estado mental quanto da grossura da sola dos seus pés, então assisti a tudo de uma distância segura. Mas aparentemente fui a única a ficar para trás. A maioria dos companheiros de seminário faz a travessia gritando. "Consegui!", berram eles quando chegam do outro lado. "Consegui!"

Eles entraram no estado de espírito de Tony. Mas em que exatamente isso consiste?

Consiste, acima de tudo, em uma mente superior — o antídoto para o complexo de inferioridade de Alfred Adler. Tony usa a palavra "poderosa" em vez da palavra "superior" (hoje em dia somos sofisticados demais para limitar nossas buscas por desenvolvimento pessoal em termos de puro posicionamento social, como fizemos no início do Culto à Personalidade), mas tudo nele é um exercício de superioridade, desde a forma como ocasionalmente se dirige ao público, chamando-o de "meninos e meninas", às histórias que conta sobre suas mansões e amigos poderosos e à maneira como cresce — literalmente — sobre a plateia. Seu tamanho sobre-humano é uma parte importante da marca que criou: o título de seu best-seller, *Desperte o gigante interior*, já diz tudo.

O intelecto de Tony também é impressionante. Embora ele acredite que o ensino universitário é supervalorizado (pois não ensina sobre as emoções e o corpo, diz) e tenha demorado a escrever seu próximo livro (porque ninguém mais lê), ele conseguiu assimilar o trabalho de psicólogos acadêmicos e formatá-lo num baita show, com ideias genuínas que a plateia pode absorver.

Parte da genialidade de Tony reside na promessa implícita de que ele deixará o público compartilhar de sua própria jornada da inferioridade à superioridade. Ele nos diz que nem sempre foi tão grande. Quando criança, era um nanico. Antes de entrar em forma, era obeso. E antes de viver num castelo em Del Mar, na Califórnia, morava num apartamento alugado, tão pequeno que precisava guardar os pratos na banheira. Isso tudo dá a entender que *todos* podemos superar aquilo que nos deixa para baixo, que até os introvertidos podem aprender a andar sobre carvão bradando um poderoso "SIM".

A segunda parte do estado de espírito de Tony é a gentileza. Ele não conseguiria inspirar tantas pessoas se não fizesse com que elas sentissem que ele realmente se importa com a liberação de seus poderes interiores. Quando Tony está no palco, temos a sensação de que ele está dançando, cantando e se emocionando com cada pedacinho de sua energia e de seu coração. Há momentos em que a multidão está de pé, cantando e dançando em uníssono, e ninguém consegue evitar amá-lo, da mesma maneira que muitas pessoas amaram Barack Obama com uma espécie de encanto perplexo quando o ouviram falar pela primeira vez em transcender o vermelho e o azul da bandeira. Em um determinado momento, Tony fala sobre as diferentes necessidades das pessoas — amor, segurança, variedade e por aí vai. Ele diz que é motivado pelo amor, e acreditamos nele.

Mas também há outra coisa: durante o seminário, ele está constantemente tentando nos vender algo. Ele e sua equipe de vendas usam o evento LPI, pelo qual o público já pagou uma boa soma, para vender seminários de vários dias, com nomes ainda mais atraentes e preços mais altos: "Encontro com o destino", por volta de 5 mil dólares, "Universidade da Liderança", 10 mil dólares, e a "Parceria Platinum", a qual, por bons 45 mil dólares por ano, leva você e onze outros membros Platinum para férias exóticas com Tony.

Durante a pausa da tarde, Tony fica no palco com sua bela e loura esposa, Sage, olhando nos olhos dela, acariciando seus cabelos, murmurando frases em seu ouvido. Tenho um casamento feliz, mas agora Ken está em Nova York e eu aqui em Atlanta, e até eu me sinto solitária ao assistir a esse espetáculo. Como seria se eu fosse solteira ou infeliz no meu relacionamento? Será que "incitaria uma vontade ardente" em mim, do mesmo jeito que Dale Carnegie aconselhou que seus vendedores fizessem com seus clientes há tantos anos? E certamente, quando a pausa acabar, um longo vídeo passará no telão, dando a deixa para o seminário sobre construção de relacionamentos de Tony.

Em outro segmento brilhantemente concebido, Tony dedica parte do seminário a explicar os benefícios financeiros e emocionais de se cercar do "grupo de parceiros" certo — depois do qual um funcionário começa as vendas do programa Platinum de 45 mil dólares. Dizem-nos que aqueles que compram um dos 12 lugares se juntarão ao "melhor grupo de parceiros", à "cereja do bolo", à "elite da elite da elite".

Não consigo deixar de me perguntar por que nenhum dos outros companheiros parece se importar com, ou até mesmo perceber, essas técnicas de vendas. Agora, muitos deles têm sacolas de compras perto dos pés, cheias de coisas que adquiriram no saguão — DVDs, livros, até fotografias do próprio Tony, prontas para serem emolduradas.

Mas o que Tony tem — e que atrai as pessoas a comprarem seus produtos — é que, como qualquer bom vendedor, ele *acredita* no que está vendendo. Aparentemente, ele não vê contradição entre querer o melhor para as pessoas e querer viver em uma mansão. Ele nos persuade de que está usando sua habilidade para vendas não apenas para ganhos pessoais, mas também para ajudar tantos de nós quanto puder. De fato, um introvertido muito pensativo que conheço, um vendedor bem-sucedido que dá seus próprios treinamentos em vendas, jura que Tony Robbins não apenas melhorou seus negócios, como também o tornou uma pessoa melhor. Quando começou a ir a eventos como o LPI, diz ele, passou a focar no que queria se tornar, e agora, quando dá seus próprios seminários, ele é essa pessoa. "Tony me dá energia, e agora posso criar energia para outras pessoas quando estou no palco."

No início do Culto à Personalidade, fomos incitados a desenvolver uma personalidade extrovertida por razões claramente egoístas: uma maneira de aparecer em meio à multidão em uma sociedade nova, anônima e competitiva. Mas hoje tendemos a pensar que se tornar mais extrovertido não apenas nos torna mais bem-sucedidos, como também pessoas melhores. Vemos a habilidade para vendas como uma forma de compartilhar o dom de alguém com o mundo.

É por isso que o ardor de Tony para vender para e ser adulado por milhares de pessoas de uma só vez não é visto como narcisismo ou agressividade, mas como liderança das mais valiosas. Se Abraham Lincoln incorporava a virtude durante o Culto ao Caráter, Tony Robbins é sua contrapartida no Culto à Personalidade. Na verdade, quando Tony menciona que já pensou em se candidatar à presidência dos Estados Unidos, o público o aclama em alto e bom som.

Mas será que sempre faz sentido relacionar liderança e hiperextroversão? Para descobrir, visitei a Harvard Business School, uma instituição que se gaba por sua capacidade de identificar e treinar alguns dos mais importantes líderes dos negócios e da política do nosso tempo.

**O mito da liderança carismática: a Harvard Business School e além**

A primeira coisa que noto ao entrar no campus da Harvard Business School é a maneira de as pessoas andarem. Ninguém passeia, perambula ou hesita. Elas avançam a passos largos, cheias de decisão. Visitei-as numa semana fria de outono, e os corpos dos estudantes parecem vibrar com a eletricidade de setembro enquanto avançam pelo campus. Quando cruzam o caminho uns dos outros eles não assentem apenas — em vez disso, trocam cumprimentos animados, perguntando como foi o verão na J.P. Morgan ou o *trekking* no Himalaia.

Eles se comportam da mesma maneira na "estufa social" do Spangler Center, o centro dos estudantes suntuosamente decorado. O Spangler tem cortinas verdes de seda que vão do chão ao telhado, ricos sofás de couro, gigantescas TVs de alta definição silenciosamente mostrando as notícias do campus, e tetos altos adornados com lustres de alta voltagem. As mesas e sofás são dispostos nas laterais do salão, formando uma passarela central bem iluminada onde os estudantes desfilam animados, parecendo inconscientes de que todos os olhares estão sobre eles. Admiro sua indiferença.

Os estudantes têm uma aparência ainda melhor que a de seu entorno, se é que isso é possível. Ninguém está mais de dois quilos acima do peso, tem a pele ruim ou usa acessórios estranhos. As mulheres são como líderes de torcida aptas ao sucesso. Elas vestem jeans ajustados, blusas de tecido diáfano e sapatos de salto alto *peep-toe* que fazem *clic-clac* ao tocar o chão de madeira polida do Spangler. Algumas desfilam como modelos, a não ser pelo fato de serem sociáveis e radiantes em vez de distantes e apáticas. Os homens são bem-cuidados e atléticos: parecem pessoas que esperam dar ordens, mas de uma forma amigável. Tenho a sensação de que se você pedisse informação sobre como chegar a determinado lugar a algum deles, ele o cumprimentaria com um sorriso e se empenharia na tarefa de o ajudar a encontrar o destino, sabendo ou não o caminho.

Sento-me perto de alguns alunos que estão planejando uma viagem de carro — estudantes de lá estão sempre coordenando saídas para pubs e festas ou descrevendo uma viagem emocionante da qual acabaram de voltar. Quando perguntam o que me traz ao campus, digo que estou fazendo entrevistas para um livro sobre introversão e extroversão. Não digo a eles que um amigo meu, ele mesmo graduado naquela faculdade, certa vez chamou o lugar de "Capital espiritual da extroversão". Mas eu nem *preciso* contar a eles.

— Boa sorte em encontrar um introvertido por aqui — diz um deles.

— Esta escola é baseada na extroversão — completa outro. — Suas notas e status dependem disso. É a norma aqui. Todos à sua volta estão falando alto, socializando e saindo.

— Alguém faz o tipo quieto? — pergunto.

Eles me olham com curiosidade.

— Eu não saberia dizer — responde o primeiro estudante com desdém.

A Harvard Business School não é, em nenhuma medida, um lugar comum. Fundada em 1908, quando Dale Carnegie acabara de tomar a estrada como vendedor e apenas três anos antes de ele dar sua primeira aula sobre como falar em público, a escola se vê "educando líderes que farão a diferença no mundo". O presidente George W. Bush estudou lá, assim como uma impressionante fileira de presidentes do Banco Mundial, secretários do Tesouro Americano, prefeitos de Nova York e presidentes de empresas como General Electric, Goldman Sachs, Procter & Gamble e mais notavelmente Jeffrey Skilling, o vilão do escândalo da Enron. Entre 2004 e 2006, 20% dos executivos dos três cargos mais altos das quinhentas empresas listadas pela *Fortune* eram ex-alunos da Harvard Business School.

É provável que ex-alunos de lá tenham influenciado sua vida de formas que você nem imagina. Eles decidiram quem devia ir à guerra e quando; definiram o destino das fábricas de carros de Detroit; desempenham papéis principais em cada crise que abala Wall Street, Main Street ou a Pennsylvania Avenue. Se você trabalha em uma empresa nos Estados Unidos, há uma boa chance de que os ex-alunos da HBS tenham formatado sua vida cotidiana também, pesando de quanta privacidade você precisa em seu ambiente de trabalho, de quantas sessões de trabalho em grupo você precisa participar por ano e se a criatividade é mais bem-atingida em atividades grupais ou solitárias. Dado o alcance dessa influência, vale a pena dar uma olhada em quem se matricula aqui — e o que essas pessoas valorizam ao se formar.

O estudante que me desejou boa sorte em descobrir um introvertido naquela escola acredita, sem dúvida, que nenhum seria encontrado. Mas ele certamente não conhece seu colega de classe do primeiro ano, Don Chen. Encontrei Don pela primeira vez no Spangler, onde estava sentado a alguns sofás de distância dos colegas que planejavam a viagem. Ele parece um aluno típico dali, alto, de modos graciosos, bochechas proeminentes, um sorriso vencedor e um corte de cabelo da moda, meio surfista. Ele gostaria de encontrar um emprego na iniciativa privada quando se graduar. Mas fale com Don por alguns momentos e você perceberá que sua voz é mais mansa que a de seus colegas, sua cabeça permanece suavemente erguida e seu sorriso é um pouco hesitante. Don é um "introvertido amargo", como ele diz com alegria — amargo porque quanto mais tempo ele passa na faculdade, mais se convence de que terá de mudar seus modos.

Don gosta de ter bastante tempo para si mesmo, mas na Harvard Business School isso não é uma opção. Seu dia começa de manhã cedo, quando ele encontra por uma hora e meia sua "Equipe de Aprendizado", um grupo de estudos em que a participação é obrigatória (os estudantes de lá praticamente vão ao banheiro em equipes). Ele passa o resto da manhã em aulas, nas quais noventa estudantes sentam-se juntos em um anfiteatro revestido de madeira em forma de U, com assentos como os de estádios. O professor geralmente começa descrevendo o estudo de caso do dia, que é baseado no cenário dos negócios da vida real — por exemplo, um diretor executivo de empresa que está considerando mudar a estrutura salarial de sua corporação. A figura central desse estudo de caso, o diretor executivo, é chamado de "protagonista". "Se você fosse o protagonista", pergunta o professor, sugerindo que logo você será, "o que você faria?"

A essência do ensino na Harvard Business School é que líderes têm que agir com confiança e tomar decisões diante de informações incompletas. O método de ensino joga com uma velha questão: se você não tem os fatos — e muitas vezes não os terá —, deve esperar para agir até ter reunido todos os dados de que precisa? Ou ao hesitar arriscará perder a confiança dos outros e seu próprio impulso? A resposta não é óbvia. Se você falar com firmeza baseado em informações erradas, pode levar seus companheiros ao desastre. Mas se transpirar incerteza, o moral sofre, investidores não investem e sua companhia pode ir por água abaixo.

O método de ensino dessa faculdade recai implicitamente para o lado da certeza. O diretor executivo pode não saber qual o melhor caminho, mas tem que agir de qualquer maneira. Por sua vez, espera-se que os alunos opinem. O ideal é que o aluno que acabou de ser chamado já tenha discutido o estudo de caso com sua Equipe de Aprendizado, então estará pronto para desempenhar os melhores movimentos do protagonista. Quando ele terminar, o professor irá encorajar outros alunos a oferecerem suas próprias visões. Metade da nota dos alunos e um percentual muito maior de seu status social são baseados em se eles se jogam ou não na briga. Se um aluno fala bastante e vigorosamente, ele é um jogador; se não, ele fica à margem.

Muitos alunos adaptam-se facilmente ao sistema. Mas não Don. Ele tem dificuldade em abrir caminho nas discussões; em algumas aulas ele mal fala. Prefere contribuir apenas quando acredita ter uma boa ideia a acrescentar ou só discorda quando tem certeza absoluta. Isso parece razoável, mas Don acredita que deveria se sentir mais confortável, falando apenas para suprir sua cota de participação.

Os amigos de Don na HBS, que tendem a ser tipos reflexivos e pensativos como ele, passam muito tempo falando sobre falar em aula. Quanto de participação em sala é demais? E quanto é muito pouco? Quando é que discordar de um colega constitui um debate saudável e quando parece competição e julgamento? Uma das amigas de Don está preocupada, pois um dos professores enviou um e-mail dizendo que qualquer um com experiência real sobre o estudo de caso do dia deveria falar para ele antes. Ela estava certa de que o anúncio do professor era um esforço para limitar intervenções burras como a que ela fizera na semana anterior. Outro se preocupa com o fato de não falar alto o bastante. "Minha voz é naturalmente baixa", diz ele, "então quando ela soa normal para os outros, sinto como se estivesse gritando. Tenho que trabalhar nisso".

A HBS também se esforça para transformar alunos quietos em falantes. Os professores têm suas próprias "Equipes de Aprendizado", nas quais trocam técnicas para estimular alunos reticentes. Quando os alunos fracassam em falar na aula, isto não é visto como uma falha apenas deles, mas também do professor. "Se um aluno não falar até o fim do semestre, isso é um problema", diz o professor Michel Anteby. "Significa que não fiz um bom trabalho."

A faculdade até abriga sessões de informação e páginas na internet sobre como ser um bom participante nas aulas. Os amigos de Don ditam seriamente as dicas de que se lembram melhor.

"Fale com convicção. Mesmo se você só acreditar 55% em algo, diga como se acreditasse 100%."

"Se estiver se preparando sozinho para uma aula, então está fazendo errado. Nada na Harvard Business School é para ser feito sozinho."

"Não pense na resposta perfeita. É melhor dizer alguma coisa do que não dizer nada."

O jornal da faculdade, *The Harbus*, também dá conselhos, com artigos do tipo "Como pensar e falar bem — na hora certa!", "Desenvolvendo sua presença de palco" e "Arrogante ou simplesmente confiante?".

Essas diretrizes estendem-se além da sala de aula. Depois delas, a maioria almoça no refeitório do Spangler, que um aluno descreve como "mais ensino médio que o ensino médio". E todos os dias, Don luta consigo mesmo. Será que ele deve voltar a seu apartamento e recarregar as energias com um almoço tranquilo, como deseja, ou se juntar aos seus colegas? Mesmo se ele se forçar a ir ao Spangler, a pressão social não acaba ali. Enquanto o dia passa, haverá mais dilemas. Ir a um *happy hour* no fim da tarde? Sair para uma noitada tardia e turbulenta? Os estudantes ali saem em grandes grupos várias noites por semana, diz Don. A participação não é obrigatória, mas parece ser para aqueles que não se lançam em atividades de grupo.

"Socializar é um esporte radical", diz um dos amigos de Don. "As pessoas saem *o tempo todo*. Se você não sair uma noite, no dia a seguinte as pessoas perguntarão onde você estava. Saio à noite como se fosse meu trabalho." Don percebeu que as pessoas que organizam eventos sociais — *happy hours*, jantares, bebedeiras — estão no topo da hierarquia social. "Os professores dizem que nossos colegas são pessoas que irão a nossos casamentos", diz Don. "Se deixar a faculdade sem ter construído uma extensa rede social, é como se tivesse fracassado na experiência."

Quando Don cai na cama à noite, está exausto. E às vezes se pergunta por que exatamente tem que dar tão duro para ser sociável. Don é sino-americano e recentemente trabalhou na China durante o verão. Ele ficou impressionado com o quanto as normas sociais são diferentes e como ele se sentiu mais confortável. Na China havia mais ênfase em ouvir e fazer perguntas do que em fazer discursos, colocando as necessidades dos outros em primeiro lugar. Ele sente que nos Estados Unidos a conversa é muito mais sobre como transformar suas experiências em histórias, enquanto um chinês ficaria preocupado em tomar tempo demais da outra pessoa com informações desnecessárias.

"Naquele verão eu disse a mim mesmo: 'Agora eu sei que esta é a minha gente'", diz ele.

Mas aquela era a China, aqui é Cambridge, Massachusetts. E se alguém julgar a Harvard Business School por quão bem prepara seus alunos para o "mundo real", parece que ela está fazendo um ótimo trabalho. Afinal, Don Chen irá se formar numa cultura de negócios em que a fluência verbal e a sociabilidade são os dois sinais mais importantes do sucesso no futuro, segundo um estudo da Stanford Business School. É um mundo em que um gerente médio da GE certa vez me disse que "as pessoas aqui nem querem encontrá-lo se não tiver uma apresentação de PowerPoint e uma propaganda para convencê-los. Mesmo se estiver apenas fazendo uma recomendação a um colega, você não pode se sentar no escritório de alguém e dizer a ele o que pensa. Você tem que fazer uma apresentação com os prós e os contras e algo para levar para casa".

A menos que você seja seu próprio patrão ou consiga se comunicar por telepatia, muitos adultos trabalham em escritórios onde precisam se dar ao trabalho de andar pelos corredores cumprimentando colegas com entusiasmo e confiança. "O mundo dos negócios", diz um artigo de 2006 do programa de profissionais de Wharton, outra escola de negócios, "está recheado de ambientes similares ao descrito por um treinador de executivos de Atlanta: 'Aqui, todos sabem que é importante ser extrovertido e que ser introvertido pode ser problemático. Então as pessoas dão duro para parecerem extrovertidas, quer estejam confortáveis com isso, quer não. É como se assegurar de que se está bebendo o mesmo uísque que o diretor executivo da corporação e que frequenta a academia certa.'"

Até negócios que empregam muitos artistas, designers e outros tipos imaginativos muitas vezes mostram uma preferência pela extroversão. "Queremos atrair pessoas criativas", diz a diretora de recursos humanos de uma empresa de mídia. Quando perguntei o que ela queria dizer com "criativo", ela respondeu sem pestanejar: "Você tem que ser simpático, divertido e empenhado para trabalhar aqui."

Anúncios contemporâneos direcionados aos homens e mulheres de negócios competiriam palmo a palmo com as propagandas de creme de barbear do passado. Uma linha de comerciais de TV da CNBC, o canal a cabo de negócios, mostrava um funcionário saindo derrotado de um negócio de ouro.

CHEFE PARA TED E ALICE: Ted, estou mandando a Alice para a conferência de vendas porque ela pensa mais rápido que você.

TED: ...

CHEFE: Então, Alice, vou enviar você na quinta-feira

TED: Ela não pensa mais rápido que eu!

Outros anúncios vendem explicitamente seus produtos como incentivadores da extroversão. Em 2000, a companhia de trens Amtrak encorajou os passageiros da seguinte forma: "FUJA DE SUAS INIBIÇÕES". A Nike tornou-se uma marca líder parcialmente pela força de sua campanha "Just Do It" [Apenas faça]. E em 1999 e 2000, uma série de anúncios do medicamento psicotrópico Paxil prometia a cura da timidez extrema, chamada "transtorno da ansiedade social", oferecendo histórias de contos de fadas sobre a transformação da personalidade. Um anúncio de Paxil mostrava um executivo bem-vestido cumprimentando pessoas ao fechar um negócio. "Sinto o gosto do sucesso", dizia a legenda. Outro mostrava o que acontecia sem o remédio: um homem de negócios sozinho em seu escritório, a testa jogada sobre seu punho cerrado. "Devia ter participado com mais frequência", dizia a legenda.

Mesmo assim, até na Harvard Business School existem sinais de que deve haver algo errado com um estilo de liderança que valoriza respostas rápidas e assertivas em vez de uma tomada de decisões tranquila e lenta.

Todo outono, a turma iniciante participa de um elaborado jogo de interpretação de personagens, estilo RPG, chamado Situação de Sobrevivência no Subártico. Dizem aos alunos: "São por volta de 14h30 do dia 5 de outubro. Você acabou de aterrissar acidentalmente com um hidroavião na costa leste do lago Laura, na região subártica da fronteira norte de Quebec com Newfoundland." Os alunos são divididos em pequenos grupos e pede-se que eles imaginem que seu grupo salvou quinze itens do avião — um compasso, um saco de dormir, um machado e por aí vai. Pede-se que eles os organizem em ordem de importância para a sobrevivência do grupo. Primeiro os alunos os ordenam individualmente; depois, fazem isso em equipe. Aí comparam suas listas com a de um especialista para ver o quão bem foram. Finalmente, assistem a uma fita de vídeo das discussões de seu grupo para ver o que deu certo — ou errado.

O objetivo desse exercício é ensinar sinergia de grupo. Uma sinergia bem-sucedida significa uma melhor colocação para a equipe do que para seus membros individuais. O grupo fracassa quando qualquer um de seus membros tem uma pontuação melhor do que a do grupo. E fracasso é exatamente o que pode acontecer quando os alunos supervalorizam a assertividade.

Um dos colegas de Don estava num grupo que tinha sorte em incluir um jovem com vasta experiência nas florestas do norte. Ele teve várias boas ideias sobre como ordenar os quinze itens. Mas seu grupo não o ouviu, pois ele expressava suas visões de forma muito contida.

"Nosso plano de ação dependia do que as pessoas mais verborrágicas sugeriam", lembra o colega. "Quando as mais quietas expunham suas ideias, elas logo eram descartadas. As ideias que foram rejeitadas teriam nos mantido vivos e longe de problemas, mas foram desprezadas por causa da convicção com que as pessoas mais falantes sugeriam suas ideias. Depois que nos mostraram a fita, foi muito embaraçoso."

A Situação de Sobrevivência no Subártico pode soar como um jogo inofensivo executado na torre de marfim, mas se você pensar nas reuniões em que esteve, provavelmente pode se lembrar de uma vez — ou várias vezes — em que a opinião da pessoa mais dinâmica ou falante prevaleceu em detrimento da opinião de todos. Talvez tenha sido uma situação de pouca importância — digamos, a associação de pais e alunos do colégio dos seus filhos decidindo se reunir na segunda ou na terça. Mas talvez tenha sido importante: uma reunião de emergência da cúpula da Enron considerando se deveria ou não mostrar práticas contábeis duvidosas. (Veja o capítulo 7 para mais informações sobre a Enron.) Ou um júri deliberando se deve ou não mandar uma mãe solteira para a cadeia.

Discuti a Situação de Sobrevivência no Subártico com Quinn Mills, professor da Harvard Business School especialista em tipos de liderança. Mills é um homem gentil que usava, no dia em que nos encontramos, um terno risca de giz e uma gravata de bolinhas amarelas. Ele tem uma voz sonora e a utiliza com habilidade. O método da faculdade "presume que os líderes devem ser falantes", disse-me ele, sem firulas, "e, a meu ver, isso é parte da realidade".

Mas Mills também apontou o fenômeno comum chamado de "maldição do vencedor", no qual duas companhias apostam competitivamente para adquirir uma terceira, até que o preço fica tão alto que se torna mais uma guerra de egos do que uma questão de negócios. Os concorrentes vencedores se darão mal se deixarem os oponentes levarem o prêmio, então compram a empresa-alvo por um preço inflacionado. "São pessoas assertivas que tendem a recair nesse tipo de coisa", diz Mills. "Você vê isso o tempo todo. As pessoas perguntam: 'Como isso aconteceu, como pagamos tanto?' Geralmente dizem que ficaram empolgadas com a situação, mas não é esse o caso. Geralmente elas são influenciadas por pessoas assertivas e dominadoras. O risco com nossos alunos é que eles são muito bons em conseguir o que querem. Mas isso não significa que seja o caminho *certo*."

Se presumirmos que pessoas quietas e falantes têm quase o mesmo número de boas (e más) ideias, então devemos nos preocupar se as pessoas mais falantes e fortes sempre liderarem. Isso significaria uma terrível quantidade de más ideias prevalecendo, enquanto as boas são massacradas. Mesmo assim, estudos sobre dinâmicas de grupo sugerem que é exatamente isso que acontece. Nossa percepção é de que pessoas falantes são mais inteligentes que as quietas — apesar de notas, resultados de vestibular e testes de inteligência revelarem que essa percepção é equivocada. Em um experimento com dois estranhos que se conheceram pelo telefone, aqueles que falam mais são considerados mais inteligentes, mais bonitos e mais simpáticos. Também vemos pessoas falantes como líderes. Quanto mais uma pessoa fala, mais os outros integrantes do grupo dirigem a atenção a ela, o que significa que essa pessoa fica cada vez mais poderosa ao longo da reunião. Também ajuda falar rápido; consideramos falantes rápidos mais capazes e atraentes que aqueles que falam devagar.

Tudo isso não teria problema se mais falação fosse correlacionada a melhores ideias, mas pesquisas sugerem que tal ligação não existe. Em um estudo, pediu-se que grupos de universitários resolvessem problemas de matemática e então dessem notas à inteligência e à capacidade de julgamento uns dos outros. Os estudantes que falaram primeiro e com mais frequência quase sempre receberam as maiores notas, apesar de suas sugestões (e notas de matemática no vestibular) não serem melhores que as dos alunos menos falantes. Esses mesmos alunos receberam as maiores notas por sua criatividade e poder de análise durante um outro exercício para desenvolver a estratégia de negócios de uma nova empresa.

Um conhecido estudo sobre comportamento organizacional feito pelo professor Philip Tetlock, da Universidade de Berkeley, descobriu que "sábios" da televisão — isto é, pessoas que ganham a vida discursando confiantemente baseados em informação limitada — fazem previsões "sérias" piores sobre tendências políticas e econômicas do que se fizessem de forma aleatória. E aqueles que emitem os piores prognósticos tendem a ser mais famosos e confiantes — os mesmos que seriam considerados líderes naturais em uma sala da Harvard Business School.

O Exército dos Estados Unidos tem um nome para um fenômeno similar: "O ônibus para Abilene". "Qualquer oficial do Exército pode dizer o que isso significa", afirmou o coronel reformado Stephen J. Gerras, professor de ciências comportamentais na faculdade de guerra do Exército norte-americano, à *Yale Alumni Magazine*, em 2008. "É sobre uma família sentada na varanda no Texas em um dia quente de verão. Alguém diz: 'Estou de saco cheio. Por que não vamos para Abilene?' Quando chegam a Abilene, alguém diz: 'Sabe, eu não queria realmente vir.' E outro diz: 'Eu não queria vir. Eu pensei que você quisesse vir.' E por aí vai. Em um grupo do Exército, quando alguém diz: 'Acho que todos estamos pegando o ônibus para Abilene aqui', é um sinal vermelho. A conversa pode parar por aí. É um artefato muito poderoso da nossa cultura."

A anedota do "ônibus para Abilene" revela nossa tendência a seguir aqueles que começam uma ação — qualquer ação. Da mesma forma, somos inclinados a dar permissão a falantes dinâmicos. Um capitalista de risco bem-sucedido que é sempre evocado por jovens empreendedores disse-me o quanto ele fica frustrado pelo fracasso de seus colegas em distinguir entre boa capacidade de apresentação e verdadeira habilidade de liderança. "A minha preocupação é que essas pessoas sejam colocadas em posição de autoridade porque têm um bom discurso, e não porque têm boas ideias", disse ele. "É fácil confundir lábia com talento. Alguém parece um bom apresentador, de fácil de convivência, e esses traços são recompensados. Mas por quê? Esses são traços valiosos, mas damos valor demais à apresentação e não o suficiente à substância e ao pensamento crítico."

Em seu livro *O iconoclasta*, o neuroeconomista Gregory Berns explora o que acontece quando as companhias se baseiam demais na capacidade de apresentação, desprezando boas ideias de não iniciantes. Ele descreve uma empresa de programas de computador chamada Rite-Solutions, que teve sucesso ao pedir aos funcionários para compartilhar ideias através de um "mercado de ideias" virtual, uma maneira de focar mais na substância do que na aparência. Joe Marino, principal executivo da Rite-Solutions, e Jim Lavoie, diretor executivo da companhia, criaram esse sistema como uma reação a problemas que experimentaram em outros lugares. "Na minha antiga empresa", disse Lavoie a Berns, "se você tivesse uma grande ideia, nós lhes diríamos: 'Ok, marcaremos uma reunião para você apresentá-la ao conselho matador" — um grupo de pessoas encarregado de vetar novas ideias. Marino descreve o que aconteceria em seguida:

> Algum cara técnico aparece com uma boa ideia. Claro que fazem perguntas que ele não sabe responder. Como, por exemplo, "Qual o tamanho do mercado? Qual é a sua abordagem de marketing? Qual é o seu plano de negócios para isso? Quanto o produto irá custar?". É embaraçoso. A maioria das pessoas não sabe responder a essas perguntas. As pessoas que conseguiam passar por essas reuniões não eram as que tinham as melhores ideias. *Eram os melhores apresentadores*.

Ao contrário do modelo de Harvard de liderança vocal, as fileiras de verdadeiros presidentes executivos são recheadas de introvertidos, incluindo Charles Schwab, da Charles Schwab Corporation; Bill Gates; Brenda Barnes, presidente executiva da Sara Lee; e James Copeland, ex-diretor executivo da Deloitte Touche Tohmatsu. "Entre os mais eficientes líderes que encontrei e com quem trabalhei em meio século", escreveu o guru da administração Peter Drucker, "alguns trancavam-se em seus escritórios e outros eram ultrassociáveis. Alguns eram rápidos e impulsivos, outros estudavam a situação e levavam um tempão para tomar uma decisão... O único traço de personalidade que encontrei em comum em todos eles era algo que não tinham ou pouco tinham: 'carisma', e a necessidade desse termo ou o do que ele significa". Sustentando a fala de Drucker, o professor de administração da Universidade Brigham Young, Bradley Agle, estudou os presidentes executivos de 128 grandes companhias e descobriu que aqueles considerados carismáticos pelos principais executivos tinham maiores salários, mas não uma melhor performance corporativa.

Temos a tendência de superestimar o quanto líderes precisam ser simpáticos. "A maior parte da liderança em uma corporação é feita em pequenas reuniões e à distância, através de comunicação escrita ou em vídeo", disse-me o professor Mills. "Não é feita diante de grandes grupos. Você tem que conseguir fazer um pouco disso; sendo o líder de uma corporação, você não pode entrar em uma sala cheia de analistas e ficar branco de medo e sair correndo. Mas não precisa se apresentar a grandes grupos com frequência. Conheci líderes de corporações que são altamente introspectivos e que realmente precisam se esforçar para funcionar em situações públicas.

Mills aponta Lou Gerstner, o lendário executivo da IBM. "Ele se formou aqui", disse Mills. "Não sei como ele se descreveria. Ele precisa fazer grandes discursos, e quando os faz, parece calmo. Mas sinto que ele fica muitíssimo mais confortável em grupos pequenos. Muitos desses caras se sentem assim, na verdade. Não todos. Mas muitos deles."

Realmente, de acordo com um estudo do influente teórico da administração Jim Collins, muitas das companhias de melhor performance do fim do século XX foram administradas pelo que ele chama de "Líderes de nível 5". Esses excepcionais presidentes executivos são conhecidos não pelo brilho ou pelo carisma, mas pela extrema humildade combinada com uma intensa vontade profissional. Em seu influente livro *Empresas feitas para vencer*, ele conta a história de Darwin Smith, que em vinte anos como chefe da Kimberly-Clark transformou-a na empresa de papel líder no mundo e gerou um retorno de ações quatro vezes maior que a média do mercado.

Smith era um homem tímido e de modos suaves que usava ternos da loja popular J.C. Penney e óculos de armação preta com ar nerd, além de passar as férias sozinho em sua fazenda no estado do Wisconsin. Quando um repórter do *Wall Street Journal* pediu-lhe para descrever seu estilo de administração, Smith desviou o olhar por um longo e desconfortável período de tempo e respondeu com uma única palavra: "Excêntrico." Mas seu comportamento contido escondia uma determinação feroz. Logo após ser nomeado diretor executivo, Smith tomou a drástica decisão de vender as fábricas que produziam o negócio central da companhia, papel couché, para investir na indústria de produtos de papel prontos para o consumo, que ele acreditava ter um maior potencial econômico e um futuro mais promissor. Todos disseram que era um grande erro, e Wall Street baixou a nota das ações da Kimberly-Clark. Mas Smith, impassível diante da multidão, fez o que achava certo. Como resultado, a companhia tornou-se mais forte e logo ultrapassou suas rivais. Quando perguntado mais tarde sobre sua estratégia, Smith respondeu que nunca parou de tentar se tornar qualificado para o trabalho.

Collins não tinha a intenção de abordar a liderança comedida. Quando começou a pesquisa, tudo o que queria era saber quais características faziam uma empresa superar suas concorrentes. Ele selecionou onze empresas de destaque para pesquisar a fundo. Inicialmente, ignorou a questão da liderança, pois queria evitar respostas simplistas. Mas quando analisou o que as companhias de alta performance tinham em comum, a natureza de seus presidentes executivos saltou aos olhos: todas elas eram lideradas por homens modestos como Darwin Smith. Aqueles que trabalhavam com esses líderes tendiam a descrevê-los com as seguintes palavras: quieto, humilde, modesto, reservado, tímido, gentil, de modos suaves, reticentes.

A lição, segundo Collins, é clara. Não precisamos de personalidades gigantes para transformar nossas empresas. Precisamos de líderes que constroem não o próprio ego, mas a instituição que administram.

Então, o que os líderes introvertidos fazem diferente — e às vezes melhor — dos extrovertidos?

Uma resposta vem do trabalho de Adam Grant, professor de administração de Wharton que passou um tempo considerável consultando os quinhentos maiores executivos da revista *Fortune* e líderes militares — do Google ao Exército e à Marinha dos Estados Unidos. Quando começamos a nos falar, Grant lecionava na Ross Business School, na Universidade de Michigan, onde ele se convenceu de que as pesquisas existentes, que mostravam uma correlação entre extroversão e liderança, não contavam a história toda.

Grant me falou sobre um comandante da força aérea norte-americana — um posto abaixo de general, comandando milhares de pessoas, encarregado de proteger uma base de mísseis de alta segurança — que era um dos introvertidos mais clássicos, assim como um dos melhores líderes que Grant já conhecera. Esse homem perdia o foco quando interagia demais com pessoas, então ele criava tempo livre para pensar e recarregar. Falava mansamente, sem muita variação nas inflexões vocais e expressões faciais. Estava mais interessado em ouvir e reunir informação do que em fazer valer sua opinião ou dominar uma conversa.

Ele também era muito admirado; quando falava, todos o ouviam. Isso não era necessariamente notável — se você está no topo da hierarquia militar, pressupõe-se que as pessoas parem para escutá-lo. Mas no caso desse comandante, diz Grant, as pessoas não respeitavam apenas sua autoridade formal, mas também a maneira como liderava: apoiando os esforços de seus subalternos em tomar a iniciativa. Ele dava espaço para seus subordinados em decisões-chave, implementando ideias que faziam sentido ao mesmo tempo que deixava claro que tinha a autoridade final. Ele não estava preocupado em ganhar crédito ou mesmo em estar no poder; ele simplesmente delegava trabalho àqueles que podiam fazê-lo melhor. Isso significava delegar algumas das tarefas mais interessantes, significativas e importantes — trabalho que outros líderes teriam tomado para si mesmos.

Por que as pesquisas não refletiam os talentos de pessoas como esse comandante? Grant pensou que sabia qual era o problema. Primeiro, quando examinou detalhadamente os estudos existentes sobre personalidade e liderança, descobriu que a correlação entre extroversão e liderança era pouca. Em segundo lugar, muitas vezes esses estudos eram baseados na percepção dos pesquisadores sobre o que constituía um bom líder, em oposição a resultados reais. E a opinião pessoal muitas vezes reflete apenas um preconceito cultural.

Porém, o que mais intrigava Grant era que as pesquisas existentes não diferenciavam os vários tipos de situação que um líder pode enfrentar. Pode ser que certas organizações e contextos sejam mais adequados a estilos de liderança introvertidos, pensou ele, e outros a abordagens extrovertidas, mas os estudos não faziam essa distinção.

Grant tinha uma teoria sobre que tipos de circunstância pediriam uma liderança introvertida. Sua hipótese era de que líderes extrovertidos melhoram a performance de grupo quando os funcionários são passivos, mas que líderes introvertidos são mais eficientes com funcionários proativos. Para testar essa ideia, ele e dois colegas, Francesca Gino, da Harvard Business School, e David Hofman, da Kenan-Flager Business School, na Universidade da Carolina do Norte, fizeram seus próprios estudos.

No primeiro, Grant e seus colegas analisaram dados das cinco maiores cadeias de pizzaria dos Estados Unidos. Eles descobriram que os lucros semanais das filiais administradas por extrovertidos eram 16% maiores que os daquelas lideradas por introvertidos — mas apenas quando os funcionários eram tipos passivos que tendiam a fazer seu trabalho *sem tomar iniciativas*. Líderes introvertidos tiveram o resultado oposto. Quando trabalhavam com funcionários que tentavam ativamente melhorar os procedimentos de trabalho, suas filiais superavam a performance daquelas lideradas por extrovertidos em mais de 14%.

Em um segundo estudo, a equipe de Grant dividiu 163 universitários em equipes concorrentes para ver quem conseguia dobrar mais camisetas em dez minutos. Os participantes não sabiam que em cada equipe havia dois atores. Em algumas, os atores agiam de forma passiva, seguindo as instruções do líder. Em outras, um dos atores dizia: "Será que não há uma forma mais eficiente de fazer isso?" O outro ator respondia que tinha um amigo no Japão que conhecia um modo mais rápido de dobrar camisetas. "Deve levar um ou dois minutos para ensinar você", disse o ator ao líder. "Será que é bom tentar?"

Os resultados foram impressionantes. Os líderes introvertidos tinham 20% a mais de probabilidade para seguir sugestões — e suas equipes tinham resultados 24% melhores do que as equipes de líderes extrovertidos. No entanto, quando os seguidores não eram proativos, quando eles simplesmente faziam o que o líder instruía sem sugerir seus próprios métodos de dobrar camisetas, os times liderados por extrovertidos superavam os liderados por introvertidos em 22%.

*Por que* a eficiência desses líderes depende de seus funcionários serem passivos ou proativos? Grant diz que faz sentido que introvertidos só sejam bons em liderar aqueles que tomam a iniciativa. Devido a sua inclinação a ouvir os outros e à falta de interesse em dominar situações sociais, introvertidos tendem a ouvir mais e a implementar sugestões. Tendo se beneficiado do talento de seus seguidores, eles então tendem a motivá-los a serem ainda mais proativos. Em outras palavras, líderes introvertidos criam círculos viciosos de proatividade. No estudo das camisetas, os membros das equipes relataram ter percebido os líderes introvertidos como mais abertos e receptivos a suas ideias, o que os motivava a trabalhar mais duro e a dobrar mais camisetas.

Por outro lado, os extrovertidos podem estar tão interessados em deixar sua marca que correm o risco de perder as boas ideias dos outros pelo caminho e permitir que os trabalhadores recaiam na passividade. "Muitas vezes, os líderes acabam falando demais", afirma Francesca Gino, "e não ouvem nenhuma das ideias que seus subordinados tentam dar". Mas com sua habilidade natural para inspirar, líderes extrovertidos são melhores em alcançar resultados com trabalhadores passivos.

Essa linha de pesquisa ainda está em seu início. Mas sob os auspícios de Grant — ele mesmo especialmente proativo —, ela pode crescer rápido. (Um de seus colegas descreveu Grant como o tipo de pessoa que "consegue fazer as coisas acontecerem 28 minutos antes do início previsto".) Grant está especialmente empolgado com as implicações dessas descobertas, porque funcionários proativos, que tiram vantagem das oportunidades num ambiente de negócios acelerado, que funciona 24 horas por dia, sete dias por semana, sem que seja necessário dizer o que devem fazer, são cada vez mais vitais para o sucesso organizacional. Entender como maximizar as contribuições desses funcionários é uma ferramenta importante para todos os líderes. Também é importante que as companhias cultivem bons ouvintes assim como bons falantes para papéis de liderança.

Grant diz que a imprensa popular está cheia de sugestões de que líderes introvertidos devem praticar suas habilidades de falar em público e sorrir mais. Mas a pesquisa de Grant mostra que, pelo menos em uma coisa importante — encorajar funcionários a tomar iniciativas —, líderes introvertidos se dariam bem continuando a fazer o que fazem naturalmente. Os líderes extrovertidos, por outro lado, "podem desejar adotar um estilo mais reservado e quieto", escreve Grant. Eles talvez precisem aprender a sentar para que os outros possam levantar.

Foi exatamente o que uma mulher chamada Rosa Parks fez naturalmente.

Por anos antes do dia em dezembro de 1955 no qual Rosa Parks recusou-se a ceder seu lugar num ônibus de Montgomery, ela trabalhou nos bastidores para a Associação Nacional para o Avanço de Pessoas de Cor (NAACP, em inglês), chegando a receber treinamento em resistência não violenta. Muitas coisas inspiraram seu compromisso político. A ocasião em que a Ku Klux Klan marchou em frente à sua casa da infância. A ocasião em que seu irmão, um soldado do Exército norte-americano, salvou a vida de soldados brancos e voltou da Segunda Guerra apenas para receber cusparadas. A ocasião em que um entregador negro de 18 anos foi indiciado por estupro e condenado à cadeira elétrica. Parks organizava os registros da NAACP, acompanhava o pagamento dos membros, lia para criancinhas de seu bairro. Era diligente e honesta, mas ninguém pensava nela como uma líder. Parecia que Rosa era mais como um soldado raso.

Poucas pessoas sabem que doze anos antes de seu confronto com o motorista de ônibus de Montgomery, ela tivera outro encontro com o mesmo homem, possivelmente no mesmíssimo ônibus. Era uma tarde de novembro em 1943 e Rosa entrara pela frente do ônibus, pois a parte de trás estava muito cheia. O motorista, um fanático conhecido chamado James Blake, disse a ela para usar a porta traseira e começou a empurrá-la do ônibus. Rosa pediu para ele não tocá-la. Ela sairia sozinha, disse tranquilamente. "Saia do meu ônibus", berrou ele em resposta.

Rosa obedeceu, mas não sem antes deliberadamente deixar sua bolsa cair no chão e sentar num "banco para brancos", enquanto a pegava. "Intuitivamente, ela engajou-se em um ato de resistência passiva, um preceito criado por Leon Tolstói e abraçado por Mahatma Gandhi", escreveu o historiador Douglas Brinkley em uma maravilhosa biografia de Rosa Parks. Isso foi mais de uma década antes de Martin Luther King Jr. popularizar a ideia de não violência e bem antes de Parks receber seu próprio treinamento em desobediência civil, mas, como escreve Brinkley, "tais princípios casavam perfeitamente com sua personalidade".

Parks ficou com tanto nojo de Blake que se recusou a pegar o ônibus que ele dirigia nos doze anos seguintes. Um dia ela finalmente pegou, quando se transformou na "mãe do movimento pelos direitos civis", e ela fez isso, de acordo com Brinkley, apenas pela mais pura falta de atenção.

As ações de Rosa naquele dia foram corajosas e únicas, mas foi nos desdobramentos legais que sua força silenciosa realmente brilhou. Os líderes locais do movimento pelos direitos civis colocaram-na como um caso-teste para desafiar as leis dos ônibus da cidade, pressionando-a para entrar com uma ação na Justiça. Essa não era uma decisão simples. Parks tinha uma mãe doente que dependia dela; processar significaria que ela e seu marido perderiam o emprego. Significaria o risco real de ser linchada "no maior poste da cidade", como afirmaram seu marido e sua mãe. "Rosa, os brancos vão te matar", implorava o marido. "Uma coisa era ser presa por um incidente isolado em um ônibus", escreve Brinkley. "Como descreve o historiador Taylor Branch, 'entrar na zona proibida por escolha' era outra bem diferente."

Devido a sua natureza, Parks podia perfeitamente prestar queixa. Não apenas porque era uma cristã devota, não apenas porque era uma cidadã digna, mas também porque era bondosa. "Agora eles mexeram com a pessoa errada", declaravam os boicotadores enquanto andavam quilômetros para chegar ao trabalho e à escola. A frase tornou-se um grito de guerra. Seu poder reside no fato de ser muito paradoxal. Geralmente, essa frase implica que você mexeu com algum valentão local. Mas era a força silenciosa de Parks que a tornava inatacável. "O slogan serviu como um lembrete de que a mulher que inspirara o boicote era o tipo de mártir de fala mansa que Deus não abandonaria", escreve Brinkley.

Parks demorou um tempo para tomar a decisão, mas finalmente concordou com o processo. Ela também esteve presente em um protesto na noite de seu julgamento, a noite em que Martin Luther King Jr., chefe da novíssima Associação para o Desenvolvimento de Montgomery, incitou toda a comunidade negra de Montgomery a boicotar os ônibus. "Como aquilo teve que acontecer", disse King à multidão, "estou feliz que tenha acontecido a uma pessoa como Rosa Parks, pois ninguém pode duvidar da extensão sem fronteiras de sua integridade. Ninguém pode duvidar da grandeza de seu caráter. A senhora Parks é simples, e mesmo assim há integridade e caráter nela".

Mais tarde, ainda naquele ano, Rosa concordou em partir em um ciclo de palestras para arrecadar fundos com Martin Luther King Jr. e outros líderes dos direitos civis. Ela sofreu de insônia, úlcera e saudade ao longo do caminho. Conheceu seu ídolo, Eleanor Roosevelt, que escreveu sobre o encontro em uma coluna de jornal. "Ela é uma pessoa muito quieta e amável, e é difícil imaginar como pode tomar uma posição tão positiva e independente." Quando o boicote finalmente terminou, um ano depois, e os ônibus foram integrados por decreto da Suprema Corte, Rosa passou despercebida pela imprensa. O *New York Times* publicou duas reportagens de capa que celebravam Luther King Jr., mas não a mencionavam. Outros jornais fotografavam os líderes do boicote sentados na frente de alguns ônibus, mas Rosa não foi convidada a participar dessas fotos. Ela não se importou. No dia em que os ônibus foram integrados, ela preferiu ficar em casa e cuidar da mãe.

A história de Parks é um vívido lembrete de que fomos abençoados, ao longo da história, com líderes que evitavam os holofotes. Moisés, por exemplo, de acordo com algumas interpretações de sua história, não era o tipo ousado e falante que organizaria viagens e discursaria em uma sala da Harvard Business School. Ao contrário, para os padrões de hoje, ele era terrivelmente tímido. Em Números, ele é descrito como "muito humilde, acima de todos os homens que estiveram na face da Terra".

Quando Deus apareceu pela primeira vez para ele, na forma de uma sarça ardente, Moisés trabalhava como pastor para seu sogro; ele sequer era ambicioso para ter suas próprias ovelhas. E quando Deus revelou a Moisés seu papel de libertador dos judeus, ele aceitou prontamente? Mande outra pessoa fazer isso, disse ele. "Quem sou eu para ir ao faraó?", suplicou. "Nunca fui eloquente. Tenho a fala mansa e contida."

Foi só quando Deus o colocou ao lado de seu extrovertido irmão Aarão que Moisés concordou em cumprir a tarefa. Moisés escreveria o discurso, seria o cara dos bastidores, o Cyrano de Bergerac. Aarão seria a face pública da operação. "Será como se ele fosse a sua boca", disse Deus, "e como se você fosse Deus para ele".

Acompanhado de Aarão, Moisés liderou os judeus para fora do Egito, sustentou-os no deserto nos quarenta anos seguintes e trouxe os Dez Mandamentos do monte Sinai. E ele fez tudo isso utilizando forças classicamente associadas à introversão: subiu uma montanha em busca de sabedoria e escreveu cuidadosamente, em duas placas de pedra, tudo o que havia aprendido.

Temos a tendência de excluir a verdadeira personalidade de Moisés da história do Êxodo. (O filme clássico de Cecil B. DeMille, *Os dez mandamentos*, retrata-o como uma figura falastrona que faz todos os discursos sem a ajuda de Aarão.) Não nos perguntamos por que Deus escolheu como profeta um gago com fobia de falar em público. Mas deveríamos nos perguntar. O livro do Êxodo não fornece muitas explicações, mas suas histórias sugerem que a introversão é o "yin" para o "yang" da extroversão; que o meio nem sempre é a mensagem; e que as pessoas seguiram Moisés porque suas palavras eram sábias, não porque ele as falava bem.

Se Parks falava através de suas ações, e Moisés através de seu irmão Aarão, hoje outro tipo de líder introvertido fala usando a internet.

Em seu livro *O ponto da virada*, Malcolm Gladwell explora a influência de "conectores" — pessoas com "um dom especial para juntar o mundo" e "um dom instintivo e natural para fazer conexões sociais". Ele descreve um "conector clássico" chamado Roger Horchow, um homem de negócios charmoso e bem-sucedido, que financiara sucessos da Broadway como *Os miseráveis*, que "coleciona pessoas da mesma forma que outros colecionam selos". "Se você se sentasse ao lado de Roger Horchow em uma viagem de avião cruzando o Atlântico", escreve Gladwell, "ele começaria a falar enquanto o avião taxiava para a pista, você estaria rindo quando o sinal de apertar os cintos se desligasse e ao aterrissar do outro lado se perguntaria como o tempo passara tão rápido".

Geralmente pensamos nos conectores da mesma maneira que Gladwell descreve Horchow: eloquentes, simpáticos, até mesmo encantadores. Mas considere por um momento um homem modesto e cerebral chamado Craig Newmark. Baixo, careca e de óculos, Newmark foi engenheiro de sistemas na IBM durante dezessete anos. Antes disso, ele teve grande interesse em dinossauros, xadrez e física. Se você se sentasse ao seu lado em um avião, provavelmente ele manteria o nariz enfiado em um livro durante toda a viagem.

Mas Newmark é também o fundador e proprietário majoritário do Craigslist, site que, bem, conecta pessoas. Em 28 de maio de 2011, o Craigslist era o sétimo maior site de língua inglesa no mundo. Os usuários, espalhados por mais de setecentas cidades em setenta países, encontram empregos, marcam encontros e acham até doadores de rim na página de Newmark. Eles entram para grupos de canto. Leem os poemas que os outros publicam. Confessam seus casos extraconjugais. Newmark descreve o site não como um negócio, mas como uma assembleia pública.

"Conectar pessoas para consertar o mundo com o passar dos anos é o valor espiritual mais profundo que você pode ter", disse Newmark. Depois do furacão Katrina, o Craigslist ajudou pessoas desamparadas a encontrar novas casas. Durante a greve do transporte público em Nova York em 2005, o site era o lugar para se buscar listas de carona. "Mais uma crise, e o Craigslist comanda a comunidade", escreveu um blogueiro sobre o papel do site na greve. "Como o Craig pode organicamente tocar tantas vidas em tantos níveis — e como seus usuários podem tocar as vidas uns dos outros em tantos níveis?"

Aqui está uma resposta: as mídias sociais têm construído novas formas possíveis de liderança para o monte de gente que não se adéqua aos moldes da Harvard Business School.

Em 10 de agosto de 2008, Guy Kawasaki, o autor de best-sellers, palestrante, "empresário em série" e lenda do Vale do Silício, escreveu no Twitter: "Você pode achar difícil de acreditar, mas eu sou um introvertido. Tenho um 'papel' a desempenhar, mas essencialmente sou um solitário." O tweet de Kawasaki fez tremer o mundo das mídias sociais. "Na época", escreveu outro blogueiro, "o avatar de Kawasaki era uma foto dele usando um boá rosa de uma grande festa que ele deu em sua casa. Guy Kawasaki, um introvertido? Não cola".

Em 15 de agosto de 2008, Pete Cashmore, fundador da Mashable, o guia on-line de mídias sociais, interveio. "Não seria uma grande ironia", perguntou ele, "se os principais defensores do mantra '*It's about people*' ('é uma questão de pessoas') não fossem tão amantes de encontros com grandes grupos de pessoas na vida real? Talvez as mídias sociais nos deem o controle que não temos ao socializar na vida real: a tela é uma barreira entre nós e o mundo". Então Cashmore saiu do armário: "Coloquem-me firmemente no campo dos 'introvertidos' com Guy", postou ele.

Alguns estudos têm mostrado que realmente os introvertidos tendem, mais do que os extrovertidos, a expressar na internet fatos íntimos que sua família e amigos se surpreenderiam ao ler, a dizer on-line o que "são de verdade" e a passar mais tempo em certos tipos de discussões virtuais. Eles acolhem a oportunidade de comunicar-se digitalmente. A mesma pessoa que jamais levantaria a mão em uma sala de aula com duzentas pessoas pode escrever em um blog para duas mil, ou dois milhões, sem pensar duas vezes. A mesma pessoa que acha difícil falar na frente de estranhos pode estabelecer uma presença virtual e *a partir daí* estender esses relacionamentos para o mundo real.

O que teria acontecido se a Situação de Sobrevivência no Subártico fosse feita on-line, para o benefício de todas as vozes na sala — as Rosas Parks, Craigs Newmark e Darwins Smith? E se fosse um grupo de párias proativos liderados por um introvertido com o dom de encorajá-los calmamente a contribuir? E se houvesse um introvertido e um extrovertido dividindo o timão, como Rosa Parks e Martin Luther King Jr.? Teriam eles alcançado o resultado certo?

É impossível dizer. Ninguém nunca fez esses estudos, até onde sei — o que é uma pena. É compreensível que o modelo de liderança de Harvard dê um valor tão alto à confiança e à tomada rápida de decisões. Se pessoas assertivas conseguem o que querem, então esta é uma habilidade útil para líderes cujo trabalho depende de influenciar os outros. Decisão inspira confiança, enquanto hesitação (ou parecer hesitar) pode ameaçar o moral.

Mas pode-se levar essas verdades longe demais; em algumas circunstâncias, estilos de liderança silenciosos e modestos podem ser igualmente ou até mais eficazes. Quando deixei o campus de Harvard, parei diante de um mural com os notáveis quadrinhos do *Wall Street Journal* no saguão da biblioteca Baker. Um mostrava um executivo abatido olhando para um gráfico de lucros caindo vertiginosamente.

"É tudo culpa do Fradkin", diz o executivo a um colega. "Ele tem um senso de negócios terrível, mas uma grande habilidade de liderança, e todos estão indo atrás dele ladeira abaixo."

**Deus ama os introvertidos? Um dilema evangélico**

Se a Harvard Business School é um enclave da elite global na Costa Leste, minha próxima parada é em uma instituição que é bem o oposto. Ela fica em um campus de meio quilômetro quadrado em um antigo deserto e atual área extraurbana de Lake Forest, na Califórnia. Diferente da Harvard Business School, ela admite quem quiser entrar. Famílias passeiam entre praças e alamedas cercadas de palmeiras em aglomerados aprazíveis. Crianças brincam em rios e cascatas artificiais. Os funcionários acenam amavelmente enquanto passam em carrinhos de golfe. Vista o quiser: tênis e chinelos são perfeitamente adequados. Esse campus não é dirigido por professores elegantemente vestidos lançando palavras como "protagonista" e "estudo de caso", mas por uma inofensiva figura parecida com um Papai Noel de camisa havaiana e cavanhaque cor de areia.

Com uma frequência semanal de 22 mil pessoas que sempre está crescendo, a Saddleback Church é uma das maiores e mais influentes igrejas evangélicas dos Estados Unidos. Seu líder é Rick Warren, autor de *Uma vida com propósitos*, um dos livros mais vendidos de todos os tempos, e o homem que fez a chamada na posse do presidente Obama. Saddleback não oferece líderes mundialmente famosos como a Harvard Business School, mas possui um papel não menos poderoso na sociedade. Líderes evangélicos são ouvidos por presidentes, dominam milhares de horas na televisão e administram negócios multimilionários, com os mais proeminentes deles exibindo suas próprias produtoras, estúdios de gravação e contratos de distribuição com gigantes da mídia como a Time Warner.

Saddleback também tem mais uma coisa em comum com a HBS: sua dívida com o — e a propagação do — Culto à Personalidade.

É uma manhã de agosto de 2006 e estou no centro do campus de Saddleback. Consulto uma placa, do tipo que vemos na Disney, com alegres flechas apontando para as direções: Centro de Adoração, Sala Plaza, Terrace Café, Beach Café. Um pôster ali perto mostra um alegre jovem com uma camisa polo vermelho-vivo e tênis: "Procurando uma nova direção? Tente o ministério do tráfego!"

Estou procurando a livraria ao ar livre onde encontrarei Adam McHugh, um pastor evangélico local com quem tenho me correspondido. McHugh é um introvertido declarado, e temos mantido uma conversa através do país sobre como é ser um tipo quieto e cerebral em um movimento evangélico — especialmente um líder. Como em Harvard, as igrejas evangélicas muitas vezes tornam a extroversão um pré-requisito para a liderança, às vezes explicitamente. "O pastor deve ser... um extrovertido que atrai entusiasticamente membros e novatos, um jogador de equipe", diz um anúncio para um emprego de vice-reitor em uma paróquia de 1.400 membros. Um pastor antigo de outra igreja confessa na internet que tem aconselhado paróquias recrutando um novo reitor a perguntar qual a sua pontuação no teste de Myers-Briggs. "Se a primeira letra não for um 'E' (de extrovertido)", diz a eles, "pense duas vezes... tenho certeza de que Deus era (um extrovertido)".

McHugh não se encaixa nessa descrição. Ele descobriu sua introversão no primeiro ano de faculdade na Claremont McKenna College, quando percebeu que estava acordando de manhã cedo só para saborear um tempo sozinho com uma xícara fumegante de café. Ele gostava de festas, mas se pegava indo embora cedo. "Outros iam ficando cada vez mais agitados e eu cada vez mais quieto." Ele fez o teste de personalidade Myers-Briggs e descobriu que havia uma palavra, "introvertido", que descrevia o tipo de pessoa que gostava de passar o tempo como ele.

Em um primeiro momento, McHugh sentiu-se bem em encontrar mais tempo para si mesmo. Mas então ele se tornou ativo no evangelismo e começou a sentir-se culpado por toda a solidão. Ele até acreditou que Deus desaprovava suas escolhas e, por extensão, ele mesmo.

"A cultura evangélica junta fidelidade e extroversão", explicou McHugh. "A ênfase é na comunidade, em participar de mais e mais programas e eventos, em conhecer mais e mais gente. Não viver isso é uma constante fonte de tensão para muitos introvertidos. E, em um mundo religioso, há mais em jogo quando você sente essa tensão. A sensação não é como "não estou indo tão bem quanto gostaria". É mais como "Deus não está satisfeito comigo".

De fora da comunidade evangélica, isso parece uma confissão impressionante. Desde quando a solidão é um dos sete pecados capitais? Mas para um outro colega evangélico, o sentimento de fracasso espiritual de McHugh faria total sentido. O evangelismo contemporâneo diz que toda pessoa que você falha em conhecer e converter é outra alma que você poderia ter salvado. Isso também enfatiza a construção da comunidade entre os crentes confirmados, com muitas igrejas encorajando (ou até requerendo) seus membros a participar de grupos extracurriculares organizados em torno de qualquer termo concebível — culinária, investimentos imobiliários, patinação. Então cada evento social do qual McHugh foi embora cedo, cada manhã que ele passou sozinho, cada grupo ao qual ele não se juntou significaram que chances de conectar-se com os outros foram desperdiçadas.

Mas, ironicamente, se havia uma única coisa que McHugh sabia era que não estava sozinho. Ele olhava à sua volta e via um grande número de pessoas na comunidade evangélica que se sentiam tão em conflito quanto ele. Ele foi ordenado como ministro presbiteriano e trabalhou com uma equipe de líderes estudantis na Claremont College, muitos dos quais eram introvertidos. A equipe tornou-se uma espécie de laboratório para experimentar formas introvertidas de liderança e ministério. Eles focaram em interações "pessoa a pessoa" e em pequenos grupos mais do que em grupos grandes, e McHugh ajudou os estudantes a encontrarem ritmos de vida que permitissem que desfrutassem da solidão de que gostavam e necessitavam e que tivessem energia social de sobra para liderar. Ele os incitava a encontrar coragem para falar alto e correr riscos ao conhecer pessoas novas.

Alguns anos mais tarde, quando as mídias sociais explodiram e blogueiros evangélicos começaram a postar suas experiências, evidências escritas da divisão entre introvertidos e extrovertidos na igreja evangélica emergiram. Um blogueiro escreveu sobre seu "grito do coração perguntando-se como se adequar sendo um introvertido em uma igreja que se celebra pelo evangelismo extrovertido. Provavelmente há vários por aí que são colocados em uma situação de culpa cada vez [que] recebem um pouco de evangelismo pessoal na igreja. Há um lugar no Reino de Deus para tipos sensíveis e reflexivos. Não é fácil alcançá-lo, mas está lá". Outro escreveu sobre seu simples desejo de "servir o Senhor, mas não em um comitê paroquial. Em uma igreja universal deve haver lugar para os não sociáveis".

McHugh adicionou sua própria voz a esse coro, primeiro com um blog clamando por uma maior ênfase em práticas religiosas de solidão e contemplação, e depois com um livro chamado *Introverts in the Church: Finding our Place in an Extroverted Culture* [Introvertidos na Igreja: Encontrando nosso lugar em uma cultura de extroversão]. Ele argumenta que o evangelismo diz respeito a escutar tanto quanto a falar, que igrejas evangélicas devem incorporar silêncio e mistério à adoração religiosa e que devem dar lugar a líderes introvertidos que possam demonstrar um caminho mais silencioso até Deus. Afinal, a oração não foi sempre ligada à contemplação tanto quanto à comunidade? Líderes religiosos, de Jesus a Buda, bem como santos, monges, xamãs e profetas menos conhecidos sempre tiveram que se isolar para experimentar as revelações que mais tarde compartilharam com o resto de nós.

Quando finalmente acho meu caminho para a livraria, McHugh está esperando com uma expressão serena no rosto. Ele tem trinta e poucos anos, é alto e de ombros largos, veste uma calça jeans, camisa polo preta e chinelos pretos. Com seu cabelo curto castanho, cavanhaque avermelhado e costeletas, McHugh parece um típico membro da geração X, mas ele fala com o tom de voz calmante e ponderado de um professor de faculdade. McHugh não prega ou frequenta o culto em Saddleback, mas escolhemos nos encontrar aqui porque é um símbolo muito importante da cultura evangélica.

Como os cultos estão prestes a começar, há pouco tempo para conversar.

Saddleback oferece seis diferentes locais de culto, cada um em seu próprio prédio ou tenda e com um ritmo particular: Centro de Culto, Tradicional, OverDrive Rock, Gospel, Família e algo chamado Culto Estilo Ilha Ohana. Nos dirigimos ao principal centro de culto, onde o pastor Warren começará a pregar. Com o teto alto salpicado de holofotes, o auditório parece um lugar para um show de rock, a não ser pela discreta cruz de madeira pendurada na lateral da sala.

Um homem chamado Skip está esquentando a congregação com uma canção. A letra é mostrada em cinco telões, intercalada com fotos de lagos resplandecentes e pores do sol caribenhos. Técnicos equipados sentam-se em plataformas que parecem tronos no centro da sala dirigindo suas câmeras ao público. As câmeras param em uma adolescente — cabelos loiros longos e sedosos, um sorriso eletrizante e olhos azuis brilhantes — cantando a plenos pulmões. Não posso evitar pensar no seminário "Libere o poder interior" de Tony Robbins. Será que Tony baseou seu programa em megaigrejas como Saddleback ou terá sido o contrário?

"Bom dia a todos!", berra Skip, e então nos convida a cumprimentar aqueles sentados perto de nós. A maioria cumpre a tarefa com sorrisos largos e saudações alegres, incluindo McHugh, mas há um toque de esforço por trás de seu sorriso.

O pastor Warren entra no palco. Ele usa uma camisa polo de mangas curtas e seu famoso cavanhaque. Ele nos diz que o sermão de hoje será baseado no livro de Jeremias. "Seria insensato começar um negócio sem um plano de negócios", diz Warren, "mas a maioria das pessoas não tem um plano de vida. Se você é o líder de um negócio, precisa ler e reler o livro de Jeremias, porque ele era um diretor executivo genial". Não há bíblias em nossos assentos, apenas lápis e cartões de anotações, com os pontos-chave do sermão impressos e espaços em branco para preencher enquanto Warren prossegue.

Como Tony Robbins, o pastor Warren parece realmente bem-intencionado; ele criou o vasto ecossistema de Saddleback do nada e tem feito bons trabalhos pelo mundo. Mas ao mesmo tempo posso ver como deve ser difícil para os introvertidos de Saddleback, no mundo de luaus de adoração e orações em telões, sentirem-se bem com eles mesmos. Enquanto o culto continua, tenho a mesma sensação de alienação que McHugh descreveu. Eventos como este não me dão a sensação de unidade que os outros parecem desfrutar; sempre foram ocasiões privadas que me fizeram sentir conectada com as alegrias e dores do mundo, muitas vezes na forma da comunhão com escritores e músicos que nunca conhecerei em pessoa. Marcel Proust chamou esses momentos de unidade entre escritor e leitor de "aquele frutífero milagre de comunhão em meio à solidão". Seu uso da linguagem religiosa certamente não foi acidental.

Como se estivesse lendo a minha mente, McHugh vira-se para mim quando o culto termina. "Tudo no culto envolvia comunicação", diz ele, levemente exasperado. "Cumprimentar pessoas, o longo sermão, a música. Não havia ênfase no silêncio, no litúrgico, no ritual, coisas que dão espaço à contemplação."

O desconforto de McHugh é ainda mais pungente porque ele genuinamente admira Saddleback e tudo o que ela representa. "Saddleback está fazendo coisas incríveis pelo mundo e em sua própria comunidade", diz ele. "É um lugar amigável e hospitaleiro que realmente procura se conectar com os novatos. É uma missão impressionante, dado o tamanho colossal da igreja e como seria fácil para as pessoas permanecerem completamente desconectadas das outras. Os cumprimentos, a atmosfera informal, encontrar pessoas a sua volta — isso tudo é motivado por boas intenções."

Mesmo assim, McHugh acha que práticas como os sorrisos e bons-dias obrigatórios no começo do culto são dolorosos — e apesar de pessoalmente querer suportá-los e até ver valor naquilo, preocupa-se com quantos outros introvertidos não fariam isso.

"Isso constitui uma atmosfera extrovertica que pode ser dolorosa para introvertidos como eu", explica ele. "Às vezes sinto como se estivesse indo contra a maré. O entusiasmo e a paixão exteriores que parecem fazer parte da cultura de Saddleback não transparecem naturalidade. Não que introvertidos não possam ser ardorosos e entusiásticos, mas não somos abertamente expressivos como os extrovertidos. Em um lugar como Saddleback, você pode começar a questionar sua própria experiência com Deus. Será que ela é realmente tão forte quanto a de outras pessoas que parecem fazer parte dos crentes devotados?"

McHugh está dizendo que o evangelismo levou o Ideal da Extroversão a seu extremo lógico. Se você não amar Jesus em alto e bom som, então não deve ser amor verdadeiro. Não é suficiente criar nossa própria conexão espiritual com o divino: *ela deve ser mostrada publicamente*. Por acaso surpreende que introvertidos como o pastor McHugh comecem a questionar seus próprios corações?

É corajoso que McHugh, cujo chamado espiritual e profissional depende de sua conexão com Deus, confesse sua dúvida interior. Ele faz isso porque quer poupar os outros do conflito interno que tem enfrentado, porque ama o evangelismo e quer que ele cresça aprendendo com os introvertidos no seu meio.

Mas ele sabe que mudanças significativas virão lentamente para uma cultura religiosa que vê a extroversão não apenas como um traço da personalidade, mas também como um indicador de virtude. Um comportamento correto não é tanto o que fazemos a portas fechadas quando ninguém está por perto para nos parabenizar; é o que "externalizamos para o mundo". Assim como as técnicas de venda agressivas de Tony Robbins são corretas para seus fãs, porque espalhar ideias úteis faz parte de ser uma boa pessoa, e assim como Harvard espera que seus estudantes sejam falantes porque isso é tido como um pré-requisito para a liderança, muitos evangélicos passaram a associar devoção com sociabilidade.

# 3
# QUANDO A COLABORAÇÃO MATA A CRIATIVIDADE

## A chegada do Novo Pensamento de Grupo e o poder do trabalho solitário

*Sou um cavalo para um só arreio, não fui feito para colaborar ou trabalhar em grupo... pois sei bem que para atingir um objetivo definido, é preciso que apenas uma pessoa pense e comande.*

— Albert Einstein

5 de março de 1975, uma noite fria e chuvosa em Menlo Park, Califórnia. Trinta engenheiros pouco atraentes se reúnem na garagem de um colega desempregado chamado Gordon French. Eles se intitulam Homebrew Computer Club e esta é sua primeira reunião. Sua missão: fazer computadores acessíveis a pessoas comuns — uma tarefa nada simples numa época em que a maioria dos computadores eram máquinas temperamentais do tamanho de uma caminhonete que apenas universidades e corporações podiam pagar.

A garagem é ventilada, mas os engenheiros deixam as portas abertas ao ar úmido da noite para as pessoas poderem entrar. Um certo homem de 24 anos, designer de calculadoras para a HP, adentra o local. Sério e usando óculos, ele tem cabelos na altura dos ombros e uma barba castanha. Pega uma cadeira e ouve quieto enquanto os outros sonham com um computador que a própria pessoa pode montar chamado Altair 8800, que havia pouco tempo tinha sido capa da revista *Popular Electronics*. O Altair não é um computador pessoal de verdade; é difícil de usar e atrai apenas o tipo de pessoa que aparece na garagem em uma noite de quarta-feira chuvosa para falar sobre microchips. Mas também é um primeiro passo importante.

O jovem, cujo nome é Stephen Wozniak, está empolgado em ouvir falar do Altair. Ele é obcecado por eletrônica desde os três anos. Quando tinha onze, topou com um artigo de revista sobre o ENIAC [Integrador e Computador Numérico e Eletrônico, em português] e, desde então, seu sonho tem sido construir uma máquina tão pequena e fácil de usar que se pudesse ter em casa. E agora, dentro dessa garagem, está a novidade de que O Sonho — ele pensa nisso com iniciais maiúsculas — pode um dia se materializar.

Como ele se lembrará anos depois em sua autobiografia, *iWoz*, na qual aparece a maior parte dessa história, Wozniak também está entusiasmado por estar cercado de espíritos irmãos. Para a galera do Homebrew, computadores são uma ferramenta de justiça social, e ele pensa da mesma forma. Não que ele fale com alguém nessa primeira reunião — é tímido demais para isso. Mas naquela noite ele vai para casa e desenha seu primeiro modelo de computador pessoal, com teclado e tela como os que usamos hoje. Três meses mais tarde constrói um protótipo da máquina. E dez meses depois disso, ele e Steve Jobs fundam a Apple.

Hoje, Steve Wozniak é uma figura reverenciada no Vale do Silício — há uma rua na cidade de San Jose, na Califórnia, chamada Woz's Way — e às vezes ele é chamado de alma nerd da Apple. Com o tempo, aprendeu a se abrir e a falar em público, aparecendo até como um dos competidores do programa de televisão *Dançando com as estrelas*, onde mostrava uma adorável mistura de falta de molejo e bom humor. Certa vez, vi Wozniak falar em uma livraria de Nova York. Uma multidão que só cabia ali de pé apareceu com seus manuais de operação da Apple dos anos 1970, em honra de tudo aquilo que ele havia feito por eles.

Mas o crédito não é apenas de Wozniak; ele pertence também ao Homebrew. Wozniak identifica essa primeira reunião como o começo da revolução da informática e uma das noites mais importantes de sua vida. Então, se você quisesse reproduzir as condições que fizeram Woz tão produtivo, deveria mirar em

Homebrew, com sua coleção de almas gêmeas. Você pode decidir que a conquista de Wozniak foi um exemplo brilhante de uma abordagem colaborativa da criatividade. Pode concluir que as pessoas que esperam ser inovadoras devem trabalhar em ambientes altamente sociais.

E você pode estar errado.

Considere o que Wozniak fez após a reunião em Menlo Park. Ele se juntou a outros membros do clube para trabalhar nos esboços do computador? Não. (Apesar de continuar indo às reuniões, quarta sim, quarta não.) Ele procurava um escritório grande e aberto recheado com um pandemônio animado no qual as ideias se cruzavam e germinavam? Não. Quando você lê o relato de seu processo de trabalho no primeiro PC, o mais impressionante é que ele *sempre esteve sozinho*.

Ele fez a maior parte do trabalho em sua baia na Hewlett-Packard. Chegava às 6h30 e, sozinho, de manhã cedo, lia revistas de engenharia, estudava manuais de chips e preparava esboços em sua cabeça. Depois do trabalho, ia para casa, comia um espaguete rápido no jantar e trabalhava até tarde da noite. Ele descreve esse período de quietas meias-noites e nasceres do sol solitários como "a maior empolgação do mundo". Seus esforços foram recompensados quando, no dia 29 de junho de 1975, por volta das 22h, Woz terminou de construir o protótipo de sua máquina. Ele digitou no teclado — e letras apareceram na tela à sua frente. Era o tipo de momento de descoberta com que a maioria de nós só pode sonhar. E ele estava sozinho quando isso aconteceu.

Intencionalmente. Em sua autobiografia, ele oferece este conselho a garotos que aspiram a uma grande criatividade:

> A maioria dos inventores e engenheiros que conheci são como eu — são tímidos e trabalham dentro de suas cabeças. Quase como artistas. Na verdade, os melhores deles *são* artistas. *E artistas trabalham melhor sozinhos* quando podem controlar o design de uma invenção sem um monte de outras pessoas esboçando-os para o marketing ou algum outro comitê. Se você é o raro engenheiro que é um inventor e também um artista, vou lhe dar um conselho que pode ser difícil de seguir. O conselho é: *Trabalhe sozinho. Você estará mais equipado para esboçar produtos e traços revolucionários se estiver trabalhando sozinho. Não em um comitê. Não em uma equipe.*

De 1956 a 1962, um período lembrado por uma ética de cansativa conformidade, o Instituto de Análise e Pesquisa da Personalidade da Universidade da Califórnia, em Berkeley, conduziu uma série de estudos sobre a natureza da criatividade. Os pesquisadores procuraram identificar as pessoas mais espetacularmente criativas e então descobrir o que as tornava tão diferentes das outras. Eles reuniram em uma lista arquitetos, matemáticos, cientistas, engenheiros e escritores que deram grandes contribuições a suas áreas e os convidaram para um fim de semana de testes de personalidade, experiências de resolução de problemas e perguntas investigativas em Berkeley.

Então, os pesquisadores fizeram o mesmo com pessoas das mesmas profissões cujas contribuições foram decididamente menos inovadoras.

Uma das descobertas mais interessantes, que teve eco em estudos posteriores, foi a de que as pessoas mais criativas tendiam a ser socialmente classificadas como introvertidas. Elas tinham habilidades sociais, mas "não eram de um temperamento especialmente sociável e participativo". Descreviam a si mesmas como independentes e individualistas. Quando adolescentes, muitas foram tímidas e solitárias.

Essas descobertas não significam que os introvertidos sejam sempre mais criativos que os extrovertidos, mas sugerem que em um grupo de pessoas que têm sido extremamente criativas ao longo de suas vidas, a tendência é encontrar muitos introvertidos. Por que isso seria verdade? Personalidades silenciosas vêm com uma qualidade indizível que alimenta a criatividade? Talvez, como veremos no capítulo 6.

Mas há uma explicação menos óbvia, porém surpreendente, para a vantagem criativa dos introvertidos — uma explicação com a qual todos podem aprender: *introvertidos preferem trabalhar de forma independente, e a solidão pode ser um catalisador da inovação.* Como o influente psicólogo Hans Eysenck observou, a introversão "concentra na mente as tarefas em pauta e impede a dissipação de energia em questões sociais e sexuais não relacionadas com o trabalho". Em outras palavras, se você estiver sentado sob uma árvore no quintal enquanto todos estão brindando no pátio, é mais provável que uma maçã caia em sua cabeça. (Newton foi um dos grandes introvertidos da humanidade. O poeta William Wordsworth o descreveu como "uma mente para sempre/ viajando por mares estranhos do pensamento solitário".)

Se isso for verdade — se a solidão for uma chave importante para a criatividade —, então todos devemos querer desenvolver um gosto por ela. Gostaríamos de ensinar nossos filhos a trabalhar de forma independente. Iríamos querer dar a nossos funcionários bastante privacidade e autonomia. No entanto, cada vez mais fazemos o contrário.

Gostamos de acreditar em uma grande era do individualismo criativo. Olhamos para trás, para o meio do século passado, quando pesquisadores de Berkeley conduziram seus estudos sobre a criatividade, e nos sentimos superiores. Diferente dos conformistas de camisa engomada dos anos 1950, *nós* penduramos pôsteres de Einstein na parede, sua língua para fora de forma iconoclasta. *Nós* consumimos filmes e música independentes e geramos nosso próprio conteúdo virtual. *Nós* "pensamos diferente" (mesmo tendo tirado a ideia da famosa campanha publicitária da Apple, "*Think different*").

Mas a forma como organizamos muitas das nossas mais importantes instituições — escolas e locais de trabalho — contam uma história bem diferente. É a história do que chamo Novo Pensamento de Grupo — um fenômeno com potencial de frear a produtividade no trabalho e privar crianças em idade escolar das habilidades de que irão precisar para alcançar excelência em um mundo cada vez mais competitivo.

O Novo Pensamento de Grupo eleva o trabalho em equipe acima de tudo. Ele insiste que a criatividade e as conquistas intelectuais vêm de um lugar sociável. Esse pensamento possui muitos defensores poderosos. "A inovação — o coração da economia do conhecimento — é fundamentalmente social", escreve o proeminente jornalista Malcolm Gladwell. "Nenhum de nós é tão inteligente quanto 'todos nós'", declara o consultor organizacional Warren Bennis, em seu livro *Organizing Genius* [Organizando a genialidade], cujo capítulo de abertura anuncia o advento do "Grande Grupo" e "O fim do Grande Homem". "Muitos dos empregos que vemos como o local de uma única mente na verdade requerem uma multidão", afirma Clay Shirky em seu influente livro *Here Comes Everybody* [Aí vem a multidão]. Até "Michelangelo teve assistentes para pintar parte do teto da Capela Sistina". (Esqueça que os assistentes poderiam ser trocados, mas Michelangelo, não.)

O Novo Pensamento de Grupo foi aceito por muitas corporações, que cada vez mais organizam suas forças de trabalho em equipes, uma prática que ganhou popularidade no início dos anos 1990. Em 2000, estima-se que metade de todas as organizações norte-americanas estivessem usando equipes, e hoje praticamente todas fazem isso, de acordo com o professor de administração Frederick Morgeson. Uma pesquisa recente descobriu que 91% dos gerentes de alto nível acreditam que equipes são a chave para o sucesso. O consultor Stephen Harvill me disse que dentre as trinta grandes organizações com as quais trabalhou em 2010, incluindo J.C. Penney, Wells Fargo, Dell e Prudential, ele não podia pensar em uma única que não usasse equipes.

Algumas dessas equipes são virtuais, trabalhando juntas a partir de lugares remotos, mas outras requerem muita interação cara a cara, na forma de exercícios de construção de equipes e retiros, calendários virtuais comuns que anunciam a disponibilidade dos funcionários para reuniões e locais físicos de trabalho que oferecem pouca privacidade. Os funcionários de hoje trabalham em escritórios abertos, onde ninguém tem a própria sala e as únicas paredes são aquelas que seguram o prédio, e altos executivos operam do centro de um andar sem fronteiras junto com todo mundo. Na verdade, mais de 70% dos funcionários de hoje trabalham em escritórios abertos: companhias que os utilizam incluem Procter & Gamble, Ernst &Young, GlaxoSmithKline, Alcoa e H.J. Heinz.

A quantidade de espaço por funcionário caiu de $45m^2$ nos anos 1970 para $18m^2$ em 2010, de acordo com Peter Miscovich, diretor executivo na corretora imobiliária Jones Lang LaSalle. "Houve uma mudança do 'eu trabalho' para 'nós trabalhamos'", disse o diretor executivo da Steelcase, James Hackett, à revista *Fast Company* em 2005. "Os funcionários costumavam trabalhar sozinhos em cenários 'eu'. Hoje, trabalhar em equipes e grupos é altamente valorizado. Estamos criando produtos para facilitar isso." A companhia rival na área de móveis de escritório Herman Miller, Inc. não apenas apresentou novos móveis desenvolvidos para "ir em direção à colaboração e formação de equipes no local de trabalho", mas também removeu seus principais executivos de escritórios privados para espaços abertos. Em 2006, a Ross School of Business, da Universidade de Michigan, demoliu um prédio de salas de aula porque não era apropriado para o máximo de interação de grupo.

O Novo Pensamento de Grupo também está presente em nossas escolas, através do método cada vez mais popular chamado de aprendizado em "cooperativa" ou em "pequenos grupos". Em muitas escolas de ensino fundamental, as tradicionais fileiras de carteiras de frente para o professor foram substituídas por núcleos de quatro ou mais carteiras juntas para facilitar inúmeras atividades de aprendizado em grupo. Até matérias como matemática e redação, que pareciam depender de voos solo do pensamento, frequentemente são ensinadas em projetos de grupo. Em uma sala da quarta série que visitei, um grande cartaz anunciava "Regras para o trabalho em grupo", incluindo VOCÊ NÃO PODE PEDIR AJUDA AO PROFESSOR A MENOS QUE TODOS NO GRUPO TENHAM A MESMA PERGUNTA.

De acordo com uma pesquisa nacional de 2002 com mais de 1.200 professores de quarta e oitava séries, 55% dos professores disseram preferir o aprendizado cooperativo, contra apenas 26% que preferiam formatos dirigidos pelos professores. Apenas 35% dos professores de quarta série e 29% dos de oitava série passavam mais da metade de seu tempo de aula com o ensino tradicional, enquanto 42% dos professores de quarta série e 41% dos de oitava passavam pelo menos um quarto do tempo de aula em trabalhos de grupo. Entre os professores mais jovens, o aprendizado em pequenos grupos era ainda mais popular, sugerindo que a tendência ainda vai durar mais tempo.

A abordagem cooperativa tem raízes na política progressista — a teoria é que os alunos tomam posse de sua educação quando aprendem uns com os outros —, mas de acordo com professores de ensino fundamental que entrevistei em escolas públicas e privadas em Nova York, Michigan e Geórgia, ela também treina os alunos a se expressarem na cultura de equipes das corporações dos Estados Unidos. "Esse estilo de ensino reflete a comunidade dos negócios", disse um professor da quinta série de uma escola pública de Manhattan, "onde o respeito das pessoas pelos outros é baseado em suas habilidades verbais, não em sua originalidade ou em suas ideias. É preciso ser alguém que fala bem e que chama atenção para si. É um elitismo baseado em algo além do mérito". "Hoje, o mundo dos negócios trabalha em grupos, então agora as crianças fazem isso na escola", explicou um professor da terceira série da cidade de Decatur, na Geórgia. "O aprendizado cooperativo possibilita habilidades de trabalho em grupo — habilidades que são altamente requeridas no ambiente de trabalho", escreveu o consultor educacional Bruce Williams.

Williams também identifica o treinamento em liderança como o benefício principal do aprendizado cooperativo. Na verdade, os professores que encontrei pareciam prestar muita atenção às habilidades de administração dos alunos. Em uma escola pública que visitei no centro de Atlanta, uma professora da terceira série apontou um aluno quieto que gostava de "fazer tudo sozinho". "Mas o encarregamos da patrulha de segurança um dia, e ele teve a chance de ser um líder também", assegurou ela.

Essa professora era gentil e bem-intencionada, mas me pergunto se o jovem agente de segurança não estaria melhor se apreciássemos o fato de que nem todos *aspiram* a serem líderes no sentido convencional da palavra — que algumas pessoas querem se integrar harmoniosamente ao grupo e outras querem ser independentes dele. Muitas vezes, as pessoas mais criativas estão na última categoria. Como Janet Farrall e Leonie Kronborg escrevem em *Leadership Development for the Gifted and Talented* [Desenvolvimento de liderança para os dotados e talentosos]:

> Enquanto os extrovertidos tendem a alcançar a liderança em domínios públicos, os introvertidos tendem a alcançar a liderança nos campos teóricos e estéticos. Líderes introvertidos excepcionais como Charles Darwin, Marie Curie, Patrick White e Arthur Boyd, que criaram novos campos de pensamento ou rearranjaram o conhecimento existente, passaram longos períodos de suas vidas na solidão. Logo, a liderança não se aplica apenas a situações sociais, mas também ocorre em situações mais solitárias como o desenvolvimento de novas técnicas nas artes, a criação de novas filosofias, a escrita de livros profundos ou a inovação científica.

O Novo Pensamento de Grupo não surgiu em um momento preciso. O aprendizado cooperativo, o trabalho em equipe corporativo e os escritórios abertos emergiram em épocas diferentes por razões diferentes. Mas a poderosa força que juntou essas tendências foi o advento da internet, que conferiu frescor e seriedade à ideia de colaboração. Na internet, criações extraordinárias foram produzidas pela inteligência compartilhada, o Linux, sistema operacional aberto; a Wikipédia, a enciclopédia on-line; o MoveOn.org, raiz do movimento político. Esses produtos coletivos, exponencialmente maiores que a soma de suas partes, foram tão inspiradores que começamos a reverenciar o pensamento em colmeia, a sabedoria das multidões, o milagre do conhecimento coletivo.

*Colaboração* tornou-se um conceito sagrado — a chave para multiplicar o sucesso.

Então levamos as coisas mais longe do que os fatos pediram. Começamos a valorizar a transparência e a derrubar paredes — não apenas virtuais, mas também físicas. Fracassamos em perceber que o que faz sentido para as interações dessincronizadas e relativamente anônimas da internet pode não funcionar tão bem no cara a cara no politicamente carregado e acusticamente barulhento confinamento de um escritório aberto. Em vez de distinguir entre interações virtuais e pessoais, usamos as lições de um para informar nosso pensamento sobre o outro.

É por isso que, quando as pessoas falam sobre aspectos do Novo Pensamento de Grupo como os escritórios abertos, elas tendem a evocar a internet. "Funcionários estão colocando suas vidas inteiras no Facebook, Twitter e vários outros lugares. Não há razão para se esconderem atrás da parede de uma baia", contou à *NPR* Dan Lafontaine, diretor financeiro da firma de marketing social Mr. Youth. Outro consultor administrativo disse-me algo similar: "Uma parede de escritório é exatamente o que parece: uma barreira. Quanto mais frescas forem suas metodologias de pensamento, menos você irá querer barreiras. As companhias que usam escritórios abertos são companhias novas, assim como a internet, que ainda é uma adolescente."

O papel da internet em promover o trabalho de grupo cara a cara é especialmente irônico, pois no início ela era um meio que possibilitava que, frequentemente, bandos de introvertidos individualistas — pessoas como os líderes desejosos de um pensamento solitário que Farrall e Kronborg descrevem — se juntassem para subverter e transcender as formas usuais de resolução de problemas. A significativa maioria dos primeiros entusiastas dos computadores era introvertida, de acordo com um estudo envolvendo 1.229 profissionais da computação nos Estados Unidos, Grã-Bretanha e Austrália, entre 1982 e 1984. "É um clichê na tecnologia que o código aberto atraia introvertidos", diz Dave W. Smith, consultor e desenvolvedor de programas de computador do Vale do Silício, referindo-se à prática de produzir programas abrindo o código-fonte ao público virtual e permitindo que qualquer um o copie, melhore e distribua. Muitas dessas pessoas são motivadas pelo desejo de contribuir para um bem maior e ver as conquistas reconhecidas pela comunidade que valorizam.

Mas os primeiros criadores de códigos abertos não dividiam espaço no escritório — frequentemente, nem viviam no mesmo país. Suas colaborações ocorriam, em grande parte, no éter. Esse detalhe não é insignificante. Se você reunisse as mesmas pessoas que criaram o Linux, instalasse-as em uma grande sala de conferência durante um ano e pedisse que criassem um novo sistema operacional, duvido que algo tão revolucionário tivesse acontecido — por razões que exploraremos ao longo do capítulo.

Quando o pesquisador e psicólogo Anders Ericsson tinha quinze anos, ele começou a jogar xadrez. Era muito bom e dava uma surra em todos os seus colegas nos jogos da hora do almoço. Até que um dia, um menino que fora um dos piores jogadores começou a ganhar todas as partidas.

Ericsson começou a se perguntar o que teria acontecido. "Realmente pensei muito nisso", lembra ele em uma entrevista a Daniel Coyle, autor de *O código do talento*. "Como poderia aquele garoto, que eu vencera tão facilmente, agora me vencer com a mesma facilidade? Eu sabia que ele estava estudando, indo a um clube de xadrez, mas o que teria acontecido realmente?"

Esta é a questão que pauta a carreira de Ericsson: como vencedores extraordinários conseguem ser tão fabulosos no que fazem? Ericsson pesquisou em campos tão diferentes quanto xadrez, tênis e piano clássico.

Em um experimento agora famoso, ele e seus colegas compararam três grupos de habilidosos violinistas da Academia de Música de Berlim Ocidental. Os pesquisadores pediram que os professores dividissem os estudantes em três grupos: os "melhores violinistas", que tinham potencial para carreiras como solistas internacionais, os "bons violinistas", e um terceiro grupo treinando mais para serem professores de violino que músicos de orquestra. Entrevistaram, então, os músicos e pediram que mantivessem diários detalhados de sua rotina.

Eles encontraram uma incrível diferença entre os grupos. Todos os três passavam a mesma quantidade de tempo — mais de cinquenta horas por semana — participando de atividades ligadas à música. Todos os três tinham demandas similares em sala de aula, requerendo seu tempo. Mas os dois melhores grupos passavam a maior parte de seu tempo dedicado à música *praticando sozinhos*: 24,3 horas por semana ou 3,5 horas por dia para o melhor grupo comparado com apenas 9,3 horas por semana ou 1,3 hora por dia para o pior grupo. Os melhores violinistas classificavam "praticar sozinho" a mais importante de suas atividades relacionadas à música. Músicos de elite — mesmo aqueles que tocam em grupos — descrevem as sessões práticas com seus grupos de câmara como "lazer" se comparadas com as práticas solo, onde se faz o trabalho real.

Ericsson e seus colegas encontraram efeitos similares da solidão quando pesquisaram outros tipos de pessoas habilidosas. "Estudo sério e solitário" é o mais forte indicador de habilidade para jogadores de xadrez em nível de competição, por exemplo; grandes mestres normalmente passam mais do que impressionantes cinco mil horas — quase cinco vezes mais horas do que jogadores de nível médio — estudando o jogo sozinhos nos primeiros dez anos de aprendizado. Universitários que tendem a estudar sozinhos aprendem mais que aqueles que trabalham em grupos. Até atletas de elite em esportes de equipe frequentemente dedicam quantidades de tempo incomuns à prática solitária.

O que é tão mágico na solidão? Ericsson disse-me que em vários campos é apenas quando se está sozinho que se pode investir na Prática Deliberada, que ele identificou como chave para as conquistas excepcionais. Quando você pratica deliberadamente, identifica as tarefas ou conhecimentos que estão fora do seu alcance, luta para melhorar sua performance, monitora seu progresso e se corrige de acordo com isso tudo. Sessões práticas que saem desse padrão não apenas são menos úteis — elas também são contraproducentes. Reforçam mecanismos cognitivos existentes em vez de melhorá-los.

A Prática Deliberada é mais bem-conduzida na solidão por diversas razões. Ela requer concentração intensa e outras pessoas podem distrair. Requer profunda motivação, muitas vezes "autogerada". Mas o mais importante é que envolve trabalhar em uma tarefa que é mais desafiadora a *você* pessoalmente. Só quando você está sozinho, disse Ericsson, pode "ir diretamente à parte que está desafiando-o. Se quiser melhorar o que está fazendo, *você* tem que ser aquele que gera o movimento. Imagine uma aula em grupo — você é aquele que está gerando o movimento apenas em uma pequena porcentagem do tempo".

Para ver a Prática Deliberada em ação, não precisamos olhar mais longe que a história de Stephen Wozniak. A reunião do Homebrew foi o catalisador que o inspirou a construir o primeiro PC, mas a base do conhecimento e as práticas de trabalho que tornaram aquilo possível vieram de um lugar inteiramente diferente: Woz praticou deliberadamente a engenharia desde que era criança. (Ericsson diz que leva aproximadamente dez mil horas de Prática Deliberada para se tornar um verdadeiro especialista, então ajuda começar cedo.)

No livro *iWoz*, Wozniak descreve sua paixão infantil pela eletrônica e involuntariamente reconta todos os elementos da Prática Deliberada enfatizados por Ericsson. Primeiro, ele era motivado: seu pai, engenheiro na Lockheed, ensinou a Woz que engenheiros podiam mudar a vida das pessoas e que estavam "entre as pessoas-chave no mundo". Em segundo lugar, ele construiu sua competência com dedicação degrau por degrau. Como participou de inúmeras feiras de ciências, ele diz:

> Adquiri a habilidade principal que me ajudaria por toda a minha carreira: paciência. Estou falando sério. A paciência geralmente é muito subestimada. Quero dizer, por todos aqueles projetos, da terceira até a oitava série, só aprendi as coisas gradualmente, descobrindo como montar equipamentos eletrônicos sem fazer mais do que abrir um livro... Aprendi a não me importar muito com o resultado, mas a me concentrar no passo em que estava e tentar fazê-lo com a maior perfeição possível.

Em terceiro lugar, Woz trabalhava sozinho. E isso não era necessariamente uma escolha. Como muitas crianças inclinadas a coisas técnicas, ele levou o doloroso tombo na escada social quando chegou à sétima série. Quando menino, fora admirado por sua proeza científica, mas agora ninguém parecia se importar. Ele detestava jogar conversa fora e seus interesses estavam deslocados em relação aos de seus colegas. Uma foto em preto e branco daquele período mostra Woz, cabelos bem curtos, sorrindo intensamente, apontando orgulhoso para seu "Adicionador/ Subtraidor campeão da feira de ciências", uma espécie de caixa cheia de fios, puxadores e dispositivos. Mas a estranheza daqueles anos não o impediu de perseguir seu sonho; provavelmente o motivou. Ele nunca teria aprendido tanto sobre computadores, diz Woz hoje, se não fosse tímido o bastante para não sair de casa.

Ninguém escolheria esse tipo de adolescência dolorosa, mas o fato é que a solidão de Woz nessa fase e seu foco no que se tornaria uma paixão para a vida inteira são típicos de pessoas altamente criativas. De acordo com o psicólogo Mihaly Csikszentmihalyi, que entre 1990 e 1995 estudou a vida de 91 pessoas excepcionalmente criativas nas artes, ciências, negócios e governo, muitos de seus personagens estiveram socialmente à margem na adolescência, em parte porque a "intensa curiosidade ou o interesse focado parecem estranhos a seus colegas". Adolescentes que são sociáveis demais para passar o tempo sozinhos geralmente fracassam em cultivar seus talentos, "porque praticar música ou estudar matemática requer uma solidão que eles temem". Madeleine L'Engle, autora do popular romance para jovens *Uma dobra no tempo* e de mais de sessenta outros livros, diz que jamais teria se desenvolvido como uma pensadora ousada se não tivesse passado tanto de sua infância sozinha com seus livros e ideias. Quando menino, Charles Darwin fazia amigos com facilidade, mas preferia passar o tempo fazendo longas e solitárias caminhadas em meio à natureza. (Quando adulto ele não foi diferente. "Caro sr. Babbage", escreveu ele ao famoso matemático que o convidara para um jantar, "estou muito agradecido pelos convites que tem me enviado para suas festas, mas temo aceitá-los, já que devo encontrar ali algumas pessoas a quem jurei por todos os santos do céu que nunca saio de casa".)

Mas a performance excepcional depende não apenas da base que estabelecemos com a Prática Deliberada; ela também requer as condições corretas de trabalho. E nos ambientes profissionais contemporâneos, elas são surpreendentemente difíceis de atingir.

Um dos benefícios de ser consultor é ganhar acesso íntimo a muitos ambientes de trabalho diferentes. Tom DeMarco, um dos diretores da equipe de consultores da Atlantic Systems Guild, tem andado por um bom número de escritórios e percebeu que alguns locais de trabalho eram muito mais lotados que outros. Ele se perguntou que efeito toda essa interação social teria sobre a performance.

Para descobrir, DeMarco e seu colega Timothy Lister conceberam um estudo chamado Jogos de Guerra de Programação. O objetivo dos jogos era identificar as características dos melhores e dos piores programadores de computador; mais de seiscentos profissionais de 92 companhias diferentes participaram. Cada um esboçou, codificou e testou um programa atuando em seu espaço normal de trabalho no horário comercial. Cada participante também recebia um parceiro da mesma empresa. No entanto, os parceiros trabalhavam separadamente, sem qualquer comunicação, em um traço dos jogos que se mostrava crítico.

Quando os resultados chegaram, revelaram um enorme abismo na performance. Os melhores superaram os piores em uma razão de 10 para 1. Os melhores programadores também eram cerca de 2,5 vezes melhores que os medianos. Quando DeMarco e Lister tentaram entender o que havia contado para obterem esses impressionantes números, os fatores que você pensaria serem importantes — como os anos de experiência, salário e até o tempo gasto completando o trabalho — tinham pouca relação com o resultado. Programadores com dez anos de experiência não foram melhores que aqueles com dois anos. Metade dos que tiveram uma performance acima da média ganhavam *menos* de 10% a mais que a metade abaixo — mesmo que fossem quase duas vezes melhores. Os programadores que entregaram trabalhos sem qualquer falha levaram menos, e não mais tempo para completar o exercício que aqueles que cometeram erros.

Era um mistério com uma pista intrigante: programadores da mesma companhia tinham mais ou menos o mesmo desempenho, ainda que não tivessem trabalhado juntos. Isso porque os melhores trabalhavam para empresas que davam a seus funcionários mais privacidade, espaço pessoal, controle sobre seus ambientes físicos e liberdade para interrupções. Enquanto 62% dos melhores programadores disseram que seu ambiente de trabalho era aceitavelmente privado, apenas 19% dos piores afirmaram o mesmo. Já 76% dos piores programadores e apenas 38% dos melhores disseram que frequentemente eram interrompidos sem necessidade.

Os Jogos de Guerra de Programação eram bem conhecidos nos círculos tecnológicos, mas as descobertas de DeMarco e Lister vão muito além do mundo dos programadores de computadores. Uma montanha de dados recentes sobre escritórios abertos de diferentes indústrias corroboram os resultados dos jogos. Descobriu-se que escritórios abertos reduzem a produtividade e enfraquecem a memória. Eles são associados com alta rotatividade de funcionários. Deixam as pessoas doentes, hostis, desmotivadas e inseguras. Trabalhadores de escritórios abertos têm maior tendência a sofrer de pressão alta, graus de estresse elevados e a ficarem gripados; discutem mais com seus colegas; preocupam-se mais com eles ouvindo seus telefonemas e espiando a tela dos computadores alheios. Têm menos conversas pessoais e confidenciais com seus colegas. Frequentemente estão sujeitos a barulho alto e incontrolável, o que acelera o ritmo cardíaco; libera cortisol, o hormônio do estresse no corpo; e torna as pessoas socialmente distantes, facilmente irritáveis, agressivas e lentas em ajudar os outros.

Na verdade, o excesso de estímulo parece impedir o aprendizado: um estudo recente mostrou que pessoas aprendem melhor depois de um calmo passeio no bosque do que após uma barulhenta caminhada pela rua de uma cidade. Outro estudo, com 38 mil pessoas que trabalham com conhecimento em diversos setores, apontou que o simples ato de ser interrompido é uma das maiores barreiras da produtividade. Até desempenhar múltiplas tarefas ao mesmo tempo, o valoroso feito dos guerreiros dos escritórios nos tempos modernos, acaba sendo um mito. Agora, cientistas sabem que o cérebro é incapaz de prestar atenção em duas coisas ao mesmo tempo. O que parece ser a realização de múltiplas tarefas é na verdade um troca-troca de várias tarefas, o que reduz a produtividade e aumenta os erros em até 50%.

Muitos introvertidos sabem dessas coisas instintivamente e resistem a se agrupar. A Backbone Entertainment, uma empresa de desenvolvimento de videogames em Oakland, Califórnia, inicialmente usou um escritório aberto, mas descobriu que seus desenvolvedores de jogos, muitos dos quais introvertidos, estavam infelizes. "Era o espaço de um grande galpão, apenas com mesas, sem paredes, e todos podiam ver uns aos outros", lembra-se Mike Mika, ex-diretor criativo. "Mudamos para baias individuais e ficamos preocupados com isso — pensamos que em um ambiente criativo as pessoas detestariam isso. Mas no fim percebemos que eles preferiam ter seus recantos e frestas onde podem se esconder e simplesmente ficar longe de todos."

Algo parecido aconteceu na Reebok quando, em 2000, a companhia colocou 1.250 funcionários na nova matriz em Canton, Massachusetts. Os diretores presumiram que os designers de sapatos da empresa iriam querer muito espaço com acesso entre si para que pudessem trocar ideias (uma noção que provavelmente aprenderam quando faziam seus MBAs). Por sorte, eles consultaram primeiro os próprios designers, que lhes disseram que na verdade precisavam de paz e tranquilidade para poderem se concentrar.

Isso não seria novidade para Jason Fried, cofundador da 37signals, empresa de aplicativos para a internet. Durante dez anos, começando em 2000, Fried perguntou a centenas de pessoas (a maioria designers, programadores e escritores) onde gostavam de trabalhar quando precisavam se concentrar em alguma coisa. Eles responderam que em qualquer lugar, *menos* em seus escritórios, que eram barulhentos e cheios de interrupções. É por isso que, dos dezesseis funcionários de Fried, apenas oito moram em Chicago, onde está a matriz da 37signals, e mesmo estes não precisam aparecer para trabalhar, nem para reuniões. Principalmente para reuniões, que Fried considera "tóxicas". Fried não é anticolaboração — o site da 37signals promove a capacidade de seus produtos de tornar a colaboração produtiva e agradável. Mas ele prefere formas passivas de colaboração, como e-mail, mensagens instantâneas e ferramentas de chat on-line. Seu conselho para outros empregadores? "Cancele a próxima reunião. Não a adie. Apague isso da memória." Ele também sugere "quintas-feiras sem conversa", um dia da semana em que os funcionários são proibidos de falar uns com os outros.

As pessoas que Fried entrevistou estavam dizendo em alto e bom som o que as pessoas criativas sempre souberam. Kafka, por exemplo, não suportava estar perto nem de sua querida noiva enquanto trabalhava:

> Certa vez você me disse que gostaria de sentar-se ao meu lado enquanto eu escrevia. Eu não conseguiria escrever nada. Porque escrever significa revelar-se em excesso, a máxima revelação e entrega de si mesmo, na qual um ser humano, ao estar envolvido com outros, sentiria estar perdendo-se de si, e da qual, assim, ele sempre irá recuar enquanto estiver em seu juízo perfeito... É por isso que nunca se está sozinho o suficiente quando se escreve, nunca haverá silêncio o suficiente quando se escreve, nem a noite é noite o bastante.

Mesmo o consideravelmente mais alegre Theodor Geisel (também conhecido como Dr. Seuss) passava os dias de trabalho escondido em seu estúdio privado, as paredes repletas de esboços e desenhos, em um campanário fora de sua casa em La Jolla, Califórnia. Geisel era um homem muito mais quieto do que suas rimas brincalhonas sugerem. Ele raramente se arriscava em público para encontrar seus jovens leitores, temendo que as crianças esperassem uma figura alegre e eloquente como O Gato e ficassem desapontadas com sua personalidade. "Em massa, [as crianças] me aterrorizam", admitiu ele.

Se espaço pessoal é vital para a criatividade, a liberdade da "pressão dos colegas" também é. Considere a história do lendário publicitário Alex Osborn. Hoje seu nome é familiar apenas para alguns, mas durante a primeira metade do século XX ele era um incrível homem do renascimento que embasbacava seus contemporâneos. Osborn foi cofundador da agência de publicidade Batten, Barton, Durstine and Osborn (BBDO), mas foi como escritor que realmente deixou sua marca, começando em um dia de 1938 quando o editor de uma revista convidou-o para almoçar e perguntou qual era o seu hobby.

— Imaginar — respondeu Osborn.

— Senhor Osborn — disse o editor —, você precisa escrever um livro sobre isso. É um trabalho esperado há anos. Não existe assunto de maior importância. Você deve dar-lhe o tempo, energia e esforço que merece.

E foi o que o sr. Osborn fez. Na verdade, ele escreveu vários livros nos anos 1940 e 1950, todos abordando um problema que o havia incomodado em sua carreira como chefe da BBDO: seus funcionários não eram criativos o bastante. Osborn acreditava que eles tinham boas ideias, mas relutavam em compartilhá-las por medo do julgamento dos colegas.

Para Osborn, a solução não era que seus funcionários trabalhassem sozinhos, mas remover a ameaça de crítica do trabalho em grupo. Ele inventou o conceito de *brainstorming*, um processo no qual membros de um grupo geram ideias em uma atmosfera não crítica. O *brainstorming* tem quatro regras:

1. Não julgue ou critique ideias.
2. Seja livre. Quanto mais louca a ideia, melhor.
3. Vá pela quantidade. Quanto mais ideias, melhor.
4. Construa em cima de ideias de outros membros do grupo.

Osborn acreditava apaixonadamente que grupos — uma vez libertos das algemas do julgamento social — produziam mais e melhores ideias do que indivíduos trabalhando sozinhos, e fez grandes defesas de seu método favorito. "Os resultados quantitativos do *brainstorming* são incontestáveis", escreveu ele. "Um grupo produziu 45 sugestões para uma campanha de eletrodomésticos, 56 ideias para uma de arrecadação de fundos e 124 ideias sobre como vender mais cobertores. Em outra situação, quinze grupos fizeram *brainstorming* sobre o mesmo e único problema e produziram mais de oitocentas ideias."

A teoria de Osborn teve grande impacto, e os líderes de empresas adotaram o *brainstorming* com entusiasmo. Até hoje, é comum que qualquer um que passe algum tempo nos Estados Unidos corporativo encontre-se algumas vezes agrupado com colegas em uma sala cheia de quadros brancos, canetas e alguém encorajando todos a se associarem livremente.

Há um problema com a ideia inovadora de Osborn: o *brainstorming* não funciona de verdade. Um dos primeiros estudos a demonstrar isso foi conduzido em 1963. Marvin Dunnette, um professor de psicologia da Universidade de Minnesota, reuniu 48 cientistas pesquisadores e 48 executivos de publicidade, todos funcionários homens da Minnesota Mining and Manufacturing (também conhecida como 3M, os inventores do *post-it*), e pediu que participassem de sessões solitárias e de *brainstorming*. Dunnette estava confiante em que os executivos iriam beneficiar-se do processo de grupo. Estava menos certo de que os cientistas, que ele considerava mais introvertidos, iriam lucrar com o trabalho em grupo.

Dunnete dividiu cada conjunto de 48 homens em doze grupos de quatro. Cada um desses subgrupos recebia um problema para ser trabalhado em *brainstorming*, como os benefícios ou dificuldades que surgiriam por nascer com um polegar a mais. Cada homem também recebia um problema similar para ser trabalhado em *brainstorming* sozinho. Então Dunnette e sua equipe contavam todas as ideias, comparando aquelas produzidas pelos grupos com aquelas geradas por pessoas trabalhando individualmente. Para comparar os dados de forma igualitária, Dunnette reuniu as ideias de cada indivíduo com aquelas de três outros indivíduos, como se estivessem trabalhando em grupos "nominais" de quatro. Os pesquisadores também mediram a qualidade das ideias, classificando-as em uma "escala de probabilidade" de 0 a 4.

Os resultados não foram ambíguos. Os homens em 23 dos 24 grupos produziram mais ideias quando trabalharam sozinhos do que quando trabalharam em grupo. Eles também produziram ideias de melhor ou igual qualidade quando atuaram individualmente. E os publicitários não trabalharam melhor em grupo do que os aparentemente mais introvertidos pesquisadores.

Desde então, cerca de quarenta anos após a pesquisa, chegamos à mesma impressionante conclusão. Estudos mostraram que a performance fica pior quando o tamanho do grupo aumenta: grupos de nove pessoas mostram resultados piores do que aqueles com seis, que são ainda piores do que aqueles com quatro. A "prova científica sugere que homens de negócios devem estar loucos para criar grupos de *brainstorming*", afirma o psicólogo organizacional

Adrian Furnham. "Se você tem pessoas talentosas e motivadas, elas devem ser encorajadas a trabalhar sozinhas quando a criatividade ou a eficiência é a principal prioridade."

A única exceção é o *brainstorming* on-line. Grupos que fazem isso pela internet, quando administrados apropriadamente, não apenas são melhores que os indivíduos, como mostram as pesquisas; eles também realizam melhores performances quanto maior for o grupo. O mesmo vale para a pesquisa acadêmica — professores que trabalham juntos remotamente, de diferentes locais, tendem a produzir melhores e mais influentes pesquisas que aqueles trabalhando sozinhos ou colaborando pessoalmente.

Isso não deveria nos surpreender; como dissemos, foi o curioso poder da colaboração eletrônica que contribuiu para o Novo Pensamento de Grupo, em primeiro lugar. O que criou o Linux ou a Wikipédia senão uma gigantesca sessão de *brainstorming*? Mas ficamos tão impressionados com o poder da colaboração on-line que passamos a supervalorizar *todo* trabalho de grupo em vez do individual. Não percebemos que o trabalho on-line em grupo é mais uma forma de solidão. Em vez disso, achamos que o sucesso da colaboração on-line será replicado no mundo "cara a cara".

No entanto, depois de tantos anos de prova de que o *brainstorming* convencional em grupos não funciona, ele continua popular como sempre. Participantes de sessões de *brainstorming* acreditam que seu grupo teve uma performance muito melhor do que teve na realidade, o que aponta uma valiosa razão para sua contínua popularidade — o *brainstorming* em grupo faz as pessoas sentirem-se ligadas. Um objetivo válido, se entendermos que a "cola" social, em vez da criatividade, é o principal benefício.

Os psicólogos geralmente oferecem três explicações para o fracasso do *brainstorming* em grupo. A primeira é o *ócio social*: alguns indivíduos relaxam e deixam os outros fazerem o trabalho. O segundo é o *bloqueio produtivo*: só uma pessoa pode falar ou produzir uma ideia por vez, enquanto os outros membros do grupo são forçados a permanecer passivos. E a terceira é a *apreensão avaliativa*, que significa o medo de parecer burro na frente dos colegas.

As "regras" de *brainstorming* de Osborn foram feitas para neutralizar essa ansiedade, mas estudos mostram que o medo da humilhação pública é uma força potente. Na temporada de basquete de 1988-1989, por exemplo, dois times universitários jogaram onze jogos sem nenhum espectador, devido a uma epidemia de sarampo que levou as faculdades a que pertenciam a deixar todos os alunos de quarentena. Os dois times jogaram muito melhor (com um maior percentual de lances livres, por exemplo) sem nenhum torcedor, mesmo os seus torcedores, para perturbá-los.

O economista comportamental Dan Ariely percebeu um fenômeno similar quando conduziu um estudo pedindo a 39 participantes para resolver anagramas, sozinhos em suas mesas ou com outras pessoas assistindo. Ariely previra que os participantes se sairiam melhor em público porque estariam mais motivados. Mas eles se saíram pior. Uma plateia pode ser um estímulo, mas também é estressante.

O problema com a apreensão avaliativa é que não há muito a fazer a respeito. Poderíamos pensar que para superá-la bastaria vontade, treinamento ou um conjunto de regras como o de Alex Osborn. Mas pesquisas recentes em neurociência sugerem que o medo do julgamento é muito mais profundo e tem implicações mais extensas do que jamais imaginamos.

Entre 1951 e 1956, bem quando Osborn promovia o poder do *brainstorming* em grupo, um psicólogo chamado Solomon Asch conduziu uma série de experimentos hoje famosos sobre os perigos da influência de grupos. Asch reuniu estudantes voluntários em grupos e fez com que passassem por um teste de visão. Ele lhes mostrou uma figura com três linhas de comprimentos variados e fez perguntas comparando uma linha com a outra: qual era a mais longa; qual combinava em comprimento com uma quarta e por aí vai. Suas perguntas eram tão simples que 95% dos estudantes responderam a todas as questões corretamente.

Mas quando Asch colocou atores nos grupos e os atores confiantes escolhiam voluntariamente a resposta errada, o número de estudantes que deram todas as respostas corretas despencou para 25%. Ou seja, impressionantes 75% dos participantes seguiram a resposta errada do grupo em pelo menos uma questão.

Os experimentos de Asch demonstraram o poder da conformidade ao mesmo tempo que Osborn tentava nos libertar de suas amarras. O que eles não nos disseram era por que somos tão inclinados ao conformismo. O que estava acontecendo com as cabeças dos submissos? Será que sua percepção dos comprimentos das linhas tinha sido alterada pela pressão dos colegas ou eles tinham dado respostas erradas propositalmente por medo de parecerem estranhos? Durante décadas os psicólogos tentaram decifrar essa questão.

Hoje, com a ajuda da tecnologia de escaneamento do cérebro, podemos estar chegando mais perto da resposta. Em 2005, um neurocientista da Universidade Emory chamado Gregory Berns decidiu conduzir uma versão atualizada das experiências de Asch. Berns e sua equipe recrutaram 32 voluntários, homens e mulheres, entre 19 e 41 anos. Os voluntários participaram de um jogo no qual se mostrava a cada membro do grupo dois objetos tridimensionais diferentes numa tela de computador e pedia-se que dissessem se o primeiro objeto poderia ser girado para encaixar no segundo. Os cientistas usaram um aparelho de ressonância magnética para fotografar o cérebro dos voluntários quando concordavam ou discordavam da opinião do grupo.

Os resultados foram ao mesmo tempo desconcertantes e esclarecedores. Em primeiro lugar, eles corroboravam as descobertas de Asch. Quando os voluntários jogaram sozinhos, deram a resposta errada em apenas 13,8% das vezes. Mas quando jogaram em um grupo cujos membros davam respostas erradas de forma unânime, eles concordavam com o grupo em 41% das vezes.

Mas a pesquisa de Berns também lançou luz sobre *por que* exatamente somos tão conformistas. Quando os voluntários jogaram sozinhos, as imagens do cérebro mostraram atividade em uma rede de regiões que incluía o córtex occipital e o parietal, que são associados à percepção visual e espacial, e o córtex frontal, que é associado à tomada de decisões conscientes. Mas quando acompanhavam a decisão errada do grupo, suas atividades cerebrais revelavam algo bem diferente.

Lembre-se de que o que Asch queria saber era se as pessoas se conformavam mesmo sabendo que o grupo estava errado ou se suas percepções tinham sido *alteradas* pelo grupo. Se a primeira opção fosse verdade, raciocinaram Berns e sua equipe, eles deveriam ver uma maior atividade cerebral no córtex pré-frontal da tomada de decisões. Ou seja, as imagens do cérebro mostrariam os voluntários decidindo conscientemente abandonar suas próprias crenças para concordar com o grupo. Mas se as imagens mostrassem alta atividade em regiões associadas com a percepção visual e espacial, isso sugeriria que o grupo conseguira de alguma forma modificar as percepções do indivíduo.

Foi exatamente isso que aconteceu — os conformistas demonstraram menos atividade cerebral nas regiões frontais da tomada de decisões e mais nas áreas do cérebro associadas à percepção. A pressão dos colegas, em outras palavras, não é apenas desagradável, mas também pode realmente modificar sua visão sobre um problema.

Essas primeiras descobertas sugerem que os grupos podem alterar nossas mentes. Se o grupo pensa que a resposta correta é A, é muito provável que você também acredite nisso. Não é que você pense conscientemente "Não tenho certeza, mas todos eles acham que é A, então vou segui-los". Você também não está dizendo "Quero que todos eles gostem de mim, então vou fingir que a resposta é A". Não, você está fazendo algo muito mais inesperado — e perigoso. A maioria dos voluntários de Berns disse ter acompanhado o grupo "porque pensaram ter chegado por acaso à mesma resposta correta". Em outras palavras, eles estavam acima de tudo cegos para o quanto seus colegas haviam-nos influenciado.

O que isso tem a ver com medo social? Bem, lembre-se de que os voluntários de Asch e Berns nem sempre concordavam. Algumas vezes eles escolhiam a resposta correta apesar da influência de seus colegas. E Berns e sua equipe acharam algo muito interessante sobre esses momentos. Eles estavam relacionados a uma maior ativação da amígdala, um pequeno órgão no cérebro ligado a emoções perturbadoras, como o medo da rejeição.

Berns refere-se a isso como "a dor da independência", que tem sérias consequências. Muitas das nossas mais importantes instituições cívicas, de eleições e júris de julgamentos à própria ideia da liderança da maioria, dependem de vozes dissidentes. Mas quando o grupo é realmente capaz de mudar nossa percepção e quando ter uma opinião diferente da dos demais significa ativar nossos primitivos, poderosos e inconscientes sentimentos de rejeição, a saúde dessas instituições parece muito mais vulnerável do que pensamos.

Mas é claro que tenho simplificado o caso contra a colaboração "cara a cara". Afinal, Steve Wozniak colaborou com Steve Jobs. Sem os dois atuando em conjunto, hoje a Apple não existiria. Cada ligação entre mãe e pai, pai e filho, é um ato de colaboração criativa. De fato, estudos mostram que as interações frente a frente criam confiança de uma forma que as interações on-line não conseguem. Pesquisas também sugerem que a densidade populacional está ligada à inovação; apesar das vantagens que caminhadas tranquilas pela floresta oferecem, pessoas em cidades populosas beneficiam-se da rede de interações que a vida urbana possibilita.

Experimentei esse fenômeno pessoalmente. Quando me preparava para escrever este livro, montei cuidadosamente meu escritório em casa, completo com uma mesa organizada, arquivos, espaço livre e muita luz natural — e então aquele lugar me pareceu destacado demais do mundo e não consegui digitar uma única palavra. Em vez disso, escrevi a maior parte deste livro em um laptop no meu preferido e abarrotado café do bairro. Fiz isso exatamente pelas mesmas razões que os campeões do Novo Pensamento de Grupo podem sugerir: a simples presença de outras pessoas ajudou minha mente a dar saltos associativos. O café estava cheio de gente inclinada sobre seus computadores, e se as expressões de extrema concentração em seus rostos serviam como indício, eu não era a única a estar fazendo muito trabalho.

Mas o café funcionava como meu escritório porque tinha atributos específicos que estão ausentes de muitas faculdades e locais de trabalho modernos. Era um ambiente social, porém sua atmosfera casual, com a possibilidade de ir e vir à vontade, me deixava livre de complicações e capaz de "praticar deliberadamente" minha escrita. Eu podia alternar entre ser um observador e um ator social o quanto quisesse. Eu também podia controlar meu ambiente. A cada dia eu escolhia uma mesa diferente — no centro do salão ou em seu perímetro —, dependendo se naquele dia eu queria ser observada e também observar. E eu tinha a opção de ir embora quando quisesse paz e tranquilidade para editar o que escrevera naquele dia. Geralmente eu estava pronta a exercer esse direito depois de apenas algumas horas — não as oito, dez ou catorze horas que os funcionários de escritórios costumam trabalhar.

Estou sugerindo que o caminho para o avanço não é parar com as interações frente a frente, mas refinar a forma como as fazemos. Devemos, por exemplo, procurar, de forma ativa, relações simbioticamente introvertidas e extrovertidas, nas quais a liderança e outras tarefas são divididas de acordo com as capacidades e temperamentos naturais das pessoas. As equipes mais eficientes são compostas por uma mistura saudável de introvertidos e extrovertidos, como mostram estudos, assim como muitas estruturas de liderança.

Também precisamos criar cenários onde as pessoas se sintam livres para circular em um caleidoscópio mutável de interações e desaparecer em seus espaços de trabalho privados quando quiserem se concentrar ou simplesmente ficar sozinhas. Nossas escolas devem ensinar às crianças a habilidade de trabalhar em grupo — o ensino cooperativo pode ser eficaz quando praticado bem e com moderação —, mas também deve proporcionar o tempo e o treinamento de que precisam para praticar deliberadamente sozinhas. Também é vital reconhecer que muitas pessoas — especialmente introvertidos como Steve Wozniak — precisam de mais tranquilidade e privacidade para fazer seu melhor trabalho.

Algumas empresas estão começando a entender o valor do silêncio e da privacidade e estão criando escritórios abertos "flexíveis", que oferecem uma mistura de espaços de trabalho privados, locais silenciosos, áreas de interação casual, cafés, salas de leitura, centrais de computadores e até "ruas" onde as pessoas podem conversar sem interromper o ritmo de trabalho dos outros. Na Pixar, um campus de mais de sessenta metros quadrados foi construído em volta de um átrio do tamanho de um campo de futebol americano que abriga caixas de correio, um refeitório e até banheiros. A ideia é estimular quantos encontros forem possíveis. Ao mesmo tempo, os funcionários são encorajados a deixar com a sua cara os escritórios, baias, mesas e áreas de trabalho individuais, decorando-os como quiserem. De forma semelhante, na Microsoft, muitos empregados desfrutam de escritórios privados, mas eles possuem portas de correr, paredes móveis e outras características que permitem que os ocupantes decidam quando querem colaborar e quando precisam de tempo sozinhos para pensar. Esses tipos de espaços de trabalho diversificados beneficiam tanto introvertidos quanto extrovertidos, segundo o pesquisador de design de sistemas Matt Davis, pois oferecem mais espaços privados do que os tradicionais escritórios abertos.

Suspeito que o próprio Wozniak aprovaria essas ideias. Antes de criar o PC da Apple, Woz desenvolveu calculadoras para a Hewllet-Packard, um emprego que ele adorava em parte porque a HP facilitava a conversa com os outros funcionários. Todos os dias, às dez da manhã e às duas da tarde, a gerência trazia bolinhos e café, e as pessoas socializavam e trocavam ideias. O que diferenciava essas interações era o quanto eram discretas e informais. Em *iWoz*, Wozniak fala da HP como uma meritocracia onde não importava a aparência, onde não havia premiações por participar de jogos sociais e onde ninguém o tirava de seu querido trabalho de engenheiro para tarefas de gerência. Era isso o que colaboração significava para Woz: a habilidade de compartilhar um bolinho e uma ideia com seus colegas tranquilos, livres de julgamento e malvestidos — que não se importavam nem um pouco quando ele desaparecia e ia para a sua baia a fim de fazer o trabalho de verdade.

# Parte Dois
## Sua biologia, sua personalidade?

# 4
# Seria o temperamento determinado pelo destino?

## Natureza, criação e a hipótese da orquídea

*Algumas pessoas estão mais certas de tudo do que eu de qualquer coisa.*
— Robert Rubin, *In an Uncertain World*

***Quase dez anos atrás***

São duas da manhã, não consigo dormir e quero morrer.

Normalmente não sou do tipo suicida, mas esta é a noite que antecede um grande discurso e minha mente está a mil, considerando possibilidades terríveis. E se minha boca ficar seca e eu não conseguir fazer as palavras saírem? E se o público ficar entediado? E se eu vomitar no palco?

Ken, meu namorado (hoje meu marido), me vê revirar-me de um lado para o outro. Ele está atordoado com a minha aflição. Um ex-agente de paz da ONU, certa vez foi emboscado na Somália, embora eu não acredite que tenha ficado tão assustado quanto eu estou agora.

— Tente pensar em coisas felizes — diz ele, acariciando minha testa.

Olho para o teto, as lágrimas rolando. Que coisas felizes? Quem poderia ser feliz em um mundo de palanques e microfones?

— Há um bilhão de pessoas na China que não estão nem aí para o seu discurso — diz Ken, com simpatia.

Isso ajudou, por aproximadamente cinco segundos. Viro-me e olho para o despertador. São seis e meia. Pelo menos a pior parte, a parte da noite anterior, acabou; amanhã, a essa hora, estarei livre. Mas primeiro preciso sobreviver ao dia. Visto-me desconfortavelmente e coloco um casaco. Ken me dá uma garrafinha cheia de licor Baileys. Não sou uma grande beberrona, mas gosto de Baileys porque tem gosto de milk-shake de chocolate.

— Beba isso quinze minutos de começar — diz ele, e me dá um beijo de despedida.

Pego o elevador e entro no carro que espera para me transportar ao meu destino, a matriz de uma grande corporação em Nova Jersey. A viagem me dá bastante tempo para me perguntar como entrei naquela situação. Recentemente deixei o emprego de advogada em Wall Street para abrir minha própria firma de consultoria. Na maior parte do tempo trabalhei com apenas uma pessoa ou em grupos pequenos, o que acho confortável. Mas quando um conhecido que é conselheiro-geral de uma grande companhia de mídia me pediu para dar um seminário para toda a sua equipe de executivos, concordei — e de forma entusiástica! —, por razões que não consigo recordar agora. Me pego rezando por um desastre — uma enchente ou talvez um pequeno terremoto —, qualquer coisa que me impeça de passar por aquilo. Então me sinto culpada por envolver o resto da cidade no meu drama.

O carro para no escritório do cliente e eu desço, tentando projetar a animada autoconfiança de um consultor de sucesso. O organizador do evento me acompanha até o auditório. Peço indicações de onde fica o banheiro e na privacidade da cabine bebo um gole da garrafinha. Fico parada por alguns instantes, esperando que o álcool faça a sua mágica. Mas nada acontece — ainda estou aterrorizada. Talvez deva tomar outro gole. Não, são apenas nove da manhã — e se eles conseguirem sentir o cheiro de álcool no meu hálito? Retoco o meu batom e volto ao salão de eventos, onde arrumo minhas anotações no pódio, enquanto o salão se enche de homens e mulheres de negócios de aparência importante. *O que quer que você faça, tente não vomitar*, digo a mim mesma.

Alguns dos executivos olham para mim, mas a maioria tem o olhar fixo em seus BlackBerrys. Claramente, estou retirando-os de trabalhos muito importantes. Como vou segurar sua atenção por tempo suficiente para que eles parem de digitar comunicados urgentes em suas pequenas máquinas de escrever? Eu juro, ali mesmo, que nunca farei outro discurso.

Bem, desde então, já fiz vários deles. Não superei completamente minha ansiedade, mas com os anos descobri estratégias que podem ajudar qualquer um com medo de palco que precise falar em público. Mais sobre isso no capítulo 5.

Nesse meio-tempo, contei a você minha história de terror abjeto, pois ela é o centro de algumas das minhas questões mais urgentes sobre introversão. Em algum nível profundo, meu medo de falar em público parece conectado a outros aspectos da minha personalidade que aprecio, principalmente meu amor por todas as coisas suaves e cerebrais. Isso me parece uma constelação de características que não são incomuns. Mas será que elas estão realmente conectadas? E se estiverem, como isso acontece? São elas resultado da "criação" — o modo como fui criada? Tanto meu pai quanto minha mãe são tipos de fala mansa e reflexivos; minha mãe também detesta falar em público. Ou são minha "natureza" — algo profundo na minha herança genética?

Tenho lidado com essas questões durante toda a minha vida adulta. Felizmente, os pesquisadores de Harvard têm feito o mesmo, e lá, cientistas estão testando o cérebro humano em uma tentativa de descobrir as origens biológicas do temperamento humano.

Um desses cientistas é um homem de 82 anos chamado Jerome Kagan, um dos grandes psicólogos do desenvolvimento do século XX. Kagan devotou sua carreira a estudar o desenvolvimento emocional e cognitivo de crianças. Em uma série de estudos longitudinais inovadores, ele acompanhou crianças da infância até a adolescência, documentando suas fisiologias e personalidades ao longo do tempo. Estudos longitudinais como esse consomem muito tempo, são caros e, por isso, raros — mas quando dão resultados, como os de Kagan, compensam o investimento.

Para um desses estudos, lançado em 1989, o professor Kagan e sua equipe reuniram quinhentos bebês de quatro meses em seu Laboratório para o Desenvolvimento Infantil em Harvard, prevendo que conseguiriam dizer, depois de uma avaliação de 45 minutos, quais bebês tinham maior probabilidade de se tornarem introvertidos ou extrovertidos. Se você tiver visto um bebê de quatro meses recentemente, isso pode parecer uma pretensão audaciosa. Mas Kagan vinha estudando o temperamento havia muito tempo e tinha uma teoria.

Ele e sua equipe expuseram os bebês a um conjunto de experiências novas cuidadosamente escolhido. As crianças ouviam gravações de vozes e de balões explodindo, viam móbiles coloridos dançando diante de seus olhos e inalavam o odor de álcool em cotonetes. Elas tinham reações muito variadas aos novos estímulos. Cerca de 20% chorava forte e mexia fortemente os braços e pernas.

Kagan chamou esse grupo de "altamente reativo". Cerca de 40% permanecia calmo e plácido, mexendo os braços e pernas ocasionalmente, mas sem os movimentos radicais. Os 40% restantes ficavam entre esses dois extremos. Em uma hipótese impressionantemente contraditória, Kagan presumiu que eram os bebês no grupo altamente reativo — com os movimentos radicais — que teriam a maior possibilidade de tornarem-se adolescentes quietos.

Quando tinham dois, quatro, sete e onze anos, muitas das crianças retornaram ao laboratório de Kagan para testes de acompanhamento de suas reações a novas pessoas e novos eventos. Com a idade de dois anos, as crianças conheciam uma senhora vestindo uma máscara antigás e um jaleco, um homem com uma fantasia de palhaço e um robô controlado por rádio. Aos sete anos, pedia-se que brincassem com crianças que não conheciam. Aos onze, um adulto desconhecido entrevistava-as sobre sua vida pessoal. A equipe de Kagan observava como as crianças reagiam a essas situações estranhas, notando sua linguagem corporal e gravando o quanto riam, falavam e sorriam, e se aquilo era espontâneo. Eles também entrevistaram as crianças e seus pais para saber do que elas gostavam fora do laboratório. Preferiam ter um ou dois amigos próximos a ter uma turma? Gostavam de visitar lugares novos? Corriam riscos ou eram mais cautelosas? Consideravam-se tímidas ou ousadas?

Muitas dessas crianças acabaram se mostrando como Kagan esperava. Os bebês altamente reativos, os 20% que berravam com o móbile sobre suas cabeças, tinham maior tendência a desenvolver personalidades sérias e cuidadosas. Os bebês pouco reativos — os quietos — tinham maior tendência a se tornar tipos relaxados e confiantes. Alta e baixa reatividade tendiam a corresponder, em outras palavras, à introversão e à extroversão. Como Kagan ponderou em seu livro, *Galen's Prophecy*, de 1998 , "as descrições de Carl Jung de introversão e extroversão, escritas há mais de 75 anos, aplicam-se com inquietante exatidão à proporção de nossos adolescentes de alta ou baixa reatividade".

Kagan descreve dois desses adolescentes, o reservado Tom e o extrovertido Ralph, e as diferenças entre os dois é impressionante. Tom, que era excepcionalmente tímido quando criança, é bom na escola, atento e quieto, devotado a sua namorada e aos pais, inclinado a preocupar-se e adora aprender sozinho e pensar sobre problemas intelectuais. Ele pretende ser cientista. "Como (...) outros introvertidos famosos que eram tímidos na infância", escreve Kagan, comparando Tom ao escritor T.S. Eliot e ao matemático e filósofo Alfred North

Whitehead, Tom "escolheu a vida da mente".

Ralph, ao contrário, é relaxado e autoconfiante. Ele toma o entrevistador de Kagan por um colega, não por uma figura de autoridade 25 anos mais velha. Apesar de Ralph ser muito inteligente, recentemente foi reprovado em inglês e ciências porque não parava de brincar. Mas nada o incomoda muito. Ele admite suas falhas alegremente.

Os psicólogos muitas vezes discutem a diferença entre "temperamento" e "personalidade". Temperamento refere-se a padrões comportamentais e emocionais inatos, determinados biologicamente, observáveis em bebês e na primeira infância; personalidade é uma combinação complexa que emerge depois que a influência cultural e as experiências pessoais são jogadas na mistura. Alguns dizem que o temperamento é a fundação e a personalidade é a construção. O trabalho de Kagan ajudou a ligar o temperamento dos bebês aos estilos de personalidade adolescentes como os de Tom e Ralph.

Mas como Kagan sabia que os bebês agitados teriam maior tendência a se tornar adolescentes cautelosos e reflexivos como Tom, ou que bebês quietos teriam maior tendência a se tornar práticos e pouco afeitos à escola como Ralph? A resposta está em suas fisiologias.

Além de observar o comportamento das crianças em situações estranhas, a equipe de Kagan mediu taxa cardíaca, pressão, temperatura e outras propriedades do sistema nervoso. Kagan escolheu essas medidas porque se acredita que são controladas por um importante órgão localizado no cérebro chamado amígdala. Ela fica nas profundezas do sistema límbico, uma antiga rede cerebral encontrada até em animais primitivos como ratos e camundongos. Essa rede — às vezes chamada de "cérebro emocional" — é fonte de muitos dos instintos básicos que compartilhamos com esses animais, como o apetite, o desejo sexual e o medo.

A amígdala atua como o painel de controle do cérebro, recebendo informações dos sentidos e sinalizando para o resto do cérebro e do sistema nervoso como responder. Uma de suas funções é detectar instantaneamente elementos novos e perigosos no ambiente — de um disco de *frisbee* no céu a uma serpente — e mandar pelo corpo sinais rápidos que despertam a resposta de bater ou correr. Quando o disco de *frisbee* parece direcionado para o seu nariz, é a amígdala que faz você se abaixar. Quando a cobra parece pronta para o bote, é a amígdala que garante que você vai fugir.

Kagan levantou a hipótese de que bebês nascidos com uma amígdala especialmente excitável iriam se contorcer e gritar quando lhes fossem mostrados objetos desconhecidos — e se tornariam crianças com tendência a serem mais vigilantes ao conhecer pessoas novas. E isso é exatamente o que ele descobriu. Em outras palavras, os bebês que movimentavam os braços como punks faziam isso não por serem extrovertidos, mas porque seus corpinhos reagiam fortemente — eles eram altamente reativos — a novas visões, sons e cheiros. Os bebês quietos não ficavam em silêncio porque seriam futuros introvertidos — exatamente o oposto —, mas porque tinham sistemas nervosos que não se incomodavam com novidades.

Quanto mais reativa a amígdala de uma criança, maior tende a ser sua taxa cardíaca, mais seus olhos se dilatam, mais tensas são suas cordas vocais, mais cortisol (o hormônio do estresse) há em sua saliva — mais crepitante ela tende a se *sentir* quando confrontada com algo novo e estimulante. Enquanto crescem, crianças altamente reativas continuarão a confrontar o desconhecido em diferentes contextos, da primeira visita a um parque de diversões a conhecer novos colegas no primeiro dia no jardim de infância. Tendemos a perceber mais a reação de uma criança a pessoas desconhecidas — Como ela se comporta no primeiro dia de escola? Ela parece insegura em festas de aniversário cheias de pessoas que não conhece? Mas na verdade o que estamos observando é a sensibilidade da criança a novidades em geral, não apenas às pessoas.

A alta e a baixa reatividade provavelmente não são as duas únicas rotas biológicas até a introversão e a extroversão. Há muitos introvertidos que não possuem a sensibilidade de um altamente reativo clássico, e uma pequena porcentagem dos altamente reativos torna-se extrovertida quando cresce. Mesmo assim, as descobertas de Kagan em mais de uma década marcam um enorme avanço na nossa compreensão desses estilos de personalidade — incluindo os julgamentos de valor que fazemos. Às vezes, os extrovertidos recebem o crédito de "pró-sociais" — o que significa que se importam com os outros —, enquanto os introvertidos são desprezados como pessoas que não gostam de outras pessoas. Mas as reações dos bebês nos testes de Kagan não tinham nada a ver com pessoas. Eles estavam berrando (ou não) para cotonetes. Eles mexiam seus membros (ou ficavam calmos) em resposta a balões estourando. Os bebês altamente reativos não nasceram misantropos; eles simplesmente eram sensíveis a seus ambientes.

Na verdade, a sensibilidade do sistema nervoso dessas crianças parece estar ligada não apenas à percepção de coisas assustadoras, mas à percepção em geral. Crianças altamente reativas prestam o que um psicólogo chama de "atenção alerta" a pessoas e coisas. Elas usam mais movimentos dos olhos do que os outros para comparar opções antes de tomar uma decisão. É como se processassem mais profundamente — às vezes de forma consciente, às vezes não — as informações que absorvem sobre o mundo. Em uma de suas primeiras séries de estudos, Kagan pediu a um grupo de alunos da primeira série para participar de um jogo de combinação visual. Mostrava-se para cada criança uma imagem de um ursinho sentado em uma cadeira, além de seis outras imagens similares, entre as quais apenas uma era a combinação exata. As crianças altamente reativas passavam mais tempo que as outras considerando todas as alternativas e tinham maior tendência a fazer a escolha correta. Quando Kagan pediu que essas mesmas crianças participassem de um jogo de palavras, ele descobriu que elas também liam mais corretamente do que as crianças impulsivas.

Crianças altamente reativas também tendem a pensar sobre e sentir profundamente o que perceberam e a dar um toque extra às experiências do dia a dia. Isso pode ser expresso de muitas formas diferentes. Se a criança for orientada ao convívio social, ela pode passar muito tempo ponderando suas observações sobre os outros — "Por que o Jason não quis compartilhar seus brinquedos hoje?", "Por que a Mary ficou tão chateada com o Nicholas quando ele esbarrou nela por acidente?". Se ela tiver algum interesse em particular — montar quebra-cabeças, produzir arte, construir castelos de areia —, muitas vezes se concentrará com uma intensidade incomum. Estudos mostram que se uma criancinha altamente reativa quebrar o brinquedo de outra por acidente, ela muitas vezes sentirá uma mistura mais intensa de culpa e tristeza do que uma criança com baixa reatividade. É claro que todas as crianças percebem seus ambientes e sentem emoções, mas crianças altamente. reativas parecem sentir mais as coisas. Se você perguntar a uma criança de sete anos altamente reativa como um grupo de crianças deve compartilhar determinado brinquedo, afirma a jornalista científica Winifred Gallagher, ela tenderá a propor estratégias sofisticadas como "colocar os nomes em ordem alfabética e deixar a pessoa mais próxima da letra A ser a primeira".

"Colocar a teoria em prática é difícil para elas", escreve Gallagher, "pois sua natureza sensível e esquemas elaborados são inadequados ao rigores heterogêneos do pátio da escola". Mesmo assim, como veremos em capítulos adiante, esses traços — vigilância, sensibilidade às nuances, complexidade emocional — acabaram se tornando poderes bastante subvalorizados.

Kagan nos deu uma prova meticulosamente documentada de que a alta reatividade é uma das bases biológicas da introversão (exploraremos outra rota provável no capítulo 7), mas suas descobertas são poderosas em parte porque confirmam o que nós já suspeitávamos. Alguns de seus estudos se aventuram até mesmo pelo caminho dos mitos. Por exemplo, ele acredita, baseado em seus dados, que a alta reatividade estaria ligada a características físicas como olhos azuis, alergias e rinite alérgica, e que homens altamente reativos teriam mais tendência a ter o corpo magro e o rosto fino. Tais conclusões são especulativas e lembram a prática do século XIX de adivinhar a alma de um homem pelo formato de seu crânio. Mas quer elas se mostrem acertadas, quer não, é interessante que essas sejam exatamente as características físicas que damos a personagens ficcionais quando queremos sugerir que são quietos, introvertidos, cerebrais. É como se essas tendências psicológicas estivessem enterradas em nosso inconsciente cultural.

Considere os filmes da Disney, por exemplo. Kagan e seus colegas especularam se os animadores da Disney inconscientemente entendiam a alta reatividade quando desenhavam figuras sensíveis como Cinderela, Pinóquio e Dunga com olhos azuis e personagens mais fortes como as irmãs da Cinderela, Zangado e Peter Pan com olhos mais escuros. Em muitos livros, filmes de Hollywood e programas de TV, o personagem-padrão do jovem magro e lacrimoso não está longe do garoto azarado mas pensativo que tira boas notas, é um pouco incomodado pelo furacão social e tem talento para atividades introspectivas como a poesia ou a astrofísica. (Pense em Ethan Hawke no filme *Sociedade dos poetas mortos*.) Kagan chega a especular que homens preferem mulheres com a pele clara e olhos azuis porque inconscientemente as codificam como sensíveis.

Outros estudos da personalidade também dão suporte à premissa de que a introversão e a extroversão são fisiologicamente, e até geneticamente, determinadas. Umas das formas mais comuns de separar natureza de criação é comparar traços da personalidade de gêmeos idênticos e fraternos. Gêmeos idênticos são desenvolvidos a partir de um único óvulo e por isso possuem exatamente os mesmos genes, enquanto gêmeos fraternos vêm de óvulos diferentes e compartilham em média apenas 50% de seus genes. Então, se você medir os graus de introversão ou extroversão em gêmeos e encontrar maior correlação em gêmeos idênticos do que em fraternos — o que cientistas fazem, estudo após estudo, até com gêmeos criados em famílias separadas —, você pode concluir com certa razão que esse traço possui alguma base genética.

Nenhum desses estudos é perfeito, mas os resultados sugeriram de forma coerente que introversão e extroversão, assim como outros importantes traços da personalidade como a amabilidade e a consciência, são entre 40% e 50% herdadas geneticamente.

Mas será que as explicações biológicas para a introversão são completamente satisfatórias? Quando li pela primeira vez o livro de Kagan, *Galen's Prophecy*, fiquei tão empolgada que não conseguia dormir. Ali, naquelas páginas, estavam meus amigos, minha família, eu mesma — de fato, toda a humanidade! — cuidadosamente arrumados segundo o prisma de um sistema nervoso tranquilo *versus* um reativo. Foi como se séculos de investigação filosófica sobre o mistério da personalidade humana tivessem levado a um brilhante momento de clareza científica. Havia finalmente uma resposta fácil para a questão da natureza e da criação — nascemos com um pacote de temperamentos que moldam vigorosamente nossas personalidades adultas.

Mas não poderia ser assim tão simples, poderia? Podemos realmente reduzir uma personalidade introvertida ou extrovertida ao sistema nervoso com que seu dono nasceu? Eu suporia que herdei um sistema nervoso altamente reativo, mas minha mãe insiste que eu era um bebê tranquilo, não do tipo que chuta e chora com o estouro de um balão. Tenho tendência a ser muito insegura, mas também tenho muita coragem em minhas próprias convicções. Sinto-me terrivelmente desconfortável em meu primeiro dia em uma cidade estrangeira, mas amo viajar. Eu era tímida quando criança, mas superei o pior disso. Além disso, não acho que essas contradições sejam tão incomuns; muitas pessoas possuem aspectos dissonantes em suas personalidades. E as pessoas mudam profundamente com o tempo, não é? E o livre-arbítrio — será que não temos controle sobre o que somos e quem vamos nos tornar?

Decidi localizar o professor Kagan para fazer-lhe essas perguntas pessoalmente. Senti-me atraída a ele não apenas porque as descobertas de sua pesquisa eram tão arrebatadoras, mas também pelo que ele representa no debate natureza *versus* criação. Ele iniciou a carreira em 1954 firmemente ao lado da criação, uma visão que corroborava as constatações científicas da época. Naquele tempo, a ideia de um temperamento inato era uma bomba política, evocando o fantasma da eugenia nazista e da supremacia branca. Por outro lado, a noção da criança como uma tela em branco para quem qualquer coisa seria possível atraía uma nação construída sobre fundamentos democráticos.

Mas Kagan mudou de ideia ao longo do percurso. "Fui forçado, chutando e gritando, pelos meus dados, a reconhecer que o temperamento é mais poderoso do que eu pensava e gostaria de acreditar." A publicação de suas primeiras descobertas sobre crianças altamente reativas na revista *Science*, em 1988, ajudou a legitimar a ideia do temperamento inato, em parte porque sua reputação de defensor da criação era muito forte.

Se alguém pudesse me ajudar a desemaranhar a questão da natureza e da criação, eu esperava que fosse Jerry Kagan.

Kagan me conduz ao seu escritório no William James Hall, na Universidade de Harvard, examinando-me sem piscar enquanto me sento: ele não é indelicado, mas definitivamente é perspicaz. Imaginei-o como um cientista gentil, de jaleco, como em um desenho animado, passando produtos químicos de um tubo de ensaio para o outro até que — *puf! Agora, Susan, você sabe exatamente quem você é*. Mas ele não é o professor de modos suaves que eu imaginara. Ironicamente, para um cientista cujos livros são cheios de humanismo e que se descreve como tendo sido um menino ansioso, que se assustava facilmente, acho-o completamente intimidador. Começo nossa entrevista fazendo uma pergunta sobre a motivação do estudo, com a qual ele discorda. "Não, não, não!", troveja ele como se eu não estivesse sentada em sua frente.

O lado altamente reativo da minha personalidade é ativado. Tenho sempre a fala mansa, mas agora preciso forçar minha voz a sair mais alta do que um sussurro (na gravação da nossa conversa, a voz de Kagan parece explosiva e declamatória; a minha, muito mais calma). Estou ciente de que minhas costas estão tensas, um dos sinais clássicos de alta reatividade. É estranho saber que Kagan provavelmente está percebendo isso também — ele diz isso, assentindo para mim enquanto observa que muitos altamente reativos tornam-se escritores ou escolhem outras vocações intelectuais em que "você está no comando: você fecha a porta, puxa as cortinas e faz seu trabalho. Está protegido de encontrar coisas inesperadas". (Os menos instruídos tendem a se tornar arquivistas ou motoristas de caminhão pelas mesmas razões, diz ele.)

Menciono uma garotinha que conheço que "demora para esquentar". Ela analisa as pessoas novas em vez de cumprimentá-las: sua família vai à praia todo fim de semana, mas ela demora séculos para molhar os pezinhos. Uma altamente reativa clássica, observo.

"Não!", exclama Kagan. "Todo comportamento tem mais de uma causa. Nunca se esqueça disso! Para cada criança que 'demora para esquentar', sim, estatisticamente haverá mais altamente reativos, mas você pode se comportar assim pelo modo como passou os primeiros três anos e meio da sua vida! Quando escritores e jornalistas falam, querem ver uma relação entre duas coisas — um comportamento, uma causa. Mas é realmente importante que você veja que para comportamentos como o descrito, para a timidez, para a impulsividade... há muitos caminhos para eles."

Ele enumera exemplos de fatores ambientais que poderiam produzir uma personalidade introvertida independente de, ou em conjunto com, um sistema nervoso reativo: uma criança pode gostar de, digamos, ter novas ideias sobre o mundo, então passa muito tempo com seus pensamentos. Ou problemas de saúde podem dirigir a criança para dentro, ao que está acontecendo em seu corpo.

Meu medo de falar em público pode ser igualmente complexo. Será que tenho esse medo por ser uma introvertida altamente reativa? Talvez não. Alguns altamente reativos adoram falar em público e atuar, e muitos extrovertidos têm medo do palco; o medo de falar em público é o número um nos Estados Unidos, muito mais comum que o medo da morte. A fobia de falar em público pode ter muitas causas, incluindo contrariedades ocorridas na primeira infância, que têm a ver com nossas histórias pessoais e únicas, não com um temperamento inato.

Na verdade, a ansiedade de falar em público pode ser primária e essencialmente humana, não limitada àqueles nascidos com um sistema nervoso altamente reativo. Uma teoria, baseada nos escritos do sociobiólogo E.O. Wilson, diz que quando nossos ancestrais viviam na savana, ser observado atentamente significava apenas uma coisa: um animal selvagem estava à espreita. E quando pensamos que estamos prestes a ser comidos, ficamos de pé e discursamos com confiança? Não. Nós fugimos. Em outras palavras, centenas de milhares de anos de evolução nos impelem a sair correndo do palco, onde podemos confundir o olhar dos espectadores com o brilho nos olhos do predador. Mesmo assim, o público não apenas espera que permaneçamos no lugar, mas que ajamos com desenvoltura e segurança. Esse conflito entre biologia e protocolo é uma das razões pelas quais fazer discursos pode ser tão assustador. É também por isso que conselhos como imaginar o público nu não ajuda oradores nervosos; leões nus são tão perigosos quanto leões elegantemente vestidos.

Mas apesar de todos os seres humanos talvez terem a tendência de confundir membros do público com predadores, cada um de nós possui um limiar diferente para despertar a reação de bater ou correr. O quão ameaçadoramente devem se estreitar os olhos do público antes que sintamos que estão prestes a dar o bote? Isso acontece antes de você sequer pisar no palco ou são necessárias algumas boas perturbações para desencadear o fluxo de adrenalina? É possível perceber como uma amígdala altamente sensível tornaria alguém mais suscetível a testas franzidas, suspiros aborrecidos e pessoas checando o Blackberry enquanto o orador está no meio de uma frase. E de fato, estudos mostram que introvertidos possuem significativamente maior tendência a temer falar em público.

Kagan me conta sobre a vez em que ele assistiu a um colega cientista dar uma maravilhosa palestra em uma conferência. Depois, o palestrante perguntou se eles poderiam almoçar. Kagan concordou e, durante o almoço, o cientista contou-lhe que dá palestras todo mês e, apesar de sua competente "persona de palco", ele fica aterrorizado a cada vez. Ler o trabalho de Kagan, no entanto, teve um grande impacto nele.

"Você mudou a minha vida", disse ele a Kagan. "Todo esse tempo, eu culpei a minha mãe, mas agora acho que sou altamente reativo."

Então, sou introvertida porque herdei a alta reatividade dos meus pais, porque copiei seus comportamentos ou ambos? Lembre-se de que as estatísticas sobre hereditariedade derivadas de estudos com gêmeos mostraram que a introversão ou a extroversão são apenas 40% a 50% herdadas. Isso significa que, em um grupo de pessoas, em média metade da variabilidade em introversão ou extroversão é causada por fatores genéticos. Para tornar as coisas ainda mais complexas, há provavelmente muitos genes em ação, e o contexto de Kagan em que atua a alta reatividade é provavelmente uma das muitas rotas fisiológicas para a introversão. Além disso, médias são traiçoeiras. A taxa de hereditariedade de 50% não significa necessariamente que minha introversão foi 50% herdada de meus pais ou que metade da diferença de extroversão entre mim e meu melhor amigo é genética. Cem por cento da minha introversão pode vir dos meus genes, ou absolutamente nenhuma parte dela — ou, o que é mais provável, que ela seja uma combinação incompreensível de genes e experiência. Perguntar se é natureza ou criação, diz Kagan, é como perguntar se uma tempestade de neve é causada pela temperatura ou pela umidade. É a intrincada interação entre os dois que nos torna quem somos.

Então talvez eu venha fazendo a pergunta errada. Talvez o mistério de que percentual da personalidade é natureza e que percentual é criação seja menos importante que a questão de *como* seu temperamento inato interage com o ambiente e com seu livre-arbítrio. Até que ponto temperamento é destino?

Por um lado, de acordo com a teoria da interação entre gene e ambiente, as pessoas que herdam certos traços tendem a procurar experiências de vida que reforcem essas características. As crianças de mais baixa reatividade, por exemplo, gostam do perigo desde pequenas, e assim, quando crescem, não titubeiam diante de riscos de gente grande. Elas "pulam algumas cercas, perdem a sensibilidade e sobem no telhado", explicou certa vez o psicólogo David Lykken em um artigo na revista *Atlantic*. "Elas terão todo tipo de experiência que as outras crianças não terão. Chuck Yeager (o primeiro piloto a romper a barreira do som) conseguiu descer de um bombardeiro e entrar no avião rápido e pressionar o botão não porque tenha nascido com essa diferença entre mim e ele, mas porque durante os trinta anos anteriores seu temperamento o impeliu a trabalhar nesse caminho, desde subir em árvores até graus cada vez maiores de perigo e excitação."

De forma recíproca, crianças altamente reativas podem ter maior tendência a virar artistas, escritores, cientistas e pensadores, pois sua aversão à novidade faz com que passem mais tempo no ambiente familiar — e intelectualmente fértil — de suas mentes. "A universidade está recheada de introvertidos", observa o psicólogo Jerry Miller, diretor do Centro para a Criança e a Família da Universidade de Michigan. "O estereótipo do professor universitário é correto para muitas pessoas no campus. Eles gostam de ler; para eles, não há nada mais excitante do que ideias. E parte disso tem a ver com a maneira como eles passaram o tempo enquanto cresciam. Se você ficar muito tempo perambulando para carregar as energias, sobra menos tempo para ler e aprender. Simplesmente não há tanto tempo na vida."

Por outro lado, há também uma grande variedade de possíveis desfechos para cada temperamento. Crianças de baixa reatividade, extrovertidas, se criadas em famílias atenciosas e em ambientes seguros podem crescer para ser vencedoras enérgicas com grande personalidade — os Richards Branson e Oprahs Winfrey deste mundo. Mas dê a essas mesmas crianças pais e famílias negligentes ou um bairro ruim, e elas podem se tornar arruaceiras, delinquentes juvenis ou criminosas, segundo alguns psicólogos. Lykken causou polêmica chamando psicopatas e heróis de "ramos do mesmo galho genético".

Considere o mecanismo pelo qual crianças adquirem a noção de certo e errado. Muitos psicólogos acreditam que crianças desenvolvem uma consciência quando fazem algo impróprio e são repreendidas por seus pais e familiares. A desaprovação faz com que se sintam ansiosas, e como a ansiedade é desagradável, elas aprendem a passar longe de comportamentos antissociais. Isso é conhecido como a internalização dos padrões de conduta dos pais, e sua essência é a ansiedade.

Mas e se algumas crianças tiverem menos tendência à ansiedade que outras, como acontece com aquelas com reatividade extremamente baixa? Muitas vezes a melhor forma de ensinar valores a essas crianças é oferecer a elas modelos positivos e canalizar seu destemor para atividades produtivas. Uma criança pouco reativa em um time de hóquei aprecia a aprovação de seus companheiros quando comete uma falta contra um oponente com o ombro baixo, o que é um movimento "legal". Mas se ela for longe demais, levantar o cotovelo e causar uma concussão no oponente, sofrerá uma penalidade. Com o tempo ela aprenderá a usar o apetite pelo risco e a assertividade de forma inteligente.

Agora imagine essa mesma criança crescendo em um bairro perigoso, com poucos esportes organizados ou outros canais construtivos para sua ousadia. Você verá como ela pode cair na delinquência. Pode ser que algumas crianças carentes que se envolvem em problemas sofram não apenas com a pobreza ou a negligência, mas também com a tragédia de um temperamento ousado e exuberante privado de escoadouros saudáveis, dizem aqueles que possuem essa visão.

O destino da maioria das crianças altamente reativas também é influenciado pelo mundo em volta delas — talvez até mais do que o padrão normal das crianças, de acordo com a inovadora teoria chamada "hipótese da orquídea", de David Dobbs, em um maravilhoso artigo na revista *The Atlantic*. Essa teoria defende que muitas crianças são como dentes-de-leão, capazes de resistir em quase qualquer ambiente. Mas outras, incluindo os tipos altamente reativos estudados por Kagan, são como orquídeas: murcham facilmente, mas com as condições certas crescem fortes e esplendorosas.

De acordo com Jay Belsky, um dos maiores defensores dessa visão, professor de psicologia e especialista em cuidados infantis na Universidade de Londres, a reatividade do sistema nervoso dessas crianças faz com que sejam rapidamente tomadas pelas adversidades da infância, mas também são capazes de se beneficiar de um ambiente estimulante mais do que outras crianças. Em outras palavras, crianças-orquídeas são afetadas mais fortemente por todo tipo de experiência, seja ela positiva, seja negativa.

Há algum tempo, os cientistas sabem que temperamentos altamente reativos acompanham fatores de risco. Essas crianças são especialmente vulneráveis a desafios como tensões conjugais, a morte de um dos pais ou abusos. Elas têm mais tendência que outras a reagir a esses acontecimentos com depressão, ansiedade ou timidez. Na verdade, cerca de um quarto das crianças altamente reativas de Kagan sofrem de algum grau da condição chamada de "transtorno da ansiedade social", uma forma crônica e incapacitante de timidez.

O que os cientistas *não tinham* percebido até recentemente é que esses fatores de risco possuem um lado positivo. Em outras palavras, as sensibilidades e as forças são um pacote. Crianças altamente reativas que possuem bons pais, recebem cuidados e têm um ambiente estável em casa tendem a desenvolver *menos* problemas emocionais e mais habilidades sociais do que crianças de baixa reatividade, como mostram estudos. Muitas vezes são excessivamente simpáticas, acolhedoras e cooperativas. Elas trabalham bem com outros, são gentis, honestas e facilmente incomodadas pela crueldade, injustiça e irresponsabilidade. Têm sucesso naquilo que gostam de fazer. Não se tornam necessariamente representantes de turma ou estrelas da peça do colégio, disse Belsky, apesar de isso também ser possível: "Para algumas, é tornar-se líder da turma. Para outras, assume a forma de ir bem academicamente ou serem queridas."

Os pontos positivos do comportamento altamente reativo foram documentados por empolgantes pesquisas que apenas agora os cientistas estão começando a reunir. Uma das descobertas mais interessantes, também relatada por Dobbs em seu artigo na *Atlantic*, vem do mundo dos macacos *Rhesus*, uma espécie que compartilha cerca de 95% de seu DNA com os humanos e possui elaboradas estruturas sociais que lembram a nossa.

Nesses macacos, assim como em humanos, um gene conhecido como o transportador de serotonina (SERT) ou 5-HTTLPR ajuda a regular o processamento da serotonina, um neurotransmissor que afeta o humor. Pensa-se que uma variação particular, ou alelo, desse gene, às vezes chamado de alelo "curto", é associado com a alta reatividade e a introversão, assim como ao maior risco de depressão em humanos que tiveram vidas difíceis. Quando macacos bebês com alelos similares foram sujeitados ao estresse — em um experimento foram retirados de suas mães e criados como órfãos —, eles processaram serotonina com menor eficiência (um fator de risco para a depressão e a ansiedade) do que macacos com o alelo longo que passaram por privações similares. Mas os macaquinhos com o mesmo perfil genético de risco que foram criados por mães atenciosas foram tão bem ou *até melhor* do que aqueles com o alelo longo — mesmo os macacos criados em ambientes igualmente seguros — em tarefas sociais essenciais, como encontrar companheiros para brincadeiras, criar alianças e lidar com conflitos. Muitas vezes tornavam-se líderes de seus bandos. Eles também processavam serotonina com maior eficiência.

Stephen Suomi, o cientista que conduziu esses estudos, especulou que os macacos altamente reativos deviam seu sucesso à enorme quantidade de tempo que passavam observando o grupo mais do que participando dele, absorvendo em um nível profundo as leis da dinâmica social. (Essa é uma hipótese que pode soar verdadeira aos pais cujos filhos altamente reativos pairam observadores em torno de seu grupo de colegas, às vezes por semanas ou até meses, antes de penetrar no grupo com sucesso.)

Estudos com humanos descobriram que meninas adolescentes com o alelo curto do gene SERT têm 20% mais chance de sofrer de depressão do que garotas com alelos longos quando expostas a ambientes familiares estressantes, mas 25% menos chances de terem depressão se criadas em lares estáveis. Da mesma forma, adultos com o alelo curto mostraram ter mais ansiedade à noite do que outros quando tiveram dias estressantes, mas *menos* ansiedade em dias calmos. Crianças de quatro anos altamente reativas têm mais reações pró-sociais do que outras quando se deparam com dilemas morais — mas essa diferença mantém-se aos cinco anos apenas se suas mães utilizarem disciplina suave, e não dura. Crianças altamente reativas criadas em ambientes em que contam com apoio são mais resistentes do que outras à gripe comum e outras doenças respiratórias, mas ficam mais doentes sob condições estressantes. O alelo curto do gene SERT também é associado a uma melhor performance em uma série de tarefas cognitivas.

Essas descobertas são tão radicais que é notável que ninguém tenha chegado a elas até pouco tempo atrás. Notável, mas talvez não surpreendente. Psicólogos são treinados para curar, por isso suas pesquisas naturalmente se concentram em problemas e patologias. "É quase como se, metaforicamente falando, marinheiros estejam tão ocupados — sabiamente — procurando sob a linha da água por extensões de icebergs que poderiam afundar seus navios", escreve Belsky, "que deixam de observar que ao subir no topo do iceberg podem provar ser possível traçar uma passagem livre pelo mar cheio de gelo".

Os pais de crianças altamente reativas são excessivamente sortudos, diz Belsky. "O tempo e o esforço que investem nos filhos realmente vão fazer a diferença. Em vez de ver essas crianças como vulneráveis às adversidades, os pais devem vê-las como maleáveis — para o pior, mas também para o melhor." Ele descreve o pai ideal para a criança altamente reativa: alguém que "possa decifrar suas pistas e respeitar sua individualidade; é carinhoso e firme em lhe fazer pedidos sem ser duro ou hostil; alguém que promove a curiosidade, as conquistas acadêmicas, gratificações tardias e o autocontrole; e que não é duro, negligente ou inconsistente". É claro que esse conselho é maravilhoso para todos os pais, mas é crucial para pais de crianças altamente reativas. (Se você achar que seu filho pode ser altamente reativo, provavelmente já está se perguntando o que pode fazer para educá-lo. O capítulo 11 tem algumas respostas.)

Mas até crianças-orquídeas podem resistir a algumas adversidades, diz Belsky. Pegue como exemplo o divórcio. Em geral, ele perturbará mais as crianças-orquídeas do que as outras: "Se os pais brigarem muito e colocarem o filho no meio, cuidado — esta é a criança que não resistirá." Mas se os pais que estão se divorciando se derem bem, se fornecerem outros nutrientes psicológicos de que o filho precisa, então até uma criança-orquídea poderá ficar bem.

Eu acho que a maioria das pessoas gostaria da flexibilidade dessa mensagem. Poucos de nós tiveram infâncias livres de problemas.

Mas há um outro tipo de flexibilidade que todos esperamos que se aplique à questão de quem somos e do que nos tornamos. Queremos liberdade para traçar nossos próprios destinos. Queremos preservar os aspectos vantajosos de nossas personalidades e melhorar, ou até descartar, aqueles de que não gostamos — como o horror a falar em público. Além de nossos temperamentos inatos, além das nossas experiências infantis, queremos acreditar que nós — enquanto adultos — possamos moldar a nós mesmos e fazer o que quisermos da nossa vida.

Mas será que podemos?

# 5
# ALÉM DO TEMPERAMENTO

## O papel do livre-arbítrio (e o segredo de falar em público para introvertidos)

*O prazer surge na fronteira entre o tédio e a ansiedade, quando os desafios estão equilibrados com a capacidade da pessoa de agir.*
— Mihaly Csikszentmihalyi

Nas profundezas das entranhas do Centro Athinoula A. Martinos para Imagens Biomédicas do Hospital Geral de Massachusetts, os corredores são indistintos, até mesmo sombrios. Estou do lado de fora da porta trancada de uma sala sem janelas com o dr. Carl Schwartz, diretor do Laboratório de Pesquisa de Neuroimagem e Psicopatologia Desenvolvimentais. Schwartz tem olhos brilhantes e curiosos, cabelos castanhos ficando grisalhos e modos calmamente entusiásticos. Apesar de nossos arredores pouco graciosos, ele se prepara para destrancar a porta com alguma fanfarronice.

A sala abriga o equipamento de ressonância magnética que vale milhões de dólares, que tornou possíveis algumas das maiores inovações na neurociência moderna. Uma máquina daquelas consegue medir que partes do cérebro estão ativas quando você está pensando em determinada coisa ou realizando uma tarefa específica, permitindo que os cientistas realizem a antes impensável tarefa de mapear as funções do cérebro humano. O principal inventor da técnica, diz o dr. Schwartz, foi um brilhante porém modesto cientista chamado Kenneth Kwong, que trabalha naquele mesmo prédio. Todo aquele lugar está cheio de pessoas quietas e modestas fazendo coisas extraordinárias, acrescenta Schwartz, acenando com a mão em sinal de apreciação no corredor vazio.

Antes de abrir a porta, Schwartz me pede para retirar minhas argolas de ouro e deixar de lado o gravador de metal que estava usando em nossa conversa. O campo magnético de um aparelho de ressonância magnética é cem mil vezes mais forte que a força gravitacional da Terra — tão forte, diz Schwartz, que poderia arrancar os brincos das minhas orelhas e fazê-los voar pela sala se eles fossem magnéticos. Fico preocupada com os fechos de metal do meu sutiã, mas tenho vergonha demais para perguntar a respeito. Em vez disso aponto para a fivela do meu sapato, que imagino ter a mesma quantidade de metal da alça do meu sutiã. Schwartz diz que tudo bem e entramos na sala.

Olhamos com reverência para o aparelho de ressonância, que parece uma nave lustrosa tombada sobre seu lado. Schwartz diz que pede a seus objetos de pesquisa — que estão na adolescência — para deitarem com a cabeça no aparelho enquanto olham para fotos de rostos, e a máquina traça a resposta de seu cérebro. Ele está interessado principalmente na atividade da amígdala — o mesmo órgão poderoso do cérebro que Kagan descobriu que desempenhava um papel tão importante em moldar as personalidades introvertidas e extrovertidas.

Schwartz é colega e protegido de Kagan, e seu trabalho começa exatamente onde os estudos longitudinais de personalidade de Kagan pararam. Os bebês que Kagan certa vez categorizou como de alta e baixa reatividade agora estão crescidos, e Schwartz está usando a máquina de ressonância para examinar seus cérebros. Kagan acompanhou seus objetos de estudo desde a primeira infância até a adolescência, mas Schwartz queria saber o que aconteceria com eles depois disso. Os traços do temperamento seriam detectáveis, tantos anos depois, nos cérebros adultos dos bebês de alta e baixa reatividade de Kagan? Ou teriam sido apagados por alguma combinação de ambiente e esforço consciente?

É interessante que Kagan tenha alertado Schwartz a não continuar com esse estudo. Em um campo competitivo como o da pesquisa científica, não se quer conduzir estudos que não levem a descobertas significativas. E Kagan preocupou-se com a possibilidade de não haver resultados a serem encontrados — que a ligação entre temperamento e destino fosse rompida quando um bebê alcançasse a idade adulta.

"Ele estava tentando cuidar de mim", diz Schwartz. "Foi um paradoxo interessante. Porque aqui Jerry estava fazendo todas essas observações anteriores sobre os bebês e vendo que não era apenas seu comportamento social que era diferente nos extremos — tudo nessas crianças era diferente. Seus olhos dilatavam-se mais quando estavam resolvendo problemas, suas cordas vocais ficavam mais tensas quando falavam, suas taxas cardíacas eram únicas: havia todos esses canais que sugeriam que havia algo fisiologicamente diferente nessas crianças. E eu acho que, apesar disso, por causa de sua herança intelectual, ele sentia que fatores ambientais são tão complexos que seria realmente difícil encontrar aqueles traços do temperamento mais tarde na vida delas."

Mas Schwartz, que acredita que ele mesmo é altamente reativo e estava sendo atraído em parte por sua própria experiência, suspeitava que acharia tais traços ainda mais longe na linha do tempo longitudinal que o próprio Kagan.

Ele demonstra sua pesquisa ao permitir que eu aja como um de seus objetos de pesquisa, embora sem que entre no aparelho de ressonância. Quando me sento diante da mesa, o computador começa a me mostrar fotos, uma após a outra, todas com um rosto não familiar: cabeças em preto e branco sem um corpo, flutuando sobre um fundo preto. Acho que posso sentir meu pulso acelerando quando as fotos começam a aparecer cada vez mais rápido. Também percebo que Schwartz caiu em algumas repetições e os rostos começam a me parecer mais familiares. Descrevo minhas reações a Schwartz, que assente. Ele diz que a série de fotografias é feita para imitar um ambiente que corresponda às sensações de pessoas altamente reativas quando entram em uma sala cheia de estranhos e sentem: "Meu Deus! Quem são essas pessoas?"

Pergunto-me se estou imaginando essas reações ou exagerando-as, mas Schwartz me diz que ele adquiriu os primeiros dados de um grupo de crianças altamente reativas que Kagan estudou desde os quatro meses — e com certeza as amígdalas dessas crianças, agora crescidas, mostraram-se mais sensíveis às fotos de rostos não familiares do que as amígdalas das crianças que eram ousadas quando bebês. Ambos os grupos reagiram às fotos, mas aqueles que foram crianças tímidas reagiram mais. Em outras palavras, *os traços de um temperamento de alta ou baixa reatividade nunca desapareceram na idade adulta*. Alguns altamente reativos tornaram-se adolescentes com fluidez social que não se sentiam desconcertados pela novidade, mas nunca mudaram sua herança genética.

A pesquisa de Schwartz sugere algo importante: podemos modificar nossas personalidades, mas só até certo ponto. Nosso temperamento inato nos influencia, não importa a vida que levemos. Uma importante parte do que somos é ordenada por nossos genes, nosso cérebro, nosso sistema nervoso. E, mesmo assim, a elasticidade que Schwartz encontrou em alguns adolescentes altamente reativos também sugere algo diferente: temos livre-arbítrio e podemos usá-lo para moldar nossa personalidade.

Esses parecem princípios contraditórios, mas não são. O livre-arbítrio pode nos levar longe, sugere a pesquisa do dr. Schwartz, mas não nos leva infinitamente além de nosso limite genético. Bill Gates nunca será Bill Clinton, não importa o quanto ele melhore suas habilidades sociais, e Bill Clinton nunca será Bill Gates, não importa quanto tempo passe sozinho na frente de um computador.

Podemos chamar isso de "teoria do elástico" da personalidade. Somos como elásticos em repouso. Podemos nos esticar, mas só até certo ponto.

Para entender como isso pode valer para altamente reativos, é útil ver o que acontece no cérebro quando cumprimentamos um estranho em uma festa. Lembre-se de que a amígdala e o sistema límbico, do qual é peça-chave, é uma parte primitiva do cérebro — tão antiga que mamíferos primitivos têm suas próprias versões. Mas, à medida que os mamíferos foram se tornando mais complexos, uma área chamada neocórtex se desenvolveu ao redor do sistema límbico. O neocórtex, e particularmente o córtex frontal nos humanos, desempenha uma impressionante variedade de funções, desde decidir que pasta de dente comprar e planejar uma reunião até ponderar a natureza da realidade. Uma dessas funções é amenizar medos infundados.

Se você foi um bebê altamente reativo, então pode ser que pelo resto da vida sua amígdala enlouqueça um pouco cada vez que você se apresenta a um estranho em uma festa. Mas se você se sentir relativamente apto na companhia de outras pessoas, isso ocorre em parte porque seu córtex frontal está lhe dizendo para se acalmar, oferecer um aperto de mão e sorrir. Na verdade, um estudo de ressonância magnética recente mostra que quando as pessoas falam consigo mesmas para repensar situações tensas, a atividade em seu córtex pré-frontal aumenta de acordo com a queda de atividade da amígdala.

Mas o córtex frontal não é todo-poderoso; ele não desliga totalmente a amígdala. Em um estudo, cientistas condicionaram ratos a associar determinado som a uma descarga elétrica. Então eles tocavam esse som repetidas vezes *sem* administrar o choque, até que os ratos perdessem o medo.

Acontece que o "desaprendizado" não era completo como os cientistas pensaram inicialmente. Quando cortaram as conexões cerebrais entre o córtex dos ratos e suas amígdalas, eles voltaram a ter medo do som. Isso aconteceu porque o condicionamento do medo fora suprimido pela atividade do córtex, mas ainda estava presente na amígdala. Em humanos com medos infundados, como a acrofobia, ou seja, medo de altura, é o mesmo que acontece. Repetidas viagens ao topo do edifício Empire State parecem acabar com o medo, mas ele pode ressurgir em momentos de estresse — quando o córtex tem outras coisas para fazer além de amenizar uma amígdala excitável.

Isso ajuda a explicar por que muitas crianças altamente reativas mantêm alguns aspectos do medo em seu temperamento até a idade adulta, não importa quanta experiência social adquiram ou o quanto exerçam o livre-arbítrio. Minha colega Sally é um bom exemplo desse fenômeno. Sally é uma editora de livros talentosa e atenciosa, que descreve a si mesma como uma introvertida tímida e é uma das pessoas mais charmosas e articuladas que conheço. Se você chamá-la para uma festa e mais tarde perguntar aos outros convidados quem eles mais gostaram de conhecer, é bem provável que mencionem o nome de Sally. Eles dirão que ela é brilhante. Tão inteligente! Tão adorável!

Sally tem consciência do quanto ela é bem-vista — não é possível ser tão atraente quanto ela sem ter noção disso. Mas isso não significa que sua amígdala saiba disso. Quando chega em uma festa, muitas vezes Sally deseja poder se esconder atrás do primeiro sofá — até que seu córtex pré-frontal assuma o controle e ela lembre que é boa de papo. Mesmo assim, sua amígdala, com uma vida de associações acumuladas entre estranhos e ansiedade, às vezes prevalece. Sally admite que por vezes dirige durante uma hora para chegar a uma festa e sai cinco minutos depois.

Quando penso em minhas próprias experiências à luz das descobertas de Schwartz, percebo que não é verdade que eu não sou mais tímida; simplesmente aprendi a me acalmar diante da tempestade (obrigada, córtex pré-frontal!). Agora faço isso de forma tão automática que dificilmente tenho consciência de que está acontecendo. Quando falo com um estranho ou com um grupo de pessoas, meu sorriso é aberto e meus modos, diretos, mas há uma fração de segundo em que parece que estou numa corda bamba. Atualmente, já tive tantos milhares de experiências sociais que aprendi que a corda é fruto da minha imaginação, e que não vou morrer se cair. Retomo a confiança tão instantaneamente que mal tenho consciência de que estou fazendo tal coisa. Mas esse processo de me reassegurar ainda está acontecendo — e às vezes ele não funciona. A primeira palavra que Kagan utilizou para descrever pessoas altamente reativas foi "inibidas", e é exatamente assim que ainda me sinto em algumas festas.

A capacidade de nos adaptarmos — dentro de limites — também se aplica aos extrovertidos. Uma das minhas clientes, Alison, é uma consultora de negócios, mãe e esposa com uma personalidade extrovertida — amigável, direta, sempre atarefada — que faz com que as pessoas a descrevam como uma "força da natureza". Ela tem um casamento feliz, duas filhas que adora e sua própria firma de consultoria, que construiu do zero. Ela está certa em ter orgulho do que conquistou na vida.

Mas nem sempre se sentiu tão satisfeita. No ano em que se formou no colégio, deu uma boa olhada em si mesma e não gostou do que viu. Alison é extremamente brilhante, mas não dava para ver isso em seu boletim do ensino médio. Em seu coração, ela esperava entrar para uma universidade de prestígio, mas jogara a chance fora.

E ela sabia por quê. Passara o ensino médio socializando — Alison estava envolvida em praticamente todas as atividades extracurriculares que sua escola oferecia —, e isso não deixava muito tempo para atividades acadêmicas. Em parte ela culpava os pais, que tinham tanto orgulho do traquejo social de sua filha que não insistiram para que estudasse mais. Mas acima de tudo ela culpava a si mesma.

Quando adulta, Alison ficou determinada a não cometer os mesmos erros. Ela sabe como é fácil se perder num furacão de reuniões de pais e professores e na formação de contatos de negócios. Assim, a solução de Alison é olhar para a família em busca de estratégias adaptativas. Ela é a filha única de pais introvertidos, é casada com um introvertido e sua filha caçula também é bastante introvertida.

Alison encontrou maneiras de entrar em sintonia com os tipos quietos à sua volta. Quando visita os pais, ela se pega meditando e escrevendo em seu diário, exatamente como faz sua mãe. Em casa, ela passa noites tranquilas com o marido caseiro. E sua filha caçula, que gosta de conversas íntimas com a mãe, passa as tardes com Alison em conversas atenciosas.

Alison chegou a criar uma rede de amigos quietos e reflexivos. Apesar de sua melhor amiga, Amy, ser altamente extrovertida como ela, a maioria dos seus amigos é introvertida. "Aprecio muito os bons ouvintes", diz Alison. "Eles são os amigos com os quais vou tomar um café. Eles fazem as observações mais precisas. Às vezes, eu nem percebo que tenho feito algo contraprodutivo, e a maioria dos meus amigos introvertidos dirá: 'Aqui está o que você está fazendo de errado e aqui estão quinze exemplos de quando você fez a mesma coisa', enquanto minha amiga Amy nem notaria. Mas meus amigos introvertidos estão sentados observando, e conseguimos realmente nos conectar nesse ponto."

Alison continua sendo barulhenta, mas descobriu como ser quieta e beneficiar-se disso.

Apesar de alcançarmos limites exteriores a nossos temperamentos, muitas vezes pode ser melhor situarmo-nos direito em nossa zona de conforto.

Considere a história da minha cliente, Esther, uma advogada fiscal em um grande escritório. Morena, baixinha, com andar gingado, olhos azuis brilhantes como lâmpadas, Esther não era e nunca tinha sido tímida. Mas ela era decididamente introvertida. Sua parte favorita do dia eram os calmos dez minutos em que andava pelas ruas arborizadas do bairro até o ônibus. Sua segunda parte favorita era quando chegava perto da porta de seu escritório e mergulhava no trabalho.

Esther escolhera bem sua carreira. Filha de um matemático, ela amava pensar sobre problemas fiscais intimidadoramente complexos e podia discuti-los com facilidade. (No capítulo 7, examinaremos por que introvertidos são bons na solução de problemas complexos e que exigem foco.) Ela era o mais jovem membro de um duradouro grupo de trabalho operando dentro de um escritório de advocacia muito maior. Esse grupo continha cinco outros advogados fiscais, e todos apoiavam a carreira uns dos outros. O trabalho de Esther consistia em pensar profundamente sobre questões que a fascinavam, trabalhando de perto com colegas em quem confiava.

Mas o pequeno grupo de advogados fiscais de Esther tinha que fazer apresentações periódicas para o resto da firma. Essas apresentações eram uma fonte de sofrimento para Esther, não porque ela tivesse medo de falar em público, mas porque ela não se sentia à vontade falando de improviso. Os colegas de Esther, ao contrário — todos extrovertidos — eram falantes espontâneos que decidiam o que falar no caminho para a apresentação e que de alguma forma conseguiam transmitir seus pensamentos de forma inteligível e cativante quando chegava a hora.

Esther ficava bem se tivesse a chance de se preparar, mas às vezes seus colegas não mencionavam que fariam um discurso até que chegassem ao trabalho pela manhã. Ela presumiu que a capacidade deles de falar de improviso era uma função de sua compreensão superior da lei fiscal e que, ao ganhar mais experiência, ela também seria capaz de se dar bem. Mas Esther tornou-se mais antiga e com maior conhecimento, e mesmo assim não conseguia fazer aquilo.

Para resolver o problema de Esther, vamos primeiro focar em outra diferença entre introvertidos e extrovertidos: sua preferência por estímulos.

Por várias décadas, começando no fim dos anos 1960, o influente psicólogo e pesquisador Hans Eysenck lançou a hipótese de que os seres humanos procuravam graus "certos" de estímulo — nada a mais nem a menos. Estímulo é a quantidade de informação que nos é dada a partir do mundo exterior. Ele pode assumir inúmeras formas, do barulho à vida social e a luzes piscantes. Eysenck acreditava que extrovertidos preferem mais estímulo do que introvertidos e isso explica muitas de suas diferenças: introvertidos gostam de fechar a porta de seu escritório e mergulhar em seu trabalho, pois para eles esse é o tipo de atividade intelectual que tem o nível ideal de estímulo, enquanto extrovertidos funcionam melhor quando envolvidos em atividades de alta voltagem, como organizar seminários de construção de equipes e reuniões de cúpula.

Eysenck também pensou que a base dessas diferenças pode ser encontrada em uma estrutura cerebral chamada Sistema de Ativação Reticular Ascendente (ARAS, na sigla em inglês). O ARAS é uma parte do tronco cerebral que tem conexões que levam ao córtex cerebral e outras partes do cérebro. O cérebro possui mecanismos de excitação que fazem com que nos sintamos acordados, alertas e cheios de energia — "despertos", na linguagem dos psicólogos. Ele também possui mecanismos calmantes que fazem o contrário. Eysenck especulou que o ARAS regula o equilíbrio entre excesso e falta de excitação ao controlar a quantidade de estímulo sensorial que flui para o cérebro; às vezes os canais estão bem abertos, então bastante excitação consegue entrar, e às vezes estão contraídos, então o cérebro é menos estimulado. Eysenck pensou que o ARAS funcionava de forma diferente em introvertidos e extrovertidos: introvertidos teriam canais de informação muito abertos, o que faz com que sejam inundados por estímulos e excessivamente estimulados, enquanto extrovertidos possuem canais mais fechados, fazendo com que tenham tendência a uma subestimulação. O excesso de estímulos não produz tanta ansiedade quanto a sensação de que você não consegue pensar direito — de que você já teve o bastante e gostaria de ir para casa. A subestimulação é algo como uma espécie de claustrofobia. Não estão acontecendo coisas suficientes: você sente coceira, inquietação e falta de energia, como se precisasse sair rapidamente de casa.

Hoje sabemos que a realidade é muito mais complexa. Para começar, o ARAS não liga e desliga o estímulo como a mangueira de um caminhão de bombeiros, inundando todo o cérebro de uma só vez; diferentes partes do cérebro são estimuladas mais do que outras em ocasiões diferentes. Além disso, altos níveis de estímulo no cérebro nem sempre se correlacionam com o quanto nos *sentimos* estimulados. E há muitos tipos diferentes de estímulos: aqueles que ocorrem por causa de uma música alta não são os mesmos que acontecem com a explosão de um morteiro, que não são os mesmos de se presidir uma reunião; você pode ser mais sensível a uma forma de estímulo do que a outra. Também é simples demais dizer que sempre procuramos níveis moderados de estímulos: torcedores agitados em um jogo de futebol desejam a hiperestimulação, enquanto pessoas que visitam spas para tratamentos relaxantes procuram níveis baixos.

Ainda assim, mais de mil estudos conduzidos por cientistas pelo mundo testaram a teoria de Eysenck de que os níveis de estimulação cortical são uma importante pista da natureza da introversão e da extroversão, e parece que são o que o psicólogo especializado em personalidade David Funder chamou de "meio certo" — de várias maneiras importantes. Qualquer que seja a causa subjacente, há muitas evidências de que introvertidos *são* mais sensíveis do que extrovertidos a vários tipos de estímulo, da cafeína até um barulho alto e o ruído desgastante de um evento social — e que introvertidos e extrovertidos muitas vezes precisam de níveis muito diferentes de estímulo para alcançar sua melhor performance.

Em um conhecido experimento que data de 1967 e ainda é um dos favoritos nas aulas de psicologia, Eysenck colocou suco de limão na língua de adultos introvertidos e extrovertidos para descobrir quem salivava mais. Com certeza, os introvertidos, sendo mais suscetíveis a estímulos sensoriais, eram aqueles com a boca cheia d'água.

Em outro famoso experimento, pedia-se que introvertidos e extrovertidos jogassem um desafiador jogo de palavras no qual tinham que aprender, através de tentativa e erro, o princípio do jogo. Enquanto jogavam, eles usavam fones de ouvido que emitiam sons aleatórios. Pedia-se que ajustassem o volume desses fones ao nível que lhes parecesse "certo". Em média, os extrovertidos escolheram um nível de som de 72 decibéis enquanto os introvertidos optaram por apenas 55 decibéis. Quando trabalhavam no volume que tinham selecionado — alto para os extrovertidos, baixo para os introvertidos —, os dois tipos eram estimulados praticamente no mesmo nível (como foi medido por suas taxas cardíacas e outros indicadores). Eles também jogaram igualmente bem.

Quando se pediu que os introvertidos trabalhassem no nível de som dos extrovertidos e vice-versa, tudo mudou. Os introvertidos não só foram *superestimulados* pelo som alto, como também tiveram uma performance inferior — com uma média de 9,1 tentativas em vez de 5,8 para aprender o jogo. O oposto valeu para os extrovertidos — eles ficaram *sub*estimulados (e possivelmente entediados) por condições mais tranquilas e tiveram uma média de 7,3 tentativas, comparada à de 5,4 sob condições mais agitadas.

Quando combinada com as descobertas de Kagan sobre a alta reatividade, essa linha de estudo oferece uma poderosa lente através da qual podemos ver nossas personalidades. Uma vez que você entende a introversão e a extroversão como preferências por certos níveis de estímulo, você pode começar a tentar conscientemente se situar em ambientes favoráveis à sua própria personalidade

— nem superestimulante, nem subestimulante, nem entediante, nem causador de ansiedade. Você pode organizar sua vida de acordo com o que psicólogos da personalidade chamam de "níveis ótimos de estimulação" e do que eu chamo de "pontos doces", sentindo-se assim mais vivo e cheio de energia do que antes.

Seu ponto doce é o lugar em que você está otimamente estimulado. Você provavelmente já o procura sem ter consciência de que está fazendo isso. Imagine que você está deitado satisfeito em uma rede lendo um excelente livro. Esse é um ponto doce. Mas depois de meia hora, você percebe que leu a mesma frase cinco vezes; agora você está subestimulado. Então você liga para um amigo para chamá-lo para um lanche — em outras palavras, você aumentou seu nível de estímulo —, e enquanto você ri e fofoca comendo, você volta, finalmente, ao seu ponto doce. Mas esse estado agradável só dura até que seu amigo — um extrovertido que precisa de muito mais estímulo do que você — o persuada a acompanhá-lo a uma festa no seu bairro, onde você é confrontado com música alta e com um mar de estranhos.

Os vizinhos do seu amigo parecem gentis, mas você se sente pressionado a conversar, mesmo com a barulheira da música. E agora — *bang!* — você saiu do seu ponto doce, só que dessa vez você está *superestimulado*. E você provavelmente se sentirá desse jeito até arrumar alguém num canto distante da festa para ter uma conversa profunda, ou simplesmente irá embora e voltará ao seu livro.

Imagine o quanto você pode ser melhor nesse jogo do ponto doce se tiver consciência de que o está jogando. Você pode organizar seu trabalho, seus hobbies e sua vida social para passar o máximo de tempo possível em seu ponto doce. Pessoas que estão cientes de seu ponto doce têm o poder de deixar um emprego que as exaure e começar um negócio novo e satisfatório. Elas podem procurar um lar baseadas no temperamento dos membros de sua família — com lugares aconchegantes perto da janela e outros cantinhos para os introvertidos e grandes salões abertos para os extrovertidos.

Conhecer o seu ponto doce pode aumentar sua satisfação em todas as áreas da vida, mas vai além disso. Evidências sugerem que pontos doces podem ter consequências de vida ou morte. De acordo com um estudo recente entre militares conduzido pelo Instituto Walter Reed de Pesquisa do Exército, introvertidos funcionam melhor do que extrovertidos quando privados do sono, que é uma condição de desestímulo do córtex (porque sem sono nos tornamos menos alertas, ativos e enérgicos). Extrovertidos sonolentos atrás do volante devem ser especialmente cuidadosos — pelo menos até intensificarem seu nível de excitação bebendo café ou aumentando o volume do rádio. Da mesma forma, introvertidos dirigindo com o barulho excessivamente estimulante do tráfego devem trabalhar para continuar concentrados, já que o ruído pode atrapalhar seu pensamento.

Agora que sabemos sobre níveis ótimos de estímulo, o problema de Esther — de discursar em público — também faz sentido. O excesso de estímulo interfere na atenção e na memória de curto prazo — componentes-chave ao se falar em público. E como falar em público é uma atividade estimulante por natureza — mesmo para aqueles que, como Esther, não sofrem de medo do palco —, introvertidos podem ter sua atenção prejudicada exatamente quando mais precisam dela. Esther poderia viver o suficiente para ser uma advogada de cem anos, em outras palavras, aquela com maior conhecimento em sua área, e poderia nunca se sentir confortável para falar de improviso. Ela pode ser perpetuamente incapaz de, na hora do discurso, recorrer ao enorme conjunto de dados dentro de sua memória de longo prazo.

Mas uma vez que Esther entenda a si mesma, ela pode insistir que seus colegas avisem sobre tais eventos com antecedência. Ela pode praticar seus discursos e encontrar-se bem em seu ponto doce quando chegar ao palco. Ela pode fazer a mesma preparação para reuniões com clientes, eventos de formação de redes de contatos e até reuniões informais com seus colegas — qualquer situação de alta intensidade na qual sua memória de curto prazo e a habilidade para pensar rápido possam ser um pouco mais comprometidas que o usual.

Esther conseguiu resolver seu problema a partir do conforto de seu ponto doce. Ainda assim, às vezes superá-lo é nossa única escolha. Alguns anos atrás decidi que queria vencer meu medo de falar em público. Depois de muito pensar, inscrevi-me em um workshop no Centro para a Ansiedade Social de Falar em Público de Nova York. Eu tinha minhas dúvidas: me sentia uma pessoa tímida comum e não gostava da sonoridade patológica do termo “ansiedade social”. Mas a aula era baseada no treinamento para a perda da sensibilidade, uma abordagem que fazia sentido. Muitas vezes usado como um meio para superar fobias, esse método envolve expor-se (e a sua amígdala) repetidas vezes ao que você tem medo, em doses administráveis. Isso é muito diferente do bem-intencionado mas inútil conselho de que você deve mergulhar de cabeça e tentar nadar — uma abordagem que *pode* funcionar, mas é mais provável que provoque pânico, engendrando ainda mais seu cérebro em um ciclo de terror, medo e vergonha.

Encontrei-me em boa companhia. Havia cerca de quinze pessoas na turma, que era liderada por Charles di Cagno, um homem pequeno e musculoso com calorosos olhos castanhos e um sofisticado senso de humor. O próprio Charles é um veterano da terapia da exposição. A ansiedade de falar em público não o deixa mais acordado durante a noite, diz ele, mas o medo é um inimigo astuto e Charles está sempre trabalhando para tirar o maior proveito dele.

O workshop começara algumas semanas antes de eu entrar, mas Charles me garantiu que novatos eram bem-vindos. O grupo era mais diversificado do que eu esperava. Havia uma estilista de cabelos longos e cacheados, batom de cor forte e pontudas botas de couro de cobra; uma secretária com óculos grossos e modos cortantes e diretos, que falava muito da Mensa, associação de pessoas de QI alto da qual fazia parte; um casal de banqueiros de investimentos, altos e atléticos; um ator de cabelos negros e olhos azuis vívidos que saltitava alegremente pela sala com seus tênis Puma, mas dizia estar aterrorizado o tempo todo; um designer de softwares chinês com um sorriso doce e uma risada nervosa. Um verdadeiro cruzamento de nova-iorquinos. Poderia ser uma turma de fotografia digital ou de culinária italiana.

Mas não era. Charles explicou que cada um de nós falaria diante do grupo, mas em um nível de ansiedade que poderíamos administrar.

Uma instrutora de artes marciais chamada Lateesha foi a primeira a levantar naquela noite. A tarefa de Lateesha era ler em voz alta para a turma um poema de Robert Frost. Com seus dreads e sorriso largo, Lateesha parecia não ter medo de nada. Mas quando se aprontou para falar com seu livro aberto sobre o púlpito, Charles perguntou o quanto ela estava ansiosa, em uma escala de 1 a 10.

— Pelo menos sete — disse Lateesha.

— Vá devagar — orientou ele. — Apenas algumas pessoas lá fora podem superar completamente seus medos, e todas elas vivem no Tibete.

Lateesha leu o poema clara e calmamente, com apenas um leve tremor em sua voz. Quando ela terminou, Charles sorriu, orgulhoso.

— Levante-se, por favor, Lisa — pediu ele, dirigindo-se a uma jovem e bela diretora de marketing com cabelos negros brilhantes e um cintilante anel de noivado. — É a sua vez de dar uma opinião. A Lateesha parecia nervosa?

— Não — respondeu Lisa.

— Mas eu estava realmente assustada — afirmou Lateesha.

— Não se preocupe, ninguém notou — assegurou Lisa.

Os outros assentiram vigorosamente. *Ninguém notou nada*, ecoaram eles. Lateesha sentou-se parecendo satisfeita.

Eu era a próxima. Subi no palco improvisado e encarei o grupo. Os únicos sons na sala eram o barulho do ventilador de teto e o clamor do trânsito do lado de fora. Charles pediu para eu me apresentar. Respirei fundo.

— OLÁÁÁ! — gritei, esperando parecer dinâmica.

Charles pareceu alarmado.

— Apenas seja você mesma — explicou ele.

Meu primeiro exercício era simples. Tudo o que eu precisava fazer era responder a algumas perguntas que as pessoas faziam: "Onde você mora?", "O que você faz da vida?", "O que você fez esse fim de semana?".

Respondi às perguntas do meu jeito normal, de fala mansa. O grupo ouviu atentamente.

— Alguém tem mais perguntas para a Susan? — indagou Charles. Todos do grupo balançaram a cabeça. — Agora, Dan — disse Charles, assentindo para um robusto ruivo que parecia um jornalista falando direto da bolsa de valores de Nova York —, você é um banqueiro e possui altos padrões. Diga-me, a Susan parecia nervosa?

— Nem um pouco — falou Dan.

O resto do grupo assentiu. *Nem um pouco*, murmuraram eles — assim como tinham feito com Lateesha.

*Você parece tão expansiva*, acrescentaram eles.

*Você parece realmente confiante!*

*Você tem sorte, pois sempre tem algo a dizer.*

Sentei-me, sentindo-me muito bem comigo mesma. Mas logo vi que eu e Lateesha não éramos as únicas a ter aquele tipo de retorno. Alguns outros foram tão bem quanto nós. "Você parecia tão calmo!", diziam a esses falantes, que ficavam visivelmente aliviados. "Ninguém nunca saberia que você é tímido se você não dissesse! O que você está fazendo nesta aula?"

Num primeiro momento, perguntei-me por que eu prezava tanto essas frases de incentivo. Então percebi que estava participando do workshop porque queria ir além dos limites do meu temperamento. Eu queria ser a melhor e mais corajosa oradora que pudesse. Os elogios eram a prova de que estava no caminho certo para alcançar esse objetivo. Suspeitei que o retorno que eu estava recebendo era exageradamente caridoso, mas não me importei. O que importava era que eu tinha me dirigido a um público que me recebera bem, e eu me sentira bem com a experiência. Tinha começado a perder a sensibilidade para os horrores de falar em público.

Desde então, falei muitas vezes, para grupos de dez e multidões de centenas. Abracei o poder do palco. Para mim isso envolve dar passos específicos, incluindo tratar cada discurso como um projeto criativo. Assim, quando me preparo para o grande dia, tenho a sensação de mergulhar fundo no que tanto gosto. Também falo sobre temas que importam profundamente para mim, e descobri que me sinto muito mais centrada quando realmente me importo com o tema.

É claro que nem sempre isso é possível. Às vezes os oradores precisam falar sobre assuntos que não lhes interessam muito, principalmente no trabalho. Acredito que isso seja mais difícil para introvertidos, que têm dificuldade em projetar um entusiasmo artificial. Mas há uma vantagem escondida nessa inflexibilidade: ela pode nos encorajar a fazer mudanças duras, porém válidas, em nossa carreira se acharmos que somos compelidos a falar muito frequentemente sobre temas que nos deixam indiferentes. Não há ninguém mais corajoso do que a pessoa que fala com a coragem de suas convicções.

# 6
# "Franklin Roosevelt era um político, mas sua mulher, Eleanor, agia de acordo com sua consciência"

## Por que o descolado é supervalorizado

*Um homem tímido sem dúvida teme a atenção de estranhos, mas dificilmente pode-se dizer que tem medo deles. Ele pode ser ousado como um herói na batalha e mesmo assim não ter autoconfiança em relação a frivolidades na presença de estranhos.*

— Charles Darwin

Domingo de Páscoa, 1939. Lincoln Memorial. Marian Anderson, uma das mais extraordinárias cantoras de sua geração, sobe no palco, com a estátua do 16º presidente dos Estados Unidos atrás dela. Uma mulher explêndida com a pele cor de caramelo, ela olha para seu público de 75 mil pessoas: homens com chapéus de abas, mulheres em seus trajes de domingo, um enorme mar de rostos de negros e brancos. Ela começa a entoar a canção patriótica "My Country 'tis of Thee" ["Meu país é teu"], sua voz elevando-se, cada palavra pura e distinta. A multidão está arrebatada e chorosa. Eles nunca acharam que esse dia chegaria.

E não chegaria sem Eleanor Roosevelt. Mais cedo naquele ano, Anderson planejara cantar no Constitution Hall em Washington, D.C., mas a associação Filhas da Revolução Americana (DAR, na sigla em inglês), a quem pertencia o salão, rejeitara-a por causa de sua cor. Eleanor Roosevelt, cuja família lutara na revolução, deixou a DAR e ajudou a organizar para que Anderson cantasse no Lincoln Memorial — o que foi o estopim para uma tempestade nacional. Roosevelt não foi a única a protestar, mas trouxe conteúdo político à questão, arriscando sua própria reputação no processo.

Para Roosevelt, que parecia incapaz por natureza de desprezar os problemas dos outros, tais atos de consciência social não eram nada incomuns. Mas outros apreciavam o quanto eram notáveis. "Aquilo foi algo único", lembrou o líder dos direitos civis afro-americanos James Farmer, a respeito do corajoso posicionamento de Eleanor. "Franklin era um político. Ele pesava as consequências políticas de cada passo que dava. E também era um bom político. Mas Eleanor agia de acordo com sua consciência, como uma pessoa íntegra. Isso era diferente."

Esse foi o papel que ela desempenhou durante toda a sua vida juntos: o de conselheira de Franklin, a consciência de Franklin. Ele pode tê-la escolhido apenas por essa razão: em outros aspectos eles eram um casal improvável.

Eles se conheceram quando ele tinha vinte anos. Franklin era um primo distante de Eleanor, um aluno protegido de Harvard de uma família da alta sociedade. Eleanor tinha apenas dezenove anos, também filha de um clã endinheirado, mas que escolhera imergir nos sofrimentos dos pobres, apesar da desaprovação da família. Como voluntária em um abrigo no empobrecido Lower East Side em Manhattan, ela conhecera crianças que eram forçadas a costurar flores artificiais em fábricas sem janelas até o ponto da exaustão. Um dia, levou Franklin com ela. Ele não conseguia acreditar que seres humanos vivessem em condições tão miseráveis — ou que uma jovem de sua classe social fosse a pessoa a abrir seus olhos para aquele lado dos Estados Unidos. Ele imediatamente apaixonou-se por ela.

Mas Eleanor não era o tipo alegre e brincalhão com que ele esperava se casar. Bem o contrário: ela demorava a rir, aborrecia-se com papo furado, era séria e tímida. Sua mãe, uma aristocrata vivaz e de constituição delicada, a apelidara de "vovó" por causa do comportamento. Seu pai, o charmoso e popular irmão mais novo de Theodore Roosevelt, a adorava quando a via, mas ele estava bêbado a maior parte do tempo e morreu quando Eleanor tinha apenas nove anos. Quando ela conheceu Franklin, não podia acreditar que alguém como *ele* pudesse se interessar por alguém como *ela*. Franklin era tudo o que ela não era: ousado e alegre, com um sorriso largo e fácil, tão tranquilo com as pessoas quanto ela era cautelosa. "Ele era jovem, alegre e bonito", lembrou Eleanor. "E eu me senti tímida, estranha e empolgada quando ele me chamou para dançar."

Ao mesmo tempo, muitos diziam a Eleanor que Franklin não era bom o suficiente para ela. Alguns o viam como leviano, um acadêmico medíocre, um frívolo homem da cidade. E apesar de a imagem que fazia de si própria ser ruim, não faltavam a Eleanor admiradores que apreciassem sua seriedade. Alguns dos pretendentes dela escreveram cartas ressentidas de felicitações a Franklin quando ela aceitou se casar com ele. "Tenho mais admiração e respeito por Eleanor do que por qualquer garota que eu conheça", dizia uma carta. "Você é muito sortudo. Ter uma futura esposa como a sua é um privilégio para poucos homens", dizia outra.

Mas a opinião pública não tinha importância para Franklin e Eleanor. Um tinha a força que o outro desejava — a empatia dela, a bravura dele. "E. é um anjo", escreveu Franklin em seu diário. Quando ela aceitou o pedido de casamento, em 1903, ele se proclamou o homem mais feliz do mundo. Ela respondeu com uma enxurrada de cartas de amor. Eles se casaram em 1905 e tiveram seis filhos.

Apesar da empolgação da corte, inicialmente suas diferenças causaram problemas. Eleanor desejava intimidade e conversas profundas; ele adorava festas, flertes e fofocas. O homem que declararia que não tinha nada a temer a não ser o próprio medo não conseguia compreender a luta de sua mulher contra a timidez. Quando Franklin foi indicado como secretário assistente da Marinha em 1913, o ritmo de sua vida social passou a ser ainda mais frenético e as coisas ainda mais suntuosas — clubes privados de elite, as mansões de seus amigos de Harvard. Ele farreava até cada vez mais tarde da noite. Eleanor ia para casa cada vez mais cedo.

Nesse meio-tempo, ela deparou-se com um calendário cheio de compromissos sociais. Esperava-se que visitasse as esposas de outros homens importantes de Washington, deixando cartões em suas portas e promovendo reuniões em casa. Ela não apreciava esse papel, então contratou uma secretária chamada Lucy Mercer para ajudá-la. O que parecia uma boa ideia — até o verão de 1917, quando Eleanor levou as crianças para passar o verão no Maine, deixando Franklin em casa com Mercer. Os dois começaram um caso que durou a vida inteira. Lucy tinha exatamente o tipo de beleza vivaz com que era esperado que Franklin se casasse.

Eleanor descobriu a traição de Franklin quando encontrou um pacote de cartas de amor na mala dele. Ela ficou devastada, mas continuou com o casamento. E apesar de nunca terem recuperado o aspecto romântico do relacionamento, ela e Franklin o substituíram por algo formidável: a união da confiança dele com a consciência dela.

Seguindo mais à frente no tempo, encontraremos outra mulher de temperamento similar agindo de acordo com seu próprio senso de consciência. A dra. Elaine Aron é uma psicóloga e pesquisadora cuja primeira publicação, em 1997, reenquadrou sozinha o que Jerome Kagan e outros chamaram de alta reatividade (e às vezes "negatividade" ou "inibição"). Ela chama isso de "sensibilidade", e junto ao novo nome para esse traço, ela transformou e aprofundou nosso conhecimento sobre ele.

Quando ouço que Aron será a principal palestrante em uma reunião anual de "pessoas altamente sensíveis" no rancho Walker Creek no condado de Marin, na Califórnia, rapidamente compro as passagens de avião. Jacquelyn Strickland, psicoterapeuta, fundadora e anfitriã do evento, explica que criou esses finais de semana para que pessoas sensíveis pudessem beneficiar-se da presença umas das outras. Ela me mandou uma agenda explicando que dormiríamos em quartos designados para "tirar uma soneca, escrever em diários, divagar, meditar, organizar, escrever e refletir".

"Por favor, socialize com muita tranquilidade em seu quarto (com o consentimento de seu colega), ou preferencialmente nas áreas comuns durante as caminhadas e refeições", diz a agenda. A conferência é voltada para pessoas que gostam de discussões significativas e às vezes "levam a conversa a um nível mais profundo, apenas para descobrir que somos os únicos a encarar as coisas dessa forma". Garantem-nos que haverá muito tempo para conversas sérias nesse fim de semana. Mas também estaremos livres para ir e vir como bem entendermos. Strickland sabe que a maioria de nós terá suportado uma vida de atividades de grupo obrigatórias e quer nos mostrar um modelo diferente, mesmo que apenas por alguns dias.

O rancho Walker Creek fica num espaço de sete quilômetros quadrados na natureza intocada do norte da Califórnia. Ele oferece trilhas, vida selvagem e vastos céus límpidos, mas em seu centro há um aconchegante centro de conferências na forma de um celeiro, onde cerca de trinta de nós se reúnem em uma tarde de quinta-feira em meados de junho. O Buckeye Lodge é equipado com carpetes industriais cinzentos, grandes quadros brancos e janelas panorâmicas dando para a floresta ensolarada. Ao lado da usual pilha de formulários de inscrição e crachás, há um quadro em um cavalete no qual pedem que escrevamos nosso nome e tipo de personalidade segundo o teste Myers-Briggs. Dou uma olhada na lista. Todos são introvertidos, à exceção de Strickland, que é calorosa, receptiva e expressiva. (De acordo com a pesquisa de Aron, a maioria das pessoas sensíveis é introvertida.)

As mesas e cadeiras da sala estão organizadas em um grande quadrado para que todos possamos sentar e encarar uns aos outros. Strickland nos convida — a participação é opcional — a compartilhar o motivo que nos levou até lá. Um engenheiro de softwares chamado Tom começa, descrevendo com grande entusiasmo seu alívio ao descobrir que havia "uma base fisiológica para o traço da sensibilidade. Aqui está a pesquisa! É assim que eu sou! Não tenho mais que atender às expectativas de ninguém. Não preciso pedir desculpas nem ficar na defensiva!" Com seu rosto longo e fino, cabelos castanhos e barba da mesma cor, Tom me lembra Abraham Lincoln. Ele apresenta sua esposa, que diz como ela e Tom são compatíveis e como juntos encontraram o trabalho de Aron.

Quando chega a minha vez, falo sobre como nunca estive em um ambiente de grupo no qual eu não me sentisse obrigada a apresentar uma versão pouco natural e engraçadinha de mim mesma. Digo que estou interessada na conexão entre introversão e sensibilidade. Muitas pessoas assentem.

No sábado de manhã, a dra. Aron aparece no Buckeye Lodge. Ela espera, divertindo-se atrás de um cavalete com um quadro enquanto Strickland a apresenta ao público. Então ela surge sorrindo — *tcharam!* — de trás do cavalete, cuidadosamente trajada com um blazer, uma camisa de gola alta e uma saia de veludo. Ela tem cabelos castanhos finos e curtos e calorosos olhos azuis que parecem não deixar passar nenhum detalhe. Dá para ver imediatamente a respeitada acadêmica que Aron é hoje, assim como a estranha adolescente que ela deve ter sido. Também dá para perceber o respeito que tem pelo público.

Indo direto ao assunto, ela nos informa que há cinco subtópicos que ela pode discutir, e nos pede para levantarmos as mãos para votar em nossa primeira, segunda e terceira opções de temas. Então ela faz rapidamente um elaborado cálculo matemático a partir do qual determina quais os três subtópicos em que votamos coletivamente. A multidão acalma-se afavelmente. Não importa realmente que subtópicos escolhemos; sabemos que Aron está ali para falar sobre sensibilidade e que ela está levando em consideração nossas preferências.

Alguns psicólogos deixam sua marca fazendo experimentos incomuns. A contribuição de Aron é pensar de forma diferente, radicalmente diferente, sobre os estudos que outros fizeram. Quando era mais jovem, muitas vezes disseram a Aron que ela era "sensível demais para seu próprio bem". Tinha dois irmãos mais velhos e era a única criança em sua família que gostava de fantasiar, brincar dentro de casa, e cujos sentimentos eram facilmente feridos. Quando cresceu e saiu da órbita de sua família, ela continuou a perceber coisas sobre si mesma que eram diferentes da norma. Ela podia dirigir sozinha durante horas sem nunca ligar o rádio. Tinha sonhos fortes e por vezes perturbadores durante a noite. Era "estranhamente intensa" e muitas vezes se via tomada por poderosas emoções, positivas e negativas. Tinha problemas em encontrar o sagrado no dia a dia, que aparecia somente quando ela se afastava do mundo.

Aron cresceu, tornou-se psicóloga e casou-se com um homem robusto que amava suas qualidades. Para seu marido, Art, Aron era criativa, intuitiva e dona de pensamentos profundos. Ela também apreciava essas coisas em si mesma, mas as via como "aceitáveis manifestações superficiais de uma falha terrível e escondida da qual ela estivera ciente durante toda a sua vida". Ela acreditava ser um milagre que Art a amasse apesar dessa falha.

Mas quando um de seus colegas psicólogos casualmente descreveu Aron como "altamente sensível", uma luz acendeu-se em sua cabeça. Era como se as duas palavras descrevessem sua falha misteriosa, tirando o fato de que o psicólogo não estava se referindo a uma falha. Aquela fora uma descrição neutra.

Aron considerou essa nova ideia e então iniciou uma pesquisa sobre o traço chamado de "sensibilidade". Ela começou quase sem referências, então voltou-se para a vasta literatura sobre a introversão, que parecia intimamente relacionada: o trabalho de Kagan sobre crianças altamente reativas e a longa série de experiências sobre a tendência dos introvertidos a serem mais sensíveis a estímulos sociais e sensoriais. Esses estudos deram a ela pistas sobre o que estava procurando, mas Aron achou que faltava uma peça no emergente retrato das pessoas introvertidas.

"O problema para os cientistas é que tentamos observar o comportamento, e isso é algo que não é possível observar", explica ela. Os cientistas podem facilmente relatar o comportamento de extrovertidos, que com frequência podem ser encontrados rindo, falando ou gesticulando. Contudo, "se a pessoa estiver de pé num canto da sala, você pode atribuir cerca de quinze motivações para esse comportamento. Mas você não sabe realmente o que se passa dentro da cabeça dela".

Mesmo assim, um comportamento interior ainda era um comportamento, pensou Aron, mesmo se fosse difícil de catalogar. Então qual seria o comportamento interior de uma pessoa cuja característica mais visível é a de que quando você a leva para uma festa, ela não fica muito contente? Ela decidiu descobrir.

Primeiro Aron entrevistou 39 pessoas que se descreveram como introvertidas ou facilmente perturbadas por estímulos. Ela perguntou-lhes sobre os filmes de que gostavam, as primeiras memórias, a relação com os pais, amizades, vida amorosa, atividades criativas, visões filosóficas e religiosas. Baseada nessas entrevistas, ela criou um volumoso questionário que distribuiu entre vários grandes grupos. Então reuniu as respostas em um grupo de 27 atributos e nomeou as pessoas que incorporavam esses atributos de "altamente sensíveis".

Alguns desses 27 atributos eram conhecidos dos trabalhos de Kagan e de outros. Por exemplo, pessoas altamente sensíveis tendem a ser atentos observadores que olham antes de dar um salto. Elas organizam suas vidas de forma a limitar surpresas. Muitas vezes são sensíveis a visões, sons, cheiros, dor, café. Têm dificuldade quando são observadas (no trabalho ou, digamos, tocando em um recital) ou julgadas por méritos gerais (em um encontro, em entrevistas de emprego).

Mas também houve novas ideias. As pessoas altamente sensíveis tendem a ter uma orientação filosófica ou espiritual, em vez de materialista ou hedonista. Elas não gostam de conversa fiada. Muitas vezes descrevem-se como criativas ou intuitivas (exatamente como o marido de Aron a descreveu). Têm sonhos vívidos e muitas vezes conseguem se lembrar deles no dia seguinte. Amam música, natureza, arte, beleza física. Têm emoções excepcionalmente fortes — muitas vezes acessos agudos de alegria, mas também de tristeza, melancolia e medo.

Pessoas altamente sensíveis também processam informações sobre seus ambientes — físicos e emocionais — com uma profundidade rara. Elas tendem a perceber sutilezas que os outros não percebem — a mudança de humor de uma pessoa ou, digamos, uma lâmpada brilhando um pouco mais.

Recentemente, um grupo de cientistas da Universidade de Stony Brook testou essa descoberta ao mostrar dois pares de fotos (de uma cerca e de alguns montes de feno) a dezoito pessoas deitadas em aparelhos de ressonância magnética. Em um par, as fotos eram perceptivelmente diferentes uma da outra, e em outro a diferença era muito mais sutil. Para cada par, os cientistas perguntaram se a segunda foto era igual à primeira. Eles descobriram que pessoas sensíveis passam mais tempo que as outras olhando para as fotos com diferenças sutis. Seus cérebros também mostraram mais atividade em regiões que ajudavam a fazer associações entre aquelas imagens e outras informações armazenadas. Em outras palavras, pessoas sensíveis processavam as fotos em um nível mais profundo do que as outras, refletindo mais sobre as cercas e os montes de feno.

Esse é um estudo muito novo, e suas conclusões ainda precisam ser replicadas e exploradas em outros contextos. Mas ele ecoa as descobertas de Jerome Kagan, em que alunos da primeira série altamente reativos passavam mais tempo do que outras crianças comparando escolhas quando participavam de jogos de combinação ou liam palavras desconhecidas. E isso sugere, diz Jadzia Jagiellowicz, cientista-chefe em Stony Brook, que tipos sensíveis pensam com uma complexidade incomum. Isso também pode ajudar a explicar por que essas pessoas ficam tão entediadas com conversas triviais. "Se você está pensando de forma mais complexa", diz ela, "falar sobre o tempo ou o lugar para onde você viajou nas férias não é tão interessante quanto falar sobre valores ou sobre moralidade".

Outra coisa que Aron descobriu sobre pessoas sensíveis é que às vezes elas são altamente empáticas. É como se tivessem fronteiras mais finas separando-as das emoções de outras pessoas e das tragédias e crueldades do mundo. Elas tendem a ter a consciência surpreendentemente forte. Evitam filmes e programas de TV violentos; têm consciência das consequências de um lapso em seu comportamento. Em meios sociais, geralmente se concentram em temas como problemas pessoais, que os outros consideram "pesados demais".

Aron percebeu que ela estava lidando com algo grande. Os psicólogos acreditavam que muitas das características das pessoas sensíveis que ela tinha identificado — como a empatia e a receptividade à beleza — eram características de outros traços de personalidade como "comodidade" e "abertura à experiência". Mas Aron viu que também eram parte fundamental da sensibilidade. Suas descobertas desafiaram implicitamente dogmas da psicologia da personalidade.

Ela começou a publicar seus resultados em jornais acadêmicos e livros e a falar publicamente sobre seu trabalho. Em um primeiro momento, foi difícil. Membros do público disseram a ela que suas ideias eram fascinantes, mas que sua apresentação incerta dispersava. Mas Aron tinha um grande desejo de espalhar sua mensagem. Ela perseverou e aprendeu a falar como a autoridade que era. Na época em que a vi no rancho Walker Creek, ela estava bem-treinada e se mostrava incisiva e segura. A única diferença entre ela e o orador típico era o quanto ela parecia consciente ao responder cada questão do público. Depois, ela continuou com o grupo apesar de, como alguém extremamente introvertido, provavelmente estar se coçando para voltar para casa.

A descrição de pessoas altamente sensíveis de Aron soa como se ela estivesse falando de Eleanor Roosevelt. Na verdade, desde que Aron publicou suas primeiras descobertas, cientistas descobriram que quando se colocam pessoas cujos perfis genéticos foram associados à sensibilidade e à introversão (pessoas com o gene variante do 5-HTTLPR que caracteriza os macacos *Rhesus* do capítulo 3) em um aparelho de ressonância magnética e mostra-se a elas fotos de rostos assustados, vítimas de acidentes, corpos mutilados e cenários poluídos, a amígdala — a parte do cérebro que desempenha um papel tão importante no processamento de emoções — torna-se fortemente ativada. Aron e sua equipe de cientistas também descobriram que quando pessoas sensíveis veem rostos de pessoas passando por sentimentos fortes, elas têm mais estímulos do que outras nas partes do cérebro associadas à empatia e à tentativa de controle de emoções fortes.

É como se, a exemplo de Eleanor Roosevelt, elas não pudessem evitar sentir o que os outros sentem.

Em 1921, Franklin Roosevelt contraiu pólio. Foi um terrível golpe, e ele pensou em se retirar para o campo a fim de viver o resto de seus dias como um cavalheiro inválido. Mas Eleanor manteve vivos os contatos dele com o Partido Democrático enquanto ele se recuperava, concordando até mesmo em levantar fundos para o partido. Ela tinha horror a falar em público e não era muito boa nisso — tinha uma voz aguda e ria nervosamente nas horas erradas. Mas treinou para o evento e passou pelo discurso.

Depois disso, Eleanor ainda se sentia insegura, mas começou a trabalhar para consertar os problemas sociais que via ao seu redor. Ela se tornou uma campeã em assuntos femininos e formou alianças com outras pessoas engajadas. Em 1928, quando Franklin foi eleito governador do estado de Nova York, ela era diretora do Escritório de Atividades Femininas para o Partido Democrático e uma das mulheres mais influentes da política norte-americana. Ela e Franklin formavam agora uma parceria altamente funcional, com a experiência dele e a consciência social dela. "Eu conhecia as condições sociais, talvez mais do que ele", lembrou Eleanor com sua modéstia característica. "Mas ele conhecia o governo e como usá-lo para melhorar as coisas. E acho que começamos a entender o trabalho em equipe."

Franklin Roosevelt foi eleito presidente em 1933. Era o auge da Grande Depressão e Eleanor viajou pelo país — em um período de três meses, ela percorreu mais de seis mil quilômetros — ouvindo pessoas comuns contarem suas histórias tristes. As pessoas abriam-se para ela de uma forma que não fizeram com figuras poderosas. Ela se tornou a voz dos desfavorecidos para Franklin. Quando ela voltava para casa de suas viagens, muitas vezes contava a ele o que tinha visto e pressionava-o a agir. Ela ajudou a criar programas de governo para mineiros famintos em Appalachia. Incitou Franklin a incluir as mulheres e os afro-americanos em seus programas de reinserção no mercado de trabalho. E ajudou a conseguir que Marian Anderson cantasse no Lincoln Memorial. "Ela mantinha-o atento a questões pelas quais, na pressa, ele teria desejado passar batido", disse o historiador Geoff Ward. "Ela o mantinha em um alto padrão. Qualquer um que a tenha visto trocar olhares com ele e dizer 'Agora, Franklin, você deve...' nunca esqueceu disso."

A jovem tímida que ficara apavorada por ter que falar em público cresceu e passou a adorar a vida pública. Eleanor Roosevelt tornou-se a primeira esposa de um presidente a dar uma coletiva de imprensa, discursar em uma convenção nacional, escrever uma coluna de jornal e falar no rádio. Anos depois, ela serviu como representante dos Estados Unidos na ONU, e usou suas habilidades políticas incomuns e obstinação duramente conquistada para ajudar a fazer com que a Declaração Universal dos Direitos Humanos fosse aprovada.

Ela nunca superou sua vulnerabilidade; durante toda a vida, sofreu com os obscuros "humores de Griselda", como ela os chamava (referindo-se à princesa de uma lenda medieval que se recolheu ao silêncio) e lutou para "criar uma pele tão resistente quanto a de um rinoceronte". "Acho que as pessoas que são tímidas continuam sempre tímidas, mas aprendem a superar isso", disse ela. Mas talvez tenha sido essa sensibilidade que tornou fácil para ela relacionar-se com os desprovidos de direitos e a conscientizou o suficiente para agir em defesa deles. Franklin, eleito no início da Depressão, é lembrado por sua compaixão. Mas foi Eleanor quem assegurou que ele soubesse como se *sentiam* os norte-americanos sofredores.

A conexão entre sensibilidade e senso moral tem sido observada há muito tempo. Imagine o seguinte experimento, criado pela psicóloga do desenvolvimento Grazyna Kochanska. Uma mulher gentil dá um brinquedo a uma criança pequena, explicando que ela deve tomar muito cuidado, pois é um de seus preferidos. A criança assente solenemente e começa a brincar com o objeto. Logo depois, ele se quebra em dois, tendo sido projetado para isso.

A mulher finge tristeza e exclama: "Ai, meu Deus!", esperando para ver o que a criança fará em seguida.

Algumas crianças sentem-se muito mais culpadas por sua (suposta) transgressão do que outras. Elas desviam o olhar, passam os braços em volta do próprio corpo, balbuciam confissões e escondem o rosto. Essas são as que podemos chamar de mais sensíveis, as mais reativas, aquelas que tendem a ser introvertidas, que se sentem mais culpadas. Sendo excepcionalmente sensíveis a toda experiência, positiva ou negativa, elas parecem sentir a tristeza da mulher que teve o brinquedo quebrado e ansiedade por ter feito algo ruim. (Caso você esteja se perguntando, a mulher da experiência logo retornou à sala com o brinquedo "consertado" e assegurou à criança que ela não havia feito nada de errado.)

Em nossa cultura, "culpa" é uma palavra condenada, mas é provavelmente um dos tijolos formadores da nossa consciência. A ansiedade que essas criancinhas altamente sensíveis sentem por aparentemente quebrar o brinquedo lhes dá a motivação para evitar quebrar o brinquedo de alguém da próxima vez. Aos quatro anos, de acordo com Kochanska, essas mesmas crianças têm menor tendência do que outras a trapacear ou quebrar regras, *mesmo quando acham que não vão ser pegas*. E aos seis ou sete anos, elas têm mais tendência a serem descritas pelos pais como tendo altos níveis de traços morais, como empatia. Elas também têm menos problemas comportamentais em geral.

"Culpa moderada e funcional", escreve Kochanska, "pode promover futuramente altruísmo, responsabilidade pessoal, comportamento adaptativo na escola e relacionamentos harmoniosos, competentes e pró-sociais com pais, professores e amigos". Esse é um conjunto de atributos especialmente importante em um tempo em que um estudo da Universidade de Michigan, feito em 2010, mostrou que alunos da faculdade atualmente são 40% menos empáticos do que eram trinta anos atrás, com boa parte da queda tendo ocorrido desde 2000. (Os autores do estudo especularam que o declínio da empatia está relacionado ao predomínio das mídias sociais, dos reality shows e da "hipercompetitividade".)

É claro que possuir esses traços não significa que crianças sensíveis sejam anjinhos. Elas têm traços egoístas como todos. Às vezes agem de forma distante e pouco amigável. E quando são tomadas por emoções negativas como vergonha ou ansiedade, diz Aron, podem esquecer as necessidades das outras pessoas.

Mas a mesma receptividade a experiências que pode tornar a vida difícil para os altamente sensíveis também constrói suas consciências. Aron conta sobre um adolescente sensível que persuadiu a mãe a alimentar um mendigo que ele conhecera em um parque e sobre uma garota de oito anos que chorava não apenas quando sentia vergonha, mas também quando seus colegas eram provocados.

Conhecemos bem esse tipo de pessoa através da literatura, provavelmente porque muitos autores são introvertidos sensíveis. Ele "passara pela vida com uma pele a menos que a maioria dos homens", escreve Eric Malpass sobre seu protagonista quieto e cerebral, também um escritor, no romance *The Long Long Dances* [As longas, longas danças]. "Os problemas dos outros o comoviam, assim como a abundante beleza da vida: comoviam-no, incitavam-no a pegar a caneta e escrever sobre eles. [Ele se comovia ao] caminhar pelas colinas, ouvir um *impromptu* de Schubert, assistir à noite de sua poltrona o esmagar de ossos e carne que compunham tanto do noticiário das nove horas."

A descrição de tais personagens como "de pele fina" é feita para ser metafórica, mas acaba sendo bastante literal. Entre os testes que pesquisadores utilizam para medir traços da personalidade estão os testes de condutibilidade da pele, que registram o quanto as pessoas suam em resposta a sons, fortes emoções e outros estímulos. Introvertidos altamente reativos suam mais; extrovertidos de baixa reatividade suam menos. A pele desses últimos é literalmente "mais grossa", mais impermeável a estímulos, mais fria ao toque. Na verdade, de acordo com alguns cientistas com quem falei, é daí que vem, em inglês, a noção de ser socialmente "*cool*" (que tanto significa "descolado" quanto "frio"); quanto menor sua reatividade, mais fria a sua pele e mais descolado você *é*. (Ainda a esse respeito, sociopatas estão no extremo do termômetro de frieza, com níveis extremamente baixos de estímulo, condutibilidade da pele e ansiedade. Há algumas evidências de que eles têm amígdalas danificadas.)

Detectores de mentira (polígrafos) são em parte testes de condutibilidade da pele. Eles operam de acordo com a teoria de que mentir causa ansiedade, o que incita a pele a transpirar imperceptivelmente. Quando estava na faculdade, me candidatei a um emprego de verão como secretária de uma grande joalheria. Eu tinha que passar pelo detector de mentiras como parte do processo seletivo. O teste era administrado em uma pequena sala mal-iluminada, com chão de linóleo, por um homem magro, que dava baforadas em um cigarro, com a pele amarelada e marcada. O homem me fez uma série de perguntas de aquecimento: meu nome, endereço etc. para estabelecer o nível básico de condutibilidade da minha pele. Então as perguntas passaram a ser mais inquiridoras e os modos do examinador, mais duros. Eu já tinha sido presa? Já furtara em lojas? Já usara cocaína? Nessa última pergunta, meu interrogador olhou para mim atentamente. Acontece que eu nunca *tinha* experimentado cocaína. Mas ele parecia pensar que sim. O olhar acusador em seu rosto era o equivalente ao velho truque dos policiais em que eles dizem ao suspeito que têm as provas e que não vale a pena negar.

Eu sabia que o homem estava errado, mas mesmo assim me senti ruborizar. E com certeza o teste mostraria que eu mentira na pergunta da cocaína. Minha pele é aparentemente tão fina que sua em reação a crimes imaginários.

Tendemos a pensar que ser "descolado" é uma pose em que você está com um par de óculos escuros, uma atitude casual e um drinque na mão. Mas talvez não tenhamos escolhido esses acessórios sociais aleatoriamente. Talvez tenhamos adotado os óculos escuros, uma linguagem corporal relaxada e o álcool como significantes precisamente porque eles camuflam sinais de um sistema nervoso a todo vapor. Óculos escuros evitam que os outros vejam nossas pupilas dilatadas pela surpresa ou pelo medo; sabemos pelo trabalho de Kagan que um torso relaxado é uma marca de baixa reatividade; e o álcool remove nossas inibições e diminui o grau de excitação. Quando você vai a um jogo de futebol e alguém lhe oferece uma cerveja, diz o psicólogo da personalidade Brian Little, "na verdade está dizendo 'olá, tome um copo de extroversão'".

Os adolescentes entendem instintivamente a fisiologia do "descolado". No romance *Preliminar*, de Curtis Sittenfeld, que explora os rituais sociais dos adolescentes em um colégio interno com inquietante precisão, a protagonista, Lee, é inesperadamente convidada a ir ao quarto da garota mais descolada da escola, Aspeth. A primeira coisa que ela percebe é o quanto o mundo de Aspeth é fisicamente estimulante. "Do lado de fora, eu podia ouvir a música reverberando", observa ela. "Luzinhas brancas de Natal, agora ligadas, estavam coladas no alto margeando as paredes e na parede ao norte estava pendurada uma enorme tapeçaria verde e laranja... Me senti superestimulada e um pouco irritada. O quarto que eu dividia com a minha colega parecia tão calmo e simples, nossas vidas pareciam tão calmas e simples... Aspeth nascera descolada, perguntei-me, ou alguém ensinara a ela, uma irmã mais velha ou prima, talvez?"

Culturas atléticas também valorizam a fisiologia pouco reativa do descolado. Para os primeiros astronautas dos Estados Unidos, ter uma baixa taxa cardíaca, que é associada à baixa reatividade, era um símbolo de status. O coronel-tenente John Glenn, que se tornou o primeiro norte-americano a orbitar a Terra e mais tarde se candidataria à presidência, era admirado por seus camaradas por seu pulso supercalmo durante o lançamento (apenas 110 batidas por minuto).

Mas a falta de relaxamento pode ser mais valiosa socialmente do que pensamos. O profundo rubor quando um avaliador durão coloca o rosto a um centímetro do seu e pergunta se você já usou cocaína acaba sendo uma espécie de cola social. Em um experimento recente, uma equipe de psicólogos liderada por Corine Dijk pediu que entre sessenta e setenta participantes lessem relatos de pessoas que tinham feito algo moralmente errado, como fugir depois de uma batida de carro, ou embaraçosa, como derramar café em alguém. Mostravam aos participantes fotografias das pessoas que cometeram o erro, que tinham uma das quatro expressões faciais: vergonha ou embaraço (cabeça e olhos baixos); vergonha/embaraço mais rubor; neutra; ou neutra com rubor. Então pediram a eles para avaliar o quão simpáticos e confiáveis eram os transgressores.

Os ofensores que ruborizaram foram julgados muito mais positivamente do que os outros. Isso aconteceu porque ruborizar significa preocupação com os outros. Como disse ao *New York Times* Dacher Keltner, psicólogo na Universidade da Califórnia, Berkeley, especializado em emoções positivas: "O rubor chega em dois ou três segundos e diz: eu me importo, eu sei que violei o contrato social."

Na verdade, o que os altamente reativos mais detestam a respeito de ruborizar — o fato de não poderem controlar isso — é o que o torna mais útil socialmente. "Como é impossível controlar o rubor intencionalmente", especula Dijk, ruborizar é um autêntico sinal de vergonha. E a vergonha, de acordo com Keltner, é uma emoção moral. Ela demonstra humildade, modéstia e um desejo de evitar a agressão e fazer as pazes. A intenção não é isolar a pessoa que sente vergonha (que é o que às vezes pensam aqueles que ruborizam com facilidade), mas agregar as pessoas.

Keltner traçou as raízes da vergonha humana e descobriu que, depois de brigar, muitos primatas tentam se reconciliar. Eles fazem isso em parte com gestos de embaraço do tipo que vemos em seres humanos — desviam o olhar, o que é o reconhecimento do erro e da intenção de parar; abaixam a cabeça, o que diminui o tamanho de alguém; e contraem os lábios, um sinal de inibição. Esses gestos em humanos têm sido chamados "atos de devoção", descreve Keltner. Na verdade, Keltner, que foi treinado para ler o rosto das pessoas, analisou fotos de heróis morais como Gandhi e Dalai Lama e descobriu que eles exibem exatamente os sorrisos controlados e olhos desviados.

Em seu livro *Born to be good* [Nascido para ser bom], Keltner diz até que se tivesse que escolher uma parceira em um evento de *speed-dating* (que promove um rodízio de encontros entre desconhecidos) fazendo apenas uma pergunta, esta seria: "Qual foi sua última experiência embaraçosa?" E então observaria com cuidado lábios pressionados, rubores e olhares desviados. "Os elementos da vergonha são afirmações rápidas sobre seu respeito pelo julgamento dos outros", escreve ele. "A vergonha revela o quanto o indivíduo importa-se com as regras que nos ligam uns aos outros."

Em outras palavras, você quer ter certeza de que seu cônjuge se importa com o que as outras pessoas pensam. É melhor importar-se de mais do que importar-se de menos.

Não importa quão grandes sejam os benefícios do rubor, o fenômeno da alta sensibilidade levanta uma questão óbvia. Como os altamente reativos conseguiram sobreviver no duro processo da evolução? Se os ousados e agressivos geralmente prevalecem (como às vezes parece), por que os sensíveis não foram descartados da população humana milhares de anos atrás, como os sapos de árvore cor de laranja? Você pode, como o protagonista de *The Long Long Dances*, ficar emocionado com as notas de abertura de um *impromptu* de Schubert, pode sobressaltar-se mais do que outros com carne e ossos sendo esmagados e pode ter sido o tipo de criança que se contorcia terrivelmente diante do pensamento de que tinha quebrado o brinquedo de outra criança, mas a evolução não recompensa essas coisas.

Ou recompensa?

Elaine Aron tem uma ideia sobre isso. Ela acredita que a alta sensibilidade não foi selecionada por si, mas pelo estilo cuidadoso e reflexivo que tende a acompanhá-la. "O tipo que é 'sensível' ou 'reativo' refletiria a estratégia de observar com cuidado antes de agir", escreve ela, "evitando perigos, falhas e desperdício de energia, o que requereria um sistema nervoso especialmente feito para observar e detectar diferenças sutis. É uma estratégia de 'apostar na coisa certa' ou 'olhar antes de saltar'. Em contraste, a estratégia ativa do [outro tipo] é ser o primeiro, sem informações completas e com os riscos que podem surgir — a estratégia de 'dar um tiro no escuro', pois é 'o primeiro pássaro que pega a minhoca' e 'a oportunidade só bate na porta uma vez'".

Na verdade, muitas pessoas que Aron considera sensíveis têm alguns dos 27 atributos associados a esse traço, mas não todos eles. Talvez sejam sensíveis a luz e barulho, mas não a café ou dor; talvez não sejam sensíveis a nada sensorial, mas são pensadores profundos com uma rica vida interior. Talvez nem sejam introvertidas — apenas 70% das pessoas sensíveis o são, enquanto os outros 30% são extrovertidos (apesar de esse grupo tender a relatar o desejo por mais calmaria e solidão do que o extrovertido típico). Isso, especula Aron, ocorre porque a sensibilidade é despertada como um subproduto da estratégia de sobrevivência e você precisa de apenas alguns traços para empregar essa energia efetivamente, não de todos.

Há várias evidências válidas para o ponto de vista de Aron. Biólogos evolucionistas já acreditaram que toda espécie animal evoluía para encaixar-se em um nicho ecológico, que havia um conjunto de comportamentos ideal para tal nicho e que os membros daquela espécie cujo comportamento desviava-se desse ideal acabavam morrendo. Mas acontece que não são apenas os seres humanos que se dividem entre aqueles que "olham e esperam" e aqueles que "simplesmente fazem". *Mais de uma centena* de espécies do reino animal estão organizadas de modo parecido.

De moscas-das-frutas a gatos domésticos e cabras-monteses, de peixes a pequenos primatas, passando por pássaros da Eurásia, os cientistas descobriram que 20% dos membros de muitas espécies "demoravam para aquecer", enquanto os outros 80% eram tipos "rápidos" que se aventuravam ousadamente sem notar muito o que estava acontecendo ao seu redor. (É intrigante que a porcentagem de bebês do laboratório de Kagan que nasceram altamente reativos também fosse, você deve se lembrar, cerca de 20%.)

Se animais "rápidos" e "lentos" dessem festas, escreve o biólogo evolucionista David Sloan Wilson, "alguns dos rápidos chateariam a todos com suas conversas barulhentas, enquanto outros murmurariam para suas cervejas que não são respeitados. Animais lentos são mais bem-descritos como tipos tímidos e sensíveis. Não são assertivos, mas são observadores e percebem coisas invisíveis aos valentões. Eles são os escritores e artistas da festa que têm conversas interessantes longe dos ouvidos dos valentões. São os inventores que desenvolvem novas maneiras de se comportar, enquanto os valentões roubam suas patentes copiando seu comportamento".

De vez em quando, um jornal ou programa de TV passa uma história sobre personalidades dos animais, mostrando o comportamento tímido como impróprio e o comportamento ousado como atraente e admirável. (*Esse é o nosso tipo de mosca-das-frutas*!) Mas Wilson, assim como Aron, acredita que os dois tipos de animais existem porque têm estratégias de sobrevivência radicalmente diferentes, cada uma das quais compensa de forma diferente e em momentos diferentes. Isso é conhecido como o *trade-off* da teoria da evolução, no qual um traço em particular não é nem totalmente bom, nem totalmente ruim, mas uma mistura de prós e contras cujo valor para a sobrevivência varia de acordo com as circunstâncias.

Animais "tímidos" procuram comida com menor frequência e por mais tempo, conservando energia, mantendo-se à margem e sobrevivendo quando os predadores aparecem. Animais ousados atacam com mais frequência, sendo muitas vezes engolidos por aqueles acima deles na cadeia alimentar, mas sobrevivendo quando a comida é escassa e eles precisam assumir mais riscos. Quando Wilson jogou armadilhas de metal em uma lagoa cheia de peixinhos, um evento que ele diz ter sido provavelmente tão perturbador para os peixes quanto um disco voador aterrissando na Terra, os peixes ousados não resistiram e foram investigar — e se moveram rapidamente em direção às armadilhas. Os peixes tímidos sensatamente pairaram às margens da lagoa, tornando impossível para Wilson os pegar.

Por outro lado, depois de Wilson conseguir pegar os dois tipos de peixe com um elaborado sistema de redes e levá-los de volta ao seu laboratório, os peixes ousados aclimataram-se rapidamente ao novo ambiente e começaram a se alimentar cinco dias antes que os espécimes tímidos. "Não há uma personalidade [animal] melhor", escreve Wilson, "mas uma diversidade de personalidades mantida pela seleção natural".

Outro exemplo do *trade-off* da teoria da evolução é uma espécie de peixe conhecida como *guppy*. Esses peixinhos desenvolvem personalidades — com uma velocidade impressionante em termos evolucionários — para se adaptar aos microclimas em que vivem. Seus predadores naturais são peixes chamados lúcios. Mas em algumas vizinhanças habitadas por esses peixinhos, acima de uma cachoeira, por exemplo, não existem lúcios. Se você for um desses peixinhos que cresceram em tal local encantado, então é provável que tenha uma personalidade ousada e despreocupada, bem adaptada à *dolce vita*. Mas, ao contrário, se a sua família tiver vindo de um "bairro ruim", abaixo de uma cachoeira, onde lúcios cruzam as águas ameaçadoramente, então você provavelmente terá um estilo muito mais cauteloso, adequado para evitar os caras malvados.

O interessante nisso é que essas diferenças são hereditárias, e não aprendidas, de modo que os filhos de peixinhos ousados que se mudarem para bairros ruins herdarão a ousadia de seus pais — apesar de isso deixá-los em grande desvantagem se comparados aos seus colegas precavidos. No entanto, não demora muito para seus genes se modificarem, e os descendentes que sobrevivem tendem a ser tipos cuidadosos. O mesmo acontece com peixinhos vigilantes quando os lúcios repentinamente desaparecem; demora cerca de vinte anos para que seus descendentes evoluam para peixes que agem como se não tivessem qualquer preocupação no mundo.

A teoria do *trade-off* parece aplicar-se igualmente a seres humanos. Cientistas descobriram que nômades que herdaram a forma de um gene em particular ligado à extroversão (especificamente à procura de novidades) são mais bem-alimentados do que aqueles sem essa versão do gene. Mas em populações *sedentárias*, as pessoas com esse mesmo gene possuem uma nutrição *pior*. Os mesmos traços que tornam o nômade violento o suficiente para caçar e defender seus animais de saqueadores podem atrapalhar atividades mais sedentárias como cuidar de fazendas, vender bens no mercado ou concentrar-se na escola.

Ou considere este *trade-off*: seres humanos extrovertidos têm mais parceiros sexuais do que os introvertidos — uma bênção para qualquer espécie que queira se reproduzir —, mas cometem mais adultérios e divorciam-se com mais frequência, o que não é bom para os filhos de todos esses casais. Extrovertidos exercitam-se mais, mas introvertidos sofrem menos acidentes e ferimentos traumáticos. Extrovertidos possuem maiores redes de apoio social, mas cometem mais crimes. Como Jung especulou quase um século atrás sobre os dois tipos, "um deles [o da extroversão] consiste em uma alta taxa de fertilidade, com baixos poderes de defesa e curta duração de vida para o indivíduo, enquanto o outro [o da introversão] consiste em equipar o indivíduo com numerosos meios de autopreservação e uma baixa taxa de fertilidade".

A teoria do *trade-off* pode aplicar-se a espécies inteiras. Entre biólogos evolucionistas, que tendem a defender a visão de indivíduos solitários resolvidos a reproduzir seu próprio DNA, a ideia de que a espécie inclui indivíduos cujos traços promovem a sobrevivência do grupo é calorosamente debatida e, não há muito tempo, poderia praticamente fazer com que você fosse expulso da academia. Mas essa visão está lentamente ganhando aceitação. Alguns cientistas especulam até que a base evolutiva para traços como a sensibilidade é a grande compaixão pelo sofrimento de outros membros da própria espécie, principalmente da mesma família.

Mas você não precisa ir muito longe. Como Aron explica, faz sentido que grupos de animais dependam dos seus membros sensíveis para sobreviver. "Imagine uma manada de antílopes (...) que tem alguns membros que estão constantemente parando de pastar a fim de usar seus sentidos afiados para procurar predadores", escreve ela. "Manadas com indivíduos tão sensíveis e observadores sobreviveriam melhor e continuariam a cruzar, gerando mais membros sensíveis no grupo."

E por que deveria ser diferente para seres humanos? Precisamos tanto de nossas Eleanors quanto manadas precisam de antílopes sensíveis.

Além de animais "tímidos" e "ousados", "rápidos" e "lentos", os biólogos também falam de membros "gaviões" e "pombos" de determinadas espécies. Os pássaros da espécie chapim-real, por exemplo, alguns dos quais muito mais agressivos do que outros, frequentemente são objetos de estudos de caso em uma aula de relações internacionais. Esses pássaros alimentam-se de nozes e nos anos em que elas estão escassas as fêmeas "gaviões" se dão melhor, exatamente como era de se esperar, porque são rápidas em desafiar outros comedores de nozes para um duelo. Mas em estações em que há muitas nozes, as fêmeas "pombos" — que tendem a ser mães mais atentas — se dão melhor que as "gaviões", pois estas desperdiçam tempo e saúde entrando em brigas sem motivo.

Os machos dessa espécie, por outro lado, têm o padrão oposto. Isso acontece porque seu principal papel na vida não é encontrar comida, mas defender o território. Em anos em que a comida é escassa, muitos de seus companheiros morrem de fome, e assim há espaço para todos. Os machos "gaviões" então caem na mesma armadilha que suas camaradas fêmeas em épocas de muitas nozes — eles brigam, desperdiçando preciosos recursos a cada batalha sangrenta. Mas em anos bons, quando a competição por território para ninhos se acirra, a agressão é válida para o chapim-real macho do tipo "gavião".

Em tempos de guerra ou medo — o equivalente humano de uma má estação de nozes para as fêmeas do chapim-real —, pode parecer que o que mais precisamos são tipos agressivos e heroicos. Mas se toda a nossa população fosse de guerreiros, não haveria ninguém para notar — quanto mais para lutar contra — ameaças mais silenciosas e potencialmente mortais, como doenças virais e mudanças no clima.

Considere a cruzada de décadas do ex-vice presidente norte americano Al Gore para aumentar a conscientização sobre o aquecimento global. Gore é, em muitos relatos, um introvertido. "Se você mandar um introvertido a uma recepção ou evento com uma centena de outras pessoas, ele sairá com menos energia do que tinha ao entrar", diz um ex-ajudante. "Gore precisa descansar depois de um evento." Ele reconhece que suas habilidades não são úteis no palanque e nos discursos. "A maioria das pessoas na política tira energia de tapinhas nas costas, apertos de mão, esse tipo de coisa", disse ele. "Eu tiro energia de discutir ideias."

Mas combine essa paixão pelo pensamento com a atenção a sutilezas — ambas características comuns dos introvertidos — e você terá uma mistura muito poderosa. Em 1968, quando Gore era um estudante de Harvard, ele assistiu às aulas de um influente oceanógrafo que apresentou as primeiras evidências de que a queima de combustíveis fósseis causava o efeito estufa. Os ouvidos de Gore aguçaram-se.

Ele tentou dizer aos outros o que sabia. Mas descobriu que as pessoas não escutavam. Era como se elas não pudessem ouvir os sinais de alarme que soavam tão alto nos ouvidos dele.

"Quando fui ao Congresso, em meados dos anos 1970, ajudei a organizar as primeiras audiências sobre o aquecimento global", lembra-se ele no documentário vencedor do Oscar *Uma verdade inconveniente* — filme cujas cenas de maior ação mostram a figura solitária de Gore puxando uma mala de rodinhas de madrugada num aeroporto. Gore parece genuinamente surpreso que ninguém tenha prestado atenção. "Eu realmente pensei e acreditei que a história seria persuasiva o suficiente para causar uma mudança real na maneira como o Congresso reagia a este assunto. Pensei que eles também ficariam alarmados. Mas não ficaram."

Se Gore soubesse na época o que sabemos agora sobre a pesquisa de Kagan e Aron, ele teria ficado menos surpreso com a reação de seus colegas. Poderia até ter usado suas ideias sobre a psicologia da personalidade para fazê-los ouvir. Poderia presumir com segurança que o Congresso é feito de algumas das pessoas menos sensíveis do país — pessoas que, quando crianças, se tivessem participado de uma das experiências de Kagan, teriam caminhado em direção a palhaços estranhos e mulheres desconhecidas usando máscaras de gás sem fazer nada além de dar uma breve olhada para suas mães. Lembra o introvertido Tom e o extrovertido Ralph de Kagan? Bem, o Congresso está cheio de Ralphs — ele foi *feito* para pessoas como Ralph. A maioria dos Toms do mundo não quer passar seus dias planejando campanhas e batendo papo com lobistas.

Esses congressistas do tipo Ralph podem ser pessoas maravilhosas — exuberantes, destemidas, persuasivas —, mas é improvável que fiquem alarmadas por uma fotografia de uma pequena rachadura em uma distante geleira. Eles precisam de estímulos mais intensos para escutarem. É por isso que Gore finalmente conseguiu espalhar sua mensagem quando se juntou a tipos barulhentos de Hollywood que podiam empacotar seu alerta no show de efeitos especiais que se tornou *Uma verdade inconveniente*.

Gore também apostou em suas próprias forças usando seu foco e diligência naturais para promover incansavelmente o filme. Ele visitou dezenas de cinemas pelo país para encontrar espectadores e deu inúmeras entrevistas para o rádio e para a TV. Quando fala do aquecimento global, Gore tem uma clareza na voz que lhe escapava como político. Para ele, imergir em um complicado quebra-cabeça científico é natural. Focar em apenas uma paixão em vez de sapatear de assunto em assunto é natural. Até falar para multidões é natural quando o tema é a mudança climática. O Gore que fala sobre o aquecimento global tem um carisma fácil e uma conexão com membros do público que lhe fugiram quando foi candidato político. É por isso que, para ele, sua missão não é questão de política ou de personalidade. É o que ele chama de sua consciência. "É sobre a sobrevivência do planeta", diz ele. "Ninguém vai se importar com quem ganhou ou perdeu uma eleição quando a Terra for inabitável."

Se você é do tipo sensível, pode ser que tenha o hábito de fingir ser mais político e menos cauteloso ou focado do que realmente é. Mas neste capítulo estou pedindo que você repense essa visão. Sem pessoas como você, nós vamos afundar.

---

De volta ao rancho Walker Creek e ao encontro de pessoas sensíveis, o Ideal da Extroversão e a primazia do "descolado" são virados de cabeça para baixo. Se ser "descolado" é ter a baixa reatividade que predispõe uma pessoa à ousadia e à indiferença, então a multidão que veio encontrar Elaine Aron não tem nada de descolada.

A atmosfera é inquietante simplesmente porque é muito incomum. É algo que você encontraria numa aula de ioga ou em um monastério budista, a não ser pelo fato de que aqui não há uma religião ou visão de mundo única, apenas um temperamento compartilhado. É fácil ver isso enquanto Aron está dando sua palestra. Ela observou há muito tempo que quando fala para grupos de pessoas altamente sensíveis, a sala é mais silenciosa e respeitosa do que seria em uma reunião pública comum, e isso vale para toda a sua apresentação. E continua ao longo do fim de semana.

Nunca ouvi tantos "depois de você" e "obrigado" quanto aqui. Durante as refeições, que são feitas em grandes mesas comunais como em um acampamento de verão, em um refeitório a céu aberto, as pessoas mergulham famintas na busca de conversas. Há muitas discussões em dupla sobre tópicos íntimos como experiências de infância e vida amorosa, e temas sociais como a saúde pública e a mudança climática; não há muitas histórias para puro entretenimento. As pessoas ouvem atentamente umas às outras e respondem de forma pensada; Aron notou que pessoas sensíveis tendem a falar de forma mansa, pois preferem que os outros se comuniquem com elas dessa maneira.

"No resto do mundo", observa Michelle, uma web designer que se inclina para a frente como se se protegesse de uma rajada de vento imaginária, "você afirma algo e as pessoas podem ou não discutir o assunto. Aqui você afirma algo e alguém diz: 'O que isso *significa*?' E se você fizer essa pergunta a outra pessoa, ela vai responder".

Não é que não haja frivolidades, observa Strickland, a líder do encontro. É que elas não vêm no início das conversas, mas no fim. Na maioria dos cenários as pessoas usam as trivialidades como uma forma de relaxar em uma nova relação, e quando elas se sentem confortáveis, se conectam mais seriamente. Pessoas sensíveis parecem fazer o inverso. Elas "gostam de trivialidades só depois de ter mergulhado fundo", diz Strickland. "Quando pessoas sensíveis estão em ambientes que alimentam sua autenticidade, elas riem e fofocam como qualquer um."

Na primeira noite nos retiramos para o quarto, localizado em um prédio-dormitório. Preparo-me instintivamente: agora é a hora em que quero ler ou dormir, mas em vez disso serei chamada para uma guerra de travesseiros (como na colônia de férias) ou para participar de uma chata e barulhenta disputa de quem bebe mais (como na faculdade). Porém, no rancho Walker Creek, minha colega de quarto, uma secretária de 27 anos com grandes olhos de gata e a ambição de se tornar escritora, está satisfeita em passar a noite escrevendo pacificamente em seu diário. Eu faço o mesmo.

É claro que o fim de semana não passa completamente sem tensão. Algumas pessoas são reservadas a ponto de parecerem rabugentas. Às vezes a política do "cuide da sua vida" ameaça degenerar para a solidão mútua, enquanto todos seguem caminhos separados. Na verdade, há um tal déficit do comportamento social que chamamos de "descolado" que começo a achar que alguém deveria estar lançando piadas, animando as coisas, distribuindo cubas-libres. Não deveria?

A verdade é que, por mais que eu deseje espaço para tipos sensíveis respirarem, também gosto de sociabilidade. Gosto dos "descolados" entre nós e sinto falta deles neste fim de semana. Estou começando a falar tão manso que parece que estou me colocando para dormir. Pergunto-me se lá no fundo os outros também se sentem assim.

Tom, o engenheiro de softwares e sósia de Abraham Lincoln, conta-me sobre uma ex-namorada que estava sempre abrindo as portas de sua casa para amigos e estranhos. Ela era aventureira em todos os sentidos: amava comidas novas, novas experiências sexuais, pessoas novas. As coisas não deram certo entre eles — no fim, Tom desejava a companhia de uma parceira que focasse mais no relacionamento e menos no mundo exterior, e hoje está casado e feliz com uma mulher assim —, mas ele fica contente com o tempo passado com a ex-namorada.

Enquanto Tom fala, penso no quanto sinto falta do meu marido, Ken, que está em casa em Nova York e também não é do tipo sensível, longe disso. Às vezes isso é frustrante: se algo me leva às lágrimas por empatia ou ansiedade, ele se sente comovido, mas fica impaciente se eu continuar assim por muito tempo. Mas também sei que sua atitude mais dura é boa para mim e acho sua companhia infinitamente agradável. Amo seu charme sem esforço. Amo o fato de ele sempre ter coisas interessantes a dizer. Amo a maneira como ele coloca o coração e a alma em tudo o que faz e em todos os que ama, especialmente em nossa família.

Mas acima de tudo amo sua maneira de demonstrar compaixão. Ken pode ser agressivo, mais agressivo em uma semana do que eu serei em toda a vida, porém usa isso em benefício dos outros. Antes de nos conhecermos, ele trabalhava para a ONU em zonas de conflito no mundo inteiro, nas quais, entre outras coisas, conduzia negociações para a libertação de prisioneiros de guerra. Ele marchava por cadeias fétidas e encarava comandantes de campo com metralhadoras coladas ao peito até concordarem em soltar meninas que não tinham cometido crime algum exceto o de serem mulheres e vítimas de estupro. Depois de muitos anos no trabalho, ele voltou para casa e escreveu o que testemunhara em livros e artigos que arrepiavam de fúria. Ele não escreveu no estilo de uma pessoa sensível, e deixou muitas pessoas com raiva. Mas escreveu como uma pessoa que se importa desesperadamente.

Pensei que o rancho Walker Creek me faria desejar um mundo de alta sensibilidade, um mundo em que todos tivessem a fala mansa e ninguém precisasse usar a força bruta. Mas em vez disso, reforçou meu desejo por um equilíbrio. Acho que esse equilíbrio é o que Elaine Aron diria que é nosso estado natural, pelo menos em culturas indo-europeias como a nossa, que ela observa estar dividida há muito tempo entre "reis guerreiros" e "conselheiros sacerdotais", entre o ramo executivo e o ramo judiciário, entre os ousados e acessíveis Franklins Roosevelt e as sensíveis e conscienciosas Eleanors.

# 7
# Por que Wall Street quebrou e Warren Buffett prosperou?

## Como introvertidos e extrovertidos pensam (e processam dopamina) de forma diferente

*Tocqueville percebeu que a vida de constante ação e decisão, que era causada pelo caráter democrático e de negócios da vida norte-americana, premiava hábitos mentais severos e prontos, decisões rápidas e a imediata apropriação de oportunidades — e que toda essa atividade não era propícia a deliberação, elaboração ou precisão de pensamento.*

— Richard Hofstadter, em O *anti-intelectualismo nos Estados Unidos*

Logo após as 7h30 do dia 11 de dezembro de 2008, o ano da grande quebra do mercado de ações, o telefone da dra. Janice Dorn tocou. Os mercados tinham aberto na Costa Leste para mais uma sessão de carnificina. Os preços dos imóveis desabavam, os mercados de crédito estavam congelados e a GM escorregava à beira da falência.

Dorn atendeu a ligação em seu quarto, como faz frequentemente, usando um fone de ouvido, sobre seu edredom verde. O quarto era decorado sobriamente. A coisa mais colorida era a própria Janice, que, com seu cabelo ruivo esvoaçante, pele de marfim e rosto esculpido, parecia uma versão madura da Lady Godiva. Dorn tem ph.D. em neurociência, com especialidade em anatomia do cérebro. Ela também é médica especializada em psiquiatria, uma negociante ativa no mercado de futuros em ouro e uma "psiquiatra financeira" que já havia aconselhado cerca de seiscentos investidores.

"Olá, Janice", disse o interlocutor naquela manhã, um homem que soava confiante chamado Alan. "Você tem tempo para falar?"

A dra. Dorn não tinha. Uma investidora diurna que se orgulha de entrar e sair do ambiente de negociação a cada meia hora, ela estava ansiosa para começar a negociar. Mas Janice ouviu uma nota de desespero na voz de Alan. Ela concordou em prosseguir com a ligação.

Alan tinha sessenta anos, vivia no Meio-Oeste e impressionara Dorn como um tipo bom, leal, que trabalhava duro. Ele tinha os modos joviais e assertivos de um extrovertido, e mantinha o bom humor apesar do desastre que estava prestes a contar. Alan e a esposa tinham trabalhado durante toda a vida, e conseguiram economizar 1 milhão de dólares para sua aposentadoria. Mas quatro meses antes ele tivera a ideia de, apesar de não ter experiência no mercado, comprar 100 mil dólares em ações da GM, baseado na informação de que o governo norte-americano poderia intervir para salvar a indústria de automóveis. Ele estava convencido de que era um investimento sem risco de perdas.

Depois de feito o negócio, a mídia noticiou que a intervenção poderia não ocorrer. O mercado liquidou a GM e o preço das ações caiu. Mas Alan imaginou a empolgação de ganhar muito. Aquilo parecia tão real que ele podia até sentir o gostinho. Manteve-se firme. As ações continuaram a cair até que Alan decidiu vendê-las, com uma grande perda.

Mas o pior estava por vir. Quando o próximo ciclo de notícias sugeriu que a intervenção aconteceria afinal, Alan voltou a se empolgar e investiu outros 100 mil dólares, comprando mais ações por um preço baixo. Mas o mesmo aconteceu: a intervenção começou a parecer incerta.

Alan "raciocinou" (essa palavra está entre aspas porque, de acordo com Dorn, raciocínio consciente tinha pouco a ver com o comportamento de Alan) que o preço não poderia cair muito mais. Manteve-se firme, saboreando a ideia de quanta diversão ele e a mulher teriam ao gastar todo o dinheiro que ele ganharia. Mas as ações caíram ainda mais. Quando finalmente atingiram a marca dos 7 dólares, Alan vendeu-as. E comprou-as mais uma vez, em um fluxo de animação, quando ouviu que a intervenção ainda poderia ocorrer...

Quando o preço das ações da GM caiu para 2 dólares, Alan perdera 700 mil dólares, ou 70% das economias de sua família.

Ele estava arrasado. Perguntou a Dorn se ela poderia ajudá-lo a recuperar suas perdas. Não podia. "Elas se foram", disse a ele. "Você nunca receberá esse dinheiro de volta."

Ele lhe perguntou o que fizera de errado.

Dorn tinha várias respostas para isso. Para começar, como um amador, Alan não deveria estar negociando no mercado de ações. Ele arriscara dinheiro demais; deveria ter limitado a exposição a 5% de sua verba, ou 50 mil dólares. Mas o maior problema poderia estar além do controle de Alan. Dorn acreditava que ele experimentara algo que os psicólogos chamam de *sensibilidade à recompensa.*

Uma pessoa sensível a recompensas é altamente motivada a procurá-las — de uma promoção a um prêmio na loteria, passando por uma agradável noite entre amigos. A sensibilidade à recompensa nos motiva a buscar objetivos como sexo e dinheiro, status social e influência. Ela nos leva a galgar degraus e tentar alcançar galhos distantes para conseguir os melhores frutos da vida.

Mas às vezes somos sensíveis *demais* a recompensas. A sensibilidade à recompensa a todo vapor leva as pessoas a todo tipo de problema. Ficamos tão entusiasmados com a possibilidade de prêmios convidativos, como ganhar muito dinheiro no mercado de ações, que corremos riscos desmedidos e ignoramos possíveis sinais de alerta.

Alan recebera vários desses sinais, mas estava tão empolgado com a perspectiva de ganhar muito que não conseguiu vê-los. Na verdade, ele caiu no padrão clássico da loucura da sensibilidade à recompensa: exatamente nos momentos em que os sinais de alerta estavam sugerindo que ele fosse devagar, ele *acelerava* — jogando dinheiro que ele não poderia perder em uma série de negócios especulativos.

A história das finanças está cheia de exemplos de jogadores que aceleram quando deveriam frear. Economistas do comportamento há muito tempo observam que executivos que compram companhias ficam tão motivados a vencer seus concorrentes que ignoram sinais de que estão pagando demais. Isso acontece com tanta frequência que tem até um nome, "febre do acordo", seguida pela "maldição do vencedor". A fusão da AOL com a Time Warner, que varreu 200 bilhões de dólares do valor das ações da Time Warner, é um exemplo clássico. Havia vários alertas de que as ações da AOL, que eram a moeda de fusão, estavam incrivelmente supervalorizadas, mas mesmo assim os diretores da Time Warner aprovaram o acordo em unanimidade.

"Eu fiz isso com a mesma excitação e entusiasmo que tinha quando fiz amor pela primeira vez, cerca de quarenta anos atrás", exclamou Ted Turner, um daqueles diretores e o maior acionista individual da companhia. "TED TURNER: É MELHOR DO QUE SEXO", anunciou o jornal *New York Post* um dia após o acordo ser firmado, uma manchete à qual voltaremos pelo seu poder em explicar por que pessoas inteligentes podem às vezes ser tão sensíveis a recompensas.

Você deve estar se perguntando o que isso tudo tem a ver com introversão e extroversão. Mas nós todos não ficamos empolgados demais de vez em quando?

A resposta é sim, mas o fato é que alguns de nós fazem isso mais do que outros. Dorn observou que seus clientes extrovertidos têm uma tendência maior a ser altamente sensíveis a recompensas, enquanto os introvertidos tendiam mais a prestar atenção a sinais de alerta. Eles são mais bem-sucedidos ao regular seus sentimentos de desejo e excitação. Eles se protegem melhor dos aspectos negativos. "Meus investidores introvertidos são muito mais capazes de dizer 'Ok, Janice, eu realmente estou tomado por minhas emoções, mas entendo que não posso agir de acordo com elas'. Os introvertidos são muito melhores ao fazer um plano, ater-se a ele, com muita disciplina."

Para entender por que introvertidos e extrovertidos podem reagir de formas diferentes quanto à perspectiva de recompensa, diz Dorn, precisamos saber um pouco sobre a estrutura do cérebro. Como vimos no capítulo 4, nosso sistema límbico, que compartilhamos com os mamíferos mais primitivos e que Dorn chama de "cérebro antigo", é emotivo e instintivo. Ele contém várias estruturas, incluindo a amígdala, que é altamente conectada com o núcleo accumbens, às vezes chamado de "centro de prazer" do cérebro. Examinamos o lado ansioso do cérebro antigo quando exploramos o papel da amígdala na alta reatividade e na introversão. Agora vamos ver seu lado ambicioso.

De acordo com Dorn, o cérebro antigo está constantemente nos dizendo "Isso! Isso! Coma mais, beba mais, faça mais sexo, corra muitos riscos, tenha todo o entusiasmo possível e, acima de tudo, não pense". A parte do cérebro antigo que busca recompensas e que adora o prazer é o que Dorn acredita ter incentivado Alan a apostar as economias de uma vida como fichas em um cassino.

Também temos o "cérebro novo", chamado neocórtex, que evoluiu milhares de anos depois do sistema límbico. O cérebro novo é responsável pelo pensamento, planejamento, linguagem e tomada de decisões — algumas das várias capacidades que nos tornam humanos. Mesmo que o cérebro novo também desempenhe um papel importante em nossas vidas emocionais, ele é o local da racionalidade. Seu trabalho, de acordo com Dorn, inclui dizer "Não, não, não! Não faça isso porque é perigoso, não faz sentido e não está de acordo com seus maiores interesses, ou os de sua família, ou os da sociedade".

Então onde estava o neocórtex de Alan quando ele caçava ganhos no mercado de ações?

O cérebro novo e o antigo trabalham juntos, mas nem sempre com eficiência. Na verdade, às vezes eles entram em conflito, e assim nossas decisões se dão em função de qual deles está enviando sinais mais fortes. Então quando o cérebro antigo de Alan mandou suas mensagens ofegantes ao cérebro novo, ele provavelmente respondeu como o neocórtex deveria: disse ao cérebro antigo para desacelerar. Disse "Cuidado!", mas perdeu o subsequente cabo de guerra.

Todos temos cérebros antigos, é claro. Mas assim como a amígdala de uma pessoa altamente reativa é mais sensível do que a da média à novidade, os extrovertidos parecem ser mais suscetíveis do que os introvertidos aos desejos pela busca de recompensa do cérebro antigo. De fato, alguns cientistas estão começando a explorar a ideia de que a sensibilidade à recompensa não é apenas uma característica interessante da introversão; ela é o que *faz* um extrovertido ser extrovertido. Em outras palavras, extrovertidos são caracterizados pela sua tendência a procurar recompensas, desde o alto status até ondas sexuais ou dinheiro. Descobriu-se que eles têm maiores ambições econômicas, políticas e hedonistas do que os introvertidos; até sua sociabilidade é uma função da sensibilidade à recompensa, de acordo com essa visão — extrovertidos socializam porque a conexão humana é gratificante por natureza.

Mas o que está por trás de toda essa busca por recompensas? A chave parece ser a emoção positiva. Extrovertidos tendem a experimentar mais prazer e excitação do que os introvertidos — emoções que são ativadas, explica Daniel Nettle, em seu esclarecedor livro sobre a personalidade, "em resposta à busca ou captura de algum recurso que é valorizado. A excitação é construída pela antecipação da captura desse recurso. A alegria vem na sequência dessa captura". Em outras palavras, os extrovertidos muitas vezes se pegam em um estado emocional que podemos chamar de "euforia" — uma onda de sentimentos vigorosos e entusiasmados. Essa é uma sensação que todos conhecemos e da qual gostamos, mas não necessariamente no mesmo grau ou com a mesma frequência: extrovertidos parecem receber uma energia extra com a busca e conquista de seus objetivos.

A base dessa euforia parece ser um alto grau de atividade em uma rede de estruturas do cérebro — muitas vezes chamado de "sistema de recompensas" — que inclui o córtex orbitofrontal, o núcleo accumbens e a amígdala. O trabalho desse sistema de recompensas é nos deixar entusiasmados a respeito de coisas potencialmente boas. Experiências com ressonância magnética mostraram que o sistema é ativado por vários prazeres possíveis, da antecipação de um gole de refrigerante na língua a dinheiro e fotos de pessoas bonitas.

Os neurônios que transmitem informação na rede de recompensas operam em parte através de um neurotransmissor — um produto químico que carrega informação entre as células do cérebro — chamado dopamina. Dopamina é a "substância química da recompensa" lançada em resposta a prazeres previstos. Alguns cientistas acreditam que quanto mais seu cérebro responde à dopamina ou quanto mais dopamina você tem disponível para liberar, mais tendência você terá a ir atrás de recompensas como sexo, chocolate, dinheiro e status. Estimular a atividade da dopamina no cérebro de ratos faz com que eles corram excitados em uma gaiola vazia até caírem mortos de fome. Cocaína e heroína, que estimulam os neurônios liberadores de dopamina em seres humanos, deixam as pessoas eufóricas.

Os caminhos da dopamina em extrovertidos parecem ser mais ativos do que em introvertidos. Apesar de a relação exata entre extroversão, dopamina e o sistema de recompensas do cérebro não ter sido conclusivamente estabelecida, as primeiras descobertas têm sido intrigantes. Em uma experiência, Richard Depue, neurobiólogo da Universidade Cornell, deu uma anfetamina que ativa o sistema da dopamina a um grupo de introvertidos e extrovertidos e concluiu que os extrovertidos tinham uma resposta mais forte. Outro estudo descobriu que extrovertidos que vencem jogos de azar têm mais atividade nas regiões sensíveis a recompensas do cérebro do que vencedores introvertidos. Outra pesquisa mostrou ainda que o córtex medial orbitofrontal, um componente-chave do sistema de recompensas do cérebro, dirigido pela dopamina, é maior em extrovertidos que em introvertidos.

Em contrapartida, os introvertidos possuem uma "menor resposta" no sistema de recompensas, escreve o psicólogo Nettle, "e assim saem menos de seu caminho para seguir pistas [de recompensas]". Eles irão, "como qualquer um, ser atraídos às vezes a sexo, festas e status, mas a onda que eles terão será relativamente baixa e não irão se sacrificar para chegar lá". Em poucas palavras, introvertidos não chegam à euforia tão facilmente.

Em alguns sentidos, os extrovertidos têm sorte: essa euforia tem uma prazerosa e borbulhante qualidade. Ela os estimula a trabalhar e brincar bastante. Ela dá coragem para enfrentar adversidades. A euforia nos impulsiona a fazer coisas que de outra maneira pareceriam muito difíceis, como discursar em público. Imagine que você trabalhou duro para preparar uma palestra sobre um assunto de que gosta. Você transmite sua mensagem e, quando termina, o público se põe de pé, com palmas insistentes e sinceras. Uma pessoa pode deixar a sala pensando: "Estou feliz por ter passado minha mensagem, mas também estou contente porque acabou e agora posso voltar ao resto da minha vida." Outra pessoa, mais sensível, pode ir embora pensando: "Que viagem! Você ouviu os aplausos? Você viu a expressão nos rostos deles quando fiz aquela observação fundamental? Isso é *ótimo*!"

Mas a onda de euforia também tem lados negativos consideráveis. "Todos presumem que seja bom acentuar emoções positivas, mas isso não é verdade", disse o professor de psicologia Richard Howard, apontando para o exemplo de vitórias no futebol que acabam em violência e danos a propriedades. "Muito do comportamento antissocial e autodestrutivo resulta de pessoas que amplificaram emoções positivas."

Outra desvantagem dessa onda pode ser sua conexão com o risco — às vezes um risco desmedido. A onda pode nos fazer ignorar sinais de alerta a que devíamos dar atenção. Quando Ted Turner (que parece ser extremamente extrovertido) comparou o acordo AOL-Time Warner a sua primeira experiência sexual, ele poderia estar nos dizendo que estava no mesmo estado mental eufórico de um adolescente que se sente tão excitado em passar a primeira noite com sua nova namorada que não pensa muito nas consequências. Essa cegueira para o perigo pode explicar por que os extrovertidos têm mais tendência do que os introvertidos a morrer em acidentes de trânsito, ser hospitalizados como resultado de acidente ou ferimento, fumar, fazer sexo de risco, participar de esportes de alto risco, ter casos extraconjugais e casar-se novamente. Isso também ajuda a explicar por que os extrovertidos tendem mais que os introvertidos a ter confiança em excesso — o que se define como uma grande confiança que não é alcançada por maiores habilidades. A euforia foi o trunfo e a maldição de John Kennedy.

Essa teoria da extroversão ainda é nova e não é absoluta. Não podemos dizer que todos os extrovertidos desejem constantemente recompensas ou que todos os introvertidos sempre escapem de problemas. Ainda assim, ela sugere que devemos repensar os papéis que introvertidos e extrovertidos desempenham em suas vidas pessoais e nas organizações. Isso quer dizer que, quando chega a hora de tomar decisões de grupo, os extrovertidos fariam bem em ouvir os introvertidos — especialmente quando veem problemas pela frente.

No início da quebra de 2008, uma catástrofe financeira causada em parte pela tomada de riscos não calculada e pela cegueira ao perigo, ficou na moda especular se teríamos nos dado melhor com mais mulheres e menos homens — ou menos testosterona — em Wall Street. Mas talvez também devêssemos nos perguntar o que teria acontecido com alguns introvertidos a mais no timão — e muito menos dopamina.

Vários estudos respondem a essa questão implicitamente. Camelia Kuhnen, professora da Kellog School of Management, descobriu que a variação do gene regulador de dopamina (DRD4) associada a uma versão da extroversão particularmente inclinada a procurar emoções fortes é um grande indicador da tomada de riscos financeiros. Em contraste, pessoas com a variante do gene regulador de serotonina ligada à introversão e à sensibilidade tomam 28% menos riscos financeiros que os outros. Também se descobriu que eles ultrapassam os outros quando disputam jogos de azar que pedem uma tomada de decisões sofisticada. (Quando diante de uma baixa probabilidade de vencer, pessoas com essa variante do gene tendem a ter aversão ao risco; quando têm uma alta probabilidade de ganhar, tornam-se relativamente inclinadas a correr riscos.) Outro estudo com 64 investidores de um banco de investimentos descobriu que aqueles com a melhor performance tendiam a ser introvertidos emocionalmente estáveis.

Introvertidos também parecem ser melhores do que extrovertidos em adiar gratificações, uma capacidade crucial associada a tudo, desde pontuações mais altas no vestibular e maiores salários a um menor índice de massa corporal. Em um estudo, cientistas deram aos participantes a escolha entre uma recompensa menor, mas imediata (um vale-presente da Amazon) ou um vale-presente maior em duas ou quatro semanas. Objetivamente, a maior recompensa num futuro próximo, mas não imediato, era a opção mais desejável. Mas muitas pessoas optaram pelo "quero isso agora" — e quando fizeram isso, um escaneamento do cérebro revelou que seu sistema de recompensas estava ativado. Aqueles que escolheram uma melhor recompensa em duas semanas mostraram mais atividade no córtex pré-frontal — a parte do cérebro novo que nos impede de mandar e-mails malcriados ou de comer bolo de chocolate em excesso. (Um estudo similar sugere que o primeiro grupo tendia a ser de extrovertidos e o segundo, de introvertidos.)

De volta aos anos 1990, quando eu era uma associada júnior em um escritório de advocacia de Wall Street, peguei-me em uma equipe de advogados representando um banco que considerava comprar um portfólio de empréstimos imobiliários feito por outro banco. Meu trabalho era verificar a diligência do negócio — revisar a documentação para ver se os empréstimos tinham sido feitos com a papelada apropriada. Será que os que recebiam os empréstimos tinham sido notificados das taxas de juros que seriam obrigados a pagar? As taxas aumentariam com o tempo?

No fim, os papéis mostraram conter chocantes irregularidades. Se eu estivesse na pele dos banqueiros, teria ficado nervosa, muito nervosa. Mas quando nossa equipe de advogados resumiu os riscos em uma conferência de voz recheada de precauções, os banqueiros pareceram pouco preocupados. Eles viram um potencial de lucros em comprar aqueles empréstimos com desconto e queriam prosseguir com o negócio. Mas aquele era exatamente o tipo de cálculo errado de riscos (e recompensas) que contribuiria para a falência de vários bancos durante a Grande Recessão de 2008.

Mais ou menos na mesma época em que avaliei o portfólio de empréstimos, ouvi uma história que circulava em Wall Street sobre a competição de bancos de investimento por um prestigioso negócio. Cada equipe empregava as ferramentas comuns: planilhas, "livros de balanço" e apresentações de PowerPoint.

Mas o grupo vencedor apresentou sua própria peça àquele teatro: eles correram para a sala usando bonés de beisebol e camisetas combinando com as letras MID, um acrônimo para Medo, Incerteza e Dúvida. Nesse caso, MID fora cruzado com um enfático X; MID era uma tríade nada sagrada. Aquela equipe, os conquistadores do MID, venceu o concurso.

O desprezo pelo MID — e pelo tipo de pessoa que tende a experimentá-lo — foi o que ajudou a causar a quebra, diz Boykin Curry, diretor da firma de investimentos Eagle Capital, que tinha um lugar na primeira fileira do desmoronamento de 2008. Poder em excesso concentrado nas mãos de "tomadores de riscos" agressivos. "Por vinte anos, o DNA de quase toda instituição financeira (...) transformou-se perigosamente", disse ele à revista *Newsweek* no auge da crise. "Cada vez que alguém na mesa pressionava por mais influência e mais riscos, os anos seguintes provaram que eles estavam 'certos'. Essas pessoas eram ousadas, e foram promovidas e ganharam o controle de ainda mais capital. Enquanto isso, qualquer um no poder que hesitasse, que pedisse mais cautela, estaria 'errado'. Os tipos cautelosos foram cada vez mais intimidados e desprezados na hora de promoções. Eles perderam seu poder em relação ao capital. Isso aconteceu todos os dias em quase qualquer instituição financeira, até que acabamos com um tipo muito específico de pessoa dirigindo as coisas."

Curry é um ex-aluno da Harvard Business School e, assim como sua mulher, Celerie Kemble, uma designer nascida em Palm Beach, é uma figura proeminente nas cenas política e social de Nova York. O que quer dizer que ele parecia ser um membro do que chama de multidão "superagressiva" e um improvável defensor da importância dos introvertidos. Mas uma coisa de que ele não tem vergonha em sua tese é do fato de que foram poderosos extrovertidos que causaram a quebra financeira global.

"Pessoas com um certo tipo de personalidade tomaram o controle do capital, das instituições e do poder", disse Curry. "E pessoas que são congenitamente mais cautelosas, introvertidas e analíticas em seu pensamento foram colocadas de lado e descreditadas."

Vincent Kaminski, professor da escola de negócios da Universidade Rice, trabalhou como diretor executivo de pesquisa da Enron, a famosa companhia que decretou falência em 2001 como resultado de práticas de negócios imprudentes, e contou ao jornal *Washington Post* uma história similar de uma cultura de negócios em que tomadores de risco agressivos desfrutavam de um status alto demais em relação a cautelosos introvertidos. Kaminski, um homem cuidadoso e de fala mansa, era um dos poucos heróis do escândalo da Enron. Ele tentou repetidamente soar o alarme a um executivo sênior, alertando-o que a companhia entrara em negócios arriscados o suficiente para ameaçar sua sobrevivência. Quando a cúpula não escutou, ele se recusou a assinar essas transações perigosas e ordenou que sua equipe não trabalhasse nelas. A companhia retirou seu poder de revisar negócios que envolvessem toda a empresa.

"Houve algumas reclamações, Vince, de que você não está ajudando as pessoas nas transações", disse-lhe o presidente da Enron, de acordo com *Conspiracy of Fools* [Conspiração de tolos], um livro sobre o escândalo da Enron. "Em vez disso você está gastando todo o seu tempo agindo como um policial. Não precisamos de policiais, Vince."

Mas eles precisavam deles e ainda precisam. Quando a crise do crédito ameaçou a viabilidade de alguns dos maiores bancos de Wall Street em 2007, Kaminski viu a mesma coisa acontecer. "Digamos que nem todos os demônios da Enron foram exorcizados", disse ele ao *Post* em novembro daquele ano. O problema, explicou ele, não era só o fato de muitos não terem entendido os riscos que os bancos estavam correndo. Era também a realidade de que aqueles que *de fato* haviam entendido eram consistentemente ignorados — em parte porque tinham o tipo de personalidade errado: "Muitas vezes sentei-me diante de um investidor em energia e disse: 'Seu portfólio vai implodir se essa situação específica ocorrer.' E o investidor começou a gritar comigo e dizer que eu era um idiota, que tal situação nunca aconteceria. O problema era que, de um lado, você tem um todo-poderoso que gera um monte de dinheiro para a companhia e é tratado como um astro, e do outro lado você tem um nerd introvertido. Então quem você acha que vence?"

Mas qual é exatamente o mecanismo pelo qual a euforia bloqueia o bom julgamento? Como é que Alan, o cliente de Janice Dorn, desprezou os avisos de que poderia perder 70% das economias de sua vida? O que leva algumas pessoas a agirem como se o MID não existisse?

Uma resposta vem de uma intrigante linha de pesquisa conduzida na

Universidade de Wisconsin pelo psicólogo Joseph Newman. Imagine que você foi convidado para o laboratório de Newman para participar de um de seus estudos. Você está lá para disputar um jogo: quanto mais pontos fizer, mais dinheiro vai ganhar. Doze números diferentes piscam em uma tela de computador, um de cada vez, sem uma ordem específica. Dão-lhe um botão que você pode pressionar ou não cada vez que um número aparece, como se você fosse um participante de *game show*. Se pressionar o botão para um "bom" número, ganha pontos; se pressionar para um "mau" número, perde pontos; e se não pressionar o botão, nada acontece. Através de tentativa e erro você aprende que quatro é bom e nove não é. Então da próxima vez em que o nove pisca na tela, você sabe que não tem que pressionar o botão.

Mas às vezes as pessoas apertam o botão para os números ruins mesmo quando sabem que não deveriam. Extrovertidos, especialmente os altamente impulsivos, têm mais tendência do que os introvertidos a cometer esse erro. Por quê? Bem, nas palavras dos psicólogos John Brebner e Chris Cooper, que mostraram que extrovertidos pensam menos e agem mais rápido em tais tarefas, os introvertidos são "impulsionados a inspecionar" e os extrovertidos são "impulsionados a reagir".

Mas o aspecto mais interessante desse intrigante comportamento não é o que os extrovertidos fazem *antes* de pressionar o botão errado, mas o que eles fazem *depois*. Quando os introvertidos apertam o botão para o número nove e descobrem que perderam um ponto, eles desaceleram antes de passar para o próximo número, como se refletissem sobre o que deu errado. Mas os extrovertidos não apenas falham em desacelerar: na verdade, eles *aceleram*.

Parece estranho: por que alguém faria isso? Newman explica que faz total sentido. Se você se concentrar em conquistar seus objetivos como fazem os extrovertidos sensíveis a recompensas, não vai querer que nada fique em seu caminho — nem pessoas resistentes, nem o número nove. Você acelera em uma tentativa de derrubar esses obstáculos.

No entanto, esse é um passo errado de crucial importância, porque quanto mais tempo você para a fim de processar respostas surpreendentes ou negativas, mais você tenderá a aprender com elas. Se você *forçar* extrovertidos a parar, diz Newman, eles irão se dar tão bem quanto os introvertidos no jogo dos números. Mas se deixados com seus próprios recursos, eles não pararão. E assim não aprenderão a evitar os problemas encarando-os. Newman diz que é exatamente isso o que pode acontecer a extrovertidos como Ted Turner ao darem lances por uma empresa em um leilão.

"Quando uma pessoa dá um lance muito alto", disse ele, "é porque ela não inibiu uma reação que deveria ter inibido. Ela não considerou informações que deveriam ter pesado em sua decisão".

Introvertidos, ao contrário, são programados por sua própria constituição a minimizar recompensas — pode-se dizer que eles matam sua euforia — e procuram por problemas. "Assim que ficam animados", disse Newman, "eles pisam no freio e pensam sobre assuntos periféricos que podem ser mais importantes. Introvertidos parecem ser especificamente constituídos ou treinados para aumentar sua vigilância quando se pegam ficando empolgados e focados em um objetivo".

Introvertidos também tendem a comparar novas informações com suas expectativas, disse ele. Eles se perguntam: "Foi isso o que achei que iria acontecer? É assim que deve ser?" E quando a situação se apresenta sem expectativas, eles formam associações entre o momento da decepção (a perda de pontos) e o que quer que esteja acontecendo em seu ambiente na hora da decepção (apertar o número nove). Essas associações permitem que eles façam previsões acertadas sobre como reagir a sinais de alerta no futuro.

A falta de inclinação dos introvertidos a acelerar não é apenas uma proteção contra riscos; ela também é uma vantagem quando se trata de tarefas intelectuais. Aqui estão algumas das coisas que sabemos sobre a performance relativa de introvertidos e extrovertidos na resolução de problemas complexos. Extrovertidos tiram melhores notas do que os introvertidos nos primeiros anos de escola, mas os introvertidos superam os extrovertidos no ensino médio. No nível universitário, a introversão indica que sua performance acadêmica é melhor que sua capacidade cognitiva. Um estudo testou o conhecimento de 141 universitários em vinte diferentes matérias, de arte a astronomia e estatística, e descobriu que introvertidos sabiam mais do que extrovertidos em todas elas. Introvertidos recebem uma quantidade desproporcional de diplomas de graduação, posições de finalistas para bolsas de estudos, entre outros méritos. Eles têm melhor performance que os extrovertidos no teste Watson-Glaser de pensamento crítico, uma avaliação amplamente utilizada nos negócios para contratações e promoções. Eles demonstram excelência em algo que os psicólogos chamam de "resolução perspicaz de problemas".

A questão é: Por quê?

Introvertidos não são mais inteligentes do que extrovertidos. De acordo com testes de Q.I., os dois tipos são igualmente inteligentes. E em muitos tipos de tarefas, particularmente aquelas desempenhadas sob pressão temporal e social ou que envolvem fazer várias coisas ao mesmo tempo, os extrovertidos se saem melhor. Extrovertidos são melhores que introvertidos ao lidar com excesso de informação. A reflexão dos introvertidos utiliza muito da capacidade cognitiva, de acordo com Joseph Newman. Ele diz que em qualquer tarefa, "se tivermos 100% de capacidade cognitiva, um introvertido aplicará apenas 75% na tarefa e 25% fora dela, enquanto um extrovertido pode investir 90% na tarefa". Isso porque a maioria das tarefas é dirigida a objetivos. Os extrovertidos parecem alocar a maior parte de sua capacidade cognitiva em um objetivo iminente, enquanto os introvertidos usam sua capacidade para monitorar como a tarefa está sendo desempenhada.

Mas os introvertidos parecem pensar com mais cuidado do que os extrovertidos, como descreve em seu trabalho o psicólogo Gerald Matthews. Os extrovertidos têm maior tendência a utilizar abordagens rápidas e descuidadas na resolução de problemas, trocando precisão por velocidade, cometendo um número cada vez maior de erros durante o processo e abandonando o navio quando o problema parece difícil demais ou frustrante. Já os introvertidos pensam antes de agir, digerem toda a informação, passam mais tempo na tarefa, desistem menos facilmente e trabalham com maior precisão. Introvertidos e extrovertidos também dirigem sua atenção de formas diferentes: se você deixá-los com seus próprios recursos, os introvertidos tendem a se sentar pensando nas coisas, imaginando, relembrando acontecimentos do passado e fazendo planos para o futuro. Os extrovertidos têm maior tendência a se concentrar no que está acontecendo a sua volta. É como se os extrovertidos vissem o que a coisa "é", enquanto os introvertidos perguntam-se "e se".

Os estilos contrastantes de resolução de problemas de introvertidos e extrovertidos podem ser observados em vários contextos diferentes. Em uma experiência, psicólogos deram um quebra-cabeça para cinquenta pessoas resolverem e descobriram que os extrovertidos tinham mais tendência do que os introvertidos a desistir no meio. Em outra, o professor Richard Howard deu a introvertidos e extrovertidos uma série de complicados labirintos impressos e descobriu que os introvertidos não apenas tendiam a resolver mais labirintos corretamente, mas também passavam um percentual muito maior do tempo atribuído inspecionando o labirinto *antes* de entrar nele. Algo similar aconteceu quando deram a grupos de introvertidos e extrovertidos as matrizes progressivas de Raven, um teste de inteligência que consiste em cinco conjuntos de problemas de dificuldade crescente. Os extrovertidos em geral iam melhor nos dois primeiros conjuntos, presumivelmente por sua habilidade de se concentrar rapidamente em um objetivo. Mas nos três conjuntos mais difíceis, em que a persistência compensava, os introvertidos tinham uma performance significativamente melhor. No conjunto final, o mais complicado de todos, os extrovertidos tinham muito mais tendência do que os introvertidos a abandonar a tarefa.

Introvertidos muitas vezes superam os extrovertidos até em tarefas sociais que requerem persistência. O professor de administração de Wharton Adam Grant (que conduziu os estudos de liderança descritos no capítulo 2) certa vez estudou os traços de personalidade de funcionários efetivos de call-center. Grant presumiu que os extrovertidos se dariam melhor no telemarketing, mas os resultados mostraram que a correlação entre níveis de extroversão e bons resultados nos telefonemas foi de quase zero.

"Os extrovertidos faziam telefonemas maravilhosos", disse Grant, "mas então algum tipo de pequeno objeto brilhante cruzava seu caminho e eles perdiam o foco". Os introvertidos, ao contrário, "falavam muito calmamente, mas, pá, pá, pá, eles estavam fazendo as ligações. Eram focados e determinados". Os únicos extrovertidos a superá-los foram aqueles que tinham raras pontuações altas em um traço separado de personalidade medindo a integridade. Em outras palavras, a persistência dos introvertidos valia mais do que a euforia dos extrovertidos, até em uma tarefa em que habilidades sociais poderiam ter grande importância.

A persistência não é muito glamorosa. Se a genialidade é 1% de inspiração e 99% de transpiração, enquanto cultura, em geral, supervalorizamos esse 1%. Amamos sua luz e brilho. Mas o grande poder está nos 99%.

"Não é que eu seja tão inteligente", disse Einstein, que era um perfeito introvertido. "É que passo mais tempo com os problemas."

Nada disso denigre aqueles que aceleram rapidamente ou glorifica cegamente os reflexivos e cuidadosos. O ponto é que tendemos a supervalorizar a euforia e rebaixar os riscos da sensibilidade à recompensa: precisamos achar um equilíbrio entre ação e reflexão.

Por exemplo, se você estivesse contratando funcionários para um banco de investimentos, disse a professora de administração Kuhnen, iria querer contratar não apenas tipos sensíveis a recompensas, que provavelmente lucrariam em mercados em alta, mas também aqueles que permanecem mais neutros emocionalmente. Você iria desejar se certificar que importantes decisões corporativas refletissem a opinião dos dois tipos de pessoa, não de apenas um tipo. E você iria gostar de saber que indivíduos em todos os pontos do espectro da sensibilidade à recompensa entendem suas experiências emocionais e podem regulá-las de acordo com as condições do mercado.

Mas não são apenas os empregadores que se beneficiam de uma olhada cuidadosa em seus funcionários. Também precisamos dar atenção a nós mesmos. Entender onde caímos no espectro da sensibilidade à recompensa nos dá o poder de viver bem nossa vida.

Se você é um extrovertido chegado à euforia, então tem sorte em desfrutar de muitas emoções revigorantes. Faça o melhor com elas: construa coisas, inspire os outros, pense grande. Funde uma empresa, crie um site, construa uma casa na árvore elaborada para seus filhos. Mas também saiba que você está lidando com um calcanhar de Aquiles que precisa aprender a proteger. Treine-se para gastar energia no que é realmente significativo para você em vez de em atividades que parecem que vão gerar rapidamente dinheiro, status ou excitação. Ensine a si mesmo a parar e reflita quando os sinais de alarme aparecerem indicando que as coisas não estão funcionando como você esperava. Aprenda com seus erros. Procure por pessoas (desde cônjuges a amigos e parceiros de trabalho) que possam ajudá-lo a tomar as rédeas e compensar seus pontos cegos.

E quando chegar a hora de investir ou de fazer qualquer coisa que envolva um sábio equilíbrio entre risco e recompensa, mantenha-se sob controle. Uma boa maneira de fazer isso é se certificar de que não está se cercando com imagens da recompensa no momento crucial da decisão. Kuhnen e Brian Knutson descobriram que se mostrarmos imagens eróticas a homens logo antes de apostarem, eles se arriscarão mais do que aqueles a quem foram mostradas imagens neutras de mesas e cadeiras. Isso ocorre porque antecipar recompensas — *quaisquer* recompensas, relacionadas ou não com o assunto a ser abordado — excita as redes de recompensa dirigidas pela dopamina, fazendo com que ajamos mais irrefletidamente. (Esse pode ser o melhor argumento até agora para banir a pornografia dos ambientes de trabalho.)

E se você for um introvertido que é relativamente imune aos excessos da sensibilidade à recompensa? Num primeiro momento, as pesquisas sobre a dopamina e a euforia parecem implicar que os extrovertidos, e apenas eles, motivam-se alegremente a trabalhar duro pelo estímulo que sentem ao perseguir seus objetivos. Como introvertida, fiquei intrigada com essa ideia quando me deparei com ela pela primeira vez. Ela não refletia minha própria experiência. Sou e sempre fui apaixonada pelo meu trabalho. Acordo de manhã empolgada para começá-lo. Então o que move pessoas como eu?

Uma resposta é que mesmo se a teoria da sensibilidade à recompensa dos extrovertidos estiver correta, não podemos dizer que todos os extrovertidos são sempre mais sensíveis a recompensas e indiferentes em relação ao risco; ou que todos os introvertidos permanecem constantemente impassíveis diante de incentivos e vigilantes em relação a perigos. Desde o tempo de Aristóteles, os filósofos têm observado que esses dois modos — aproximar-se de coisas que parecem dar prazer e fugir de outras que parecem causar dor — estão no cerne de toda atividade humana. Enquanto grupo, os extrovertidos tendem a procurar recompensas, mas todo ser humano tem sua mistura de tendências de aproximação e fuga, e às vezes essa combinação difere dependendo da situação. De fato, muitos psicólogos contemporâneos da personalidade diriam que a vigilância à ameaça é mais característica de um traço conhecido como "neurose" do que da introversão. Os sistemas de recompensa e de ameaça do corpo também parecem trabalhar independentes uns dos outros, e assim a pessoa pode ser geralmente sensível ou insensível à recompensa *e* à ameaça.

**Se você quiser determinar se é movido pela recompensa ou pela ameaça, ou por ambas, pergunte a si mesmo se os seguintes grupos de afirmações valem para você.**

**Se você é movido pela recompensa:**

1. **Quando recebo algo que quero, sinto-me animado e energizado.**
2. **Quando quero alguma coisa, geralmente me mexo para consegui-la.**
3. **Quando vejo uma oportunidade para algo de que gosto, logo me sinto entusiasmado.**
4. **Quando coisas boas acontecem comigo, sou bastante afetado.**
5. **Tenho poucos medos se comparado a meus amigos.**

Se você é movido pela ameaça:

1. Críticas e reclamações me ferem bastante.
2. Sinto-me bastante preocupado ou triste quando acho ou sei que alguém está com raiva de mim.
3. Se acho que algo desagradável vai acontecer, geralmente fico bastante afetado.
4. Fico preocupado quando acho que me saí mal em algo importante.
5. Preocupo-me quanto a cometer erros.

Mas acredito que outra importante explicação para os introvertidos que adoram seu trabalho pode vir de uma linha de pesquisa muito diferente, feita pelo influente psicólogo Mihaly Csikszentmihalyi sobre o estado que ele chama de "fluxo". O fluxo é um estado ótimo em que você se sente totalmente engajado em uma atividade — seja natação de longa distância ou composição de músicas, lutas de sumô ou sexo. No estado fluido, você não está entediado nem ansioso, e não questiona sua adequação. As horas passam sem que você perceba.

A chave para o fluxo é desempenhar uma atividade por ela mesma, não pelas recompensas que ela trará. Mesmo que o fluxo não dependa da introversão ou da extroversão, muitas das experiências de fluxo sobre as quais Csikszentmihalyi escreve são buscas solitárias que nada têm a ver com a busca de recompensas: ler, cuidar de um pomar, cruzar sozinho o oceano. Ele escreve que o fluxo acontece em condições em que as pessoas "se tornam independentes do âmbito social em um grau que deixam de responder exclusivamente em termos de recompensas e punições. Para alcançar essa autonomia, a pessoa tem que aprender a prover recompensas para si própria".

Em certo sentido, Csikszentmihalyi transcende Aristóteles: ele nos diz que há atividades que não são uma questão de aproximação ou fuga, mas algo mais profundo — a satisfação que vem com a absorção de uma atividade externa a si. "Teorias psicológicas geralmente presumem que somos motivados pela necessidade de eliminar condições desagradáveis como fome ou medo", escreve Csikszentmihalyi, "ou pela expectativa de alguma futura recompensa como dinheiro, status ou prestígio". Mas, no fluxo, "uma pessoa pode trabalhar ininterruptamente por dias, sem nenhuma outra razão além de continuar trabalhando".

Se você for um introvertido, encontre o fluxo usando seus dons. Você tem o poder da persistência, a tenacidade para resolver problemas complexos e a perspicácia para evitar armadilhas que emboscam os outros. Você desfruta de relativa liberdade com relação a tentações de prêmios superficiais como dinheiro e status. Na verdade, seu maior desafio pode ser domar completamente suas forças. Você pode estar tão ocupado tentando parecer um extrovertido espirituoso e sensível a recompensas que subvaloriza seus próprios talentos ou se sente subestimado por aqueles ao seu redor. Mas quando você está focado em um projeto com o qual se importa, provavelmente vai achar que sua energia é ilimitada.

Então, mantenha-se verdadeiro em relação à sua própria natureza. Se você gosta de fazer as coisas de um jeito lento e constante, não deixe os outros fazerem com que você sinta que precisa se apressar. Se você gosta de profundidade, não se force a procurar amplidão. Se você prefere realizar uma tarefa sozinho a várias ao mesmo tempo, confie no seu instinto. Permanecer relativamente imune às recompensas lhe dá um incalculável poder para seguir seu próprio caminho. É seu papel usar essa independência para causar bons efeitos.

É claro que nem sempre isso é fácil. Ao escrever este capítulo, correspondi-me com Jack Welch, ex-presidente da General Electric. Ele havia acabado de publicar uma coluna na *BusinessWeek* on-line chamada "Liberte seu extrovertido interior", na qual ele apelava aos introvertidos a agirem de forma mais extrovertida no trabalho. Eu sugeri que os extrovertidos às vezes também precisam agir de forma mais introvertida e dividi com ele algumas das ideias que você acabou de ler, sobre como Wall Street poderia ter se beneficiado em ter mais introvertidos no leme. Welch ficou intrigado: "Mas os extrovertidos argumentariam que nunca ouviam nada dos introvertidos."

Welch tem um argumento justo. Introvertidos precisam confiar em seu taco e compartilhar ideias da maneira mais poderosa que puderem. Isso não significa imitar os extrovertidos; ideias podem ser compartilhadas com calma, podem ser comunicadas por escrito, podem ser apresentadas em palestras bem-produzidas, podem ser levadas adiante por colegas. O truque para os introvertidos é honrar seus próprios estilos em vez de permitir que eles sejam varridos pelas normas prevalecentes. A história de como se chegou à Grande Recessão de 2008 é temperada, infelizmente, por tipos cuidadosos que correram riscos inapropriados, como Chuck Prince, ex-executivo-chefe do Citigroup e ex-advogado que fez empréstimos arriscados em um mercado em queda porque, como disse, "enquanto a música estiver tocando, você tem que levantar e dançar".

"Pessoas que são inicialmente cautelosas tornam-se mais agressivas", observou

Boykin Curry a respeito desse fenômeno. "Elas dizem: 'Ei, as pessoas mais agressivas estão sendo promovidas e eu não, então vou ser mais agressivo também.'"

Mas histórias de crises financeiras muitas vezes contêm subtramas sobre pessoas que ganharam fama (e lucraram) por prever o que ia acontecer — e tais histórias tendem a mostrar apenas as pessoas que abraçam o MID ou que gostam de fechar as persianas do escritório, isolando-se da opinião das massas e da pressão de seus colegas e focam na solidão. Um dos poucos investidores que conseguiu florescer durante a crise de 2008 foi Seth Klarman, presidente de um fundo de investimentos chamado Baupost Group. Klarman é conhecido por superar o mercado com consistência enquanto evita riscos com firmeza e mantém um significante percentual de ativos em dinheiro. Nos dois anos que se seguiram à quebra de 2008, quando a maioria do investidores estava fugindo em massa dos fundos de investimentos, Klarman quase dobrou os ativos sob sua administração para 22 bilhões de dólares.

Ele conquistou isso com uma estratégia de investimentos baseada explicitamente no MID. "Na Baupost, somos grandes fãs do medo e, em investimentos, com certeza é melhor ter medo do que lamentar", escreveu ele certa vez em uma carta para investidores. Klarman "é um grande preocupado", observa o jornal *New York Times* em um artigo de 2002 chamado "Diretor irrita-se com o mercado, mas ainda assim derrota-o". Ele tem um cavalo de corrida chamado "Leia as notas de rodapé".

Durante os anos que precederam a quebra de 2008, Klarman "foi uma das únicas pessoas a se manter fiel a uma mensagem cautelosa e aparentemente paranoica", disse Boykin Curry. "Quando todo mundo estava comemorando, ele provavelmente estocava latas de atum no porão, preparando-se para o fim da civilização. Então, quando todos entraram em pânico, ele começou a comprar. Isso não é apenas uma análise, é sua composição emocional. A mesma composição que ajuda Seth a encontrar oportunidades que ninguém mais vê pode fazê-lo parecer distante ou ignorante. Se você for o tipo de pessoa que se preocupa quando as coisas estão boas, pode ter problemas ao subir ao topo da pirâmide corporativa. Seth provavelmente não se daria bem como diretor de vendas. Mas ele é um dos grandes investidores do nosso tempo."

Da mesma maneira, em seu livro sobre o que levou à quebra de 2008, *A jogada do século*, Michael Lewis apresenta três das poucas pessoas que foram astutas o suficiente para prever o desastre por vir. Uma delas era um solitário administrador de fundos de investimentos chamado Michael Burry, que se descreve como "feliz em meus próprios pensamentos" e que passou os anos anteriores à quebra sozinho em seu escritório em San Jose, Califórnia, vasculhando documentos financeiros e desenvolvendo suas próprias visões contrastantes sobre risco de mercado. Os outros eram dois investidores socialmente desajeitados, Charlie Ledley e Jamie Mai, cuja estratégia de investimentos inteira era baseada no MID: eles faziam apostas que tinham aspectos negativos limitados, mas que compensariam consideravelmente se mudanças radicais mas inesperadas ocorressem no mercado. Era menos uma estratégia de investimento que uma filosofia de vida — uma crença de que a maioria das situações não era tão estável quanto parecia.

Isso "combinava com a personalidade desses dois homens", escreveu Lewis. "Eles nunca precisaram ter certeza de nada. Ambos estavam predispostos a sentir que as pessoas, e por extensão os mercados, tinham certeza demais sobre coisas incertas por natureza." Depois de provarem estar certos com suas apostas de 2006 e 2007 contra o mercado de financiamentos imobiliários e ganharem 100 milhões de dólares no processo, "eles na verdade gastaram tempo perguntando-se como as pessoas que estiveram tão incrivelmente certas (por exemplo, eles mesmos) poderiam preservar a capacidade de insegurança, dúvida e incerteza que tinha feito com que elas estivessem certas".

Ledley e Mai entenderam o valor de sua insegurança, mas os outros estavam tão assombrados por ela que desistiram da oportunidade de investir dinheiro com os dois — de fato, sacrificando milhões de dólares a favor de seu preconceito contra o MID. "O que é incrível em Charlie Ledley", disse Boykin Curry, que o conhece bem, "é que ali há um brilhante investidor que era excessivamente conservador. Se você estivesse preocupado com risco, não havia ninguém melhor a quem recorrer. Mas ele era terrível em reunir capital, pois parecia desconfiado de tudo. Clientes potenciais saíam do escritório de Charlie com medo de lhe dar dinheiro, pois pensavam que lhe faltava convicção. Enquanto isso, eles jorravam dinheiro em fundos administrados por diretores que transpiravam confiança e certeza. É claro que, quando a economia mudou, o grupo confiante perdeu metade do dinheiro de seus clientes, e Charlie e Jamie fizeram uma fortuna. Qualquer um que usasse pistas sociais convencionais para avaliar os administradores de dinheiro foi levado à conclusão errada".

Outro exemplo, este da quebra da bolha de empresas de internet em 2000, diz respeito a alguém que se descreve como introvertido de Omaha, Nebraska, onde é conhecido por se trancar em seu escritório por horas a fio.

Warren Buffett, o lendário investidor e um dos homens mais ricos do mundo, usou exatamente os atributos que exploramos neste capítulo — persistência intelectual, raciocínio prudente e capacidade de ver e agir com base em sinais de alerta — para fazer bilhões de dólares para si mesmo e para os acionistas de sua companhia, a Berkshire Hathaway. Buffett é conhecido por pensar com cuidado enquanto aqueles ao seu redor perdem a cabeça. "Sucesso nos investimentos não é relacionado a Q.I.", disse ele. "Uma vez que você tenha uma inteligência comum, o que você precisa é de um temperamento que controle os desejos que levam outras pessoas a terem problemas ao investir."

Todo verão, desde 1983, o banco de investimentos de luxo Allen & Co. promove uma conferência de uma semana em Sun Valley, Idaho. Não se trata apenas de uma conferência; é algo extravagante, com festas chiques, viagens para praticar *rafting*, patinação no gelo, pescarias, passeios a cavalo e uma equipe de babás para cuidar dos filhos dos convidados. Os anfitriões servem à indústria da mídia, e as listas de convidados passadas incluem magnatas dos jornais, celebridades de Hollywood e estrelas do Vale do Silício, com nomes como Rupert Murdoch, Tom Hanks e Steve Jobs.

De acordo com a excelente biografia que Alice Schroeder escreveu sobre Buffett, *A bola de neve*, ele foi um desses convidados em julho de 1999. Ele foi à conferência ano após ano com toda a família a reboque, chegando em seu jatinho Gulfstream e ficando com outros convidados VIP em um grupo de apartamentos com vista para o campo de golfe. Buffett amava suas férias anuais em Sun Valley, vendo-o como um ótimo lugar para sua família se reunir e para botar o papo em dia com velhos amigos.

Mas naquele ano o clima era diferente. Era o auge do *boom* tecnológico e havia alguns novos rostos na mesa — os presidentes de empresas de tecnologia que haviam se tornado ricos e poderosos quase do dia para a noite e capitalistas de risco que lhes tinham fornecido dinheiro. Essas pessoas estavam nas altas rodas. Quando a fotógrafa de celebridades Annie Leibovitz apareceu para fotografar "o time das estrelas da mídia" para a revista *Vanity Fair*, alguns deles fizeram pressão para aparecer na foto. Eles acreditavam que eram o futuro.

Decididamente, Buffett não fazia parte desse grupo. Ele era um investidor das antigas que não entrou no frenesi especulativo envolvendo companhias com perspectivas de ganho incertas. Alguns o desprezaram como uma relíquia do passado. Mas Buffett ainda era poderoso o suficiente para ser um dos principais palestrantes no último dia da conferência.

Ele pensou bastante em seu discurso e passou semanas preparando-se para ele. Depois de aquecer a plateia com uma história charmosamente autodepreciativa — Buffett temia falar em público até fazer um dos cursos de Dale Carnegie —, ele disse à multidão, com detalhes esmerados e brilhantemente analisados, por que o mercado em alta das empresas de tecnologia não poderia durar. Buffett estudara os dados, observara os sinais de perigo, e então parara e refletira sobre o que eles significavam. Essa foi a primeira previsão pública que ele fizera em trinta anos.

O público não ficou empolgado, de acordo com Schroeder. Buffett estava cortando a sua onda. Eles o aplaudiram de pé, mas no fundo, desprezaram suas ideias. O "bom e velho Warren", diziam eles. "Homem inteligente, mas dessa vez ele errou feio."

Mais tarde naquela noite, a conferência foi encerrada com uma gloriosa queima de fogos de artifício. Como sempre, fora um imenso sucesso. Mas o aspecto mais importante da reunião — Warren Buffett prevenindo o público sobre os sinais de alerta do mercado — não seria revelado até o ano seguinte, quando a bolha das empresas de internet estourou, exatamente como ele dissera.

Buffett orgulha-se não apenas dos acertos de sua carreira, mas também de seguir seu próprio "sistema de pontos interior". Ele divide o mundo em pessoas que seguem seus próprios instintos e aquelas que seguem a boiada. "Sinto-me como se estivesse de costas", disse ele sobre sua vida como investidor, "pintando a Capela Sistina. Gosto quando as pessoas dizem 'Nossa, que bela pintura'. Quando alguém diz 'Por que você não usa mais vermelho em vez de azul?' dou adeus. É minha pintura. E não me importa por quanto eles a vendam. A pintura em si nunca será terminada. E essa é uma das melhores coisas ".

# Parte Três
## Todas as culturas têm um Ideal da Extroversão?

# 8
## O *SOFT POWER*

## Os norte-americanos de origem asiática e o Ideal da Extroversão

*De uma forma suave, você pode sacudir o mundo.*
— Mahatma Gandhi

É um ensolarado dia de primavera em 2006 e Mike Wei, um garoto de dezessete anos nascido na China que cursa o último ano do ensino médio na Lynbrook High School, perto de Cupertino, Califórnia, está me contando suas experiências como estudante norte-americano de origem asiática. Mike está vestido com um visual totalmente norte-americano, de calça cáqui, casaco esportivo e um boné de beisebol, mas seu rosto doce e sério e um fino bigode lhe dão a aura de um filósofo iniciante, e ele fala tão baixo que tenho que me inclinar para escutá-lo.

"Na escola", diz Mike, "estou muito mais interessado em ouvir o que a professora fala e em ser um bom aluno do que em ser o palhaço da turma ou interagir com os outros alunos. Se ser sociável, falar alto ou fazer gracinhas na aula afetará a educação que recebo, é melhor eu ir pelo caminho da educação".

Mike relata essa visão pragmática, mas sabe como ele parece incomum para os padrões norte-americanos. Sua atitude vem dos pais, explica ele. "Se eu tiver que escolher entre fazer algo por mim, como sair com meus amigos ou ficar em casa estudando, penso em meus pais. Isso me dá forças para continuar estudando. Meu pai me diz que o trabalho dele é ser programador de computadores e que o meu trabalho é estudar."

A mãe de Mike ensinou-lhe a mesma lição. Uma ex-professora de matemática que trabalhou como empregada doméstica quando a família imigrou para a América do Norte, ela memorizava palavras em inglês enquanto lavava pratos. Segundo Mike, ela é muito quieta e muito determinada. "É realmente algo bastante chinês procurar sua própria educação assim. Minha mãe tem o tipo de força que nem todos conseguem enxergar."

Ao que tudo indica, Mike deixou os pais orgulhosos. O login de seu e-mail é "aluno nota 10" e ele acabou de ganhar uma cobiçada vaga como calouro na prestigiada Universidade de Stanford. É o tipo de aluno dedicado e atencioso que qualquer comunidade adoraria ter. E, mesmo assim, de acordo com um artigo chamado "A nova fuga branca", publicado no *Wall Street Journal* apenas seis meses antes, famílias brancas estão deixando Cupertino em bandos, exatamente por causa de garotos como Mike. Elas estão fugindo das notas altíssimas e dos impressionantes hábitos de estudo de muitos estudantes ásio-americanos. O artigo dizia que pais brancos temiam que seus filhos não conseguissem atingir tal padrão acadêmico. Ele citava um aluno de uma escola de ensino médio local: "Se você fosse asiático, tinha que confirmar que era inteligente. Se você fosse branco, tinha que provar."

Mas o artigo não explorava o que estava por trás dessa performance acadêmica estelar. A minha curiosidade era saber se aqueles alunos com inclinações acadêmicas refletiam uma cultura isolada dos piores excessos do Ideal da Extroversão — e se refletiam, como era o ambiente. Decidi visitar a cidade e descobrir.

À primeira vista, Cupertino parece a materialização do sonho norte-americano. Muitos imigrantes asiáticos de primeira e segunda geração moram ali e trabalham em empresas locais de alta tecnologia. A matriz da Apple fica na cidade. A matriz da Google é um pouco mais abaixo na rua. Carros muito bem-cuidados deslizam ao longo das ruas; os poucos pedestres estão vestidos com cores brilhantes ou alvas. Casas de rancho pouco atraentes são caras, mas os compradores acham que o custo é válido para que seus filhos frequentem o famoso sistema de educação pública da cidade, com suas fileiras de garotos dirigidos às melhores universidades do país. Dos 615 alunos da turma formada em 2010 na Monta Vista High School de Cupertino (77% dos quais são ásio-americanos, de acordo com o site da escola, que possui uma parte disponível em chinês), 53 foram finalistas da bolsa de mérito nacional. A média das notas dos alunos de

Monta Vista no SAT — espécie de vestibular norte-americano — em 2009 foi 1.916, de um total de 2.400, 27% mais alta que a média nacional.

Alunos respeitados na Monta Vista High School não são necessariamente atletas ou vivazes, de acordo com os estudantes que encontrei aqui. Em vez disso, eles são estudiosos e às vezes quietos. "Ser inteligente é de fato admirado, mesmo se você for estranho", diz um aluno coreano-americano do segundo ano chamado Chris. Ele descreve a experiência de seu amigo, cuja família foi passar dois anos em uma cidade do Tennessee onde moravam poucos ásio-americanos. O amigo gostara, mas sofrera um choque cultural. No Tennessee "havia pessoas incrivelmente inteligentes, mas elas estavam sempre sozinhas. Aqui, pessoas realmente inteligentes em geral possuem muitos amigos, porque podem ajudar as pessoas em seu trabalho".

A biblioteca é para Cupertino o que o shopping ou o campo de futebol são para outras cidades: o centro não oficial da vida local. Alunos do ensino médio se referem alegremente a estudar como "fazer nerdice". O futebol e a animação de torcidas não são atividades particularmente respeitadas. "Nosso time de futebol é horrível", diz Chris, simpático. Apesar de os resultados recentes do time serem mais impressionantes do que Chris sugere, ter um mau time de futebol parece assumir um significado simbólico para ele. "Nem dá para saber que são jogadores de futebol", explica ele. "Eles não usam jaquetas do time nem viajam em grandes grupos. Quando um dos meus amigos se formou, eles mostraram um vídeo e meu amigo disse: 'Não acredito que estão mostrando jogadores de futebol e líderes de torcida nesse vídeo.' Não é isso o que move esta cidade."

Ted Shinta, professor e conselheiro da equipe de robótica da Monta Vista High School diz algo similar: "Quando eu estava no ensino médio, éramos desencorajados a votar nas eleições estudantis a não ser que usássemos a jaqueta do time de futebol. Na maioria das escolas de ensino médio há um grupo popular que tiraniza os restantes. Mas aqui os alunos desse grupo não têm poder algum sobre os outros. O corpo discente é muito voltado ao desempenho acadêmico."

Uma conselheira universitária local chamada Purvi Modi concorda. "A introversão não é desprezada", diz ela. "Ela é aceita. Em alguns casos é até altamente respeitada e admirada. É legal ser um campeão de xadrez e tocar na banda." Há um espectro introvertido-extrovertido aqui, como em qualquer lugar, mas é como se a população fosse distribuída por alguns graus a mais no lado introvertido da escala. Uma jovem sino-americana prestes a começar seu primeiro ano na elitista East Coast College percebeu esse fenômeno depois de conhecer suas futuras colegas de turma pela internet e se preocupa com o que o futuro pós-Cupertino pode lhe reservar. "Conheci algumas pessoas pelo Facebook", diz ela, "e elas são muito diferentes. Sou realmente quieta. Não gosto tanto de festas ou de socializar, mas todo mundo parece ser muito sociável e tal. São muito diferentes dos meus amigos. Sequer tenho certeza de que terei amigos quando chegar lá".

Uma de suas correspondentes mora perto, em Palo Alto, e pergunto o que ela responderá se essa pessoa convidá-la para encontrá-la no verão.

"Eu provavelmente não aceitaria", diz ela. "Seria interessante conhecê-los, mas minha mãe não quer que eu saia muito, pois tenho que estudar."

Fico impressionada com o senso de obrigação filial da jovem e com a conexão que isso tem com priorizar os estudos em vez da vida social. Mas isso não é incomum em Cupertino. Muitos jovens ásio-americanos dizem-me que estudam durante todo o verão a pedido dos pais, recusando até mesmo convites para festas de aniversário em julho para poderem se adiantar para os exames de cálculo de outubro.

"Acho que é a nossa cultura", explica Tiffany Liao, uma equilibrada aluna do último ano prestes a ingressar na Swarthmore High School, cujos pais são de Taiwan. "Estudar, sair-se bem, não criar transtornos. É inato em nós sermos mais quietos. Quando era pequena e ia à casa de amigos dos meus pais e não queria falar, levava um livro. Era como um abrigo e eles diziam: 'Ela é tão estudiosa!' E isso era um elogio."

É difícil imaginar outros pais e mães norte-americanos de fora de Cupertino sorrindo para uma criança que lê em público enquanto todos estão reunidos para um churrasco. Mas pais que frequentaram a escola uma geração atrás em países asiáticos provavelmente aprenderam a adotar esse estilo mais quieto quando crianças. Em muitas salas de aula do Leste Asiático, o currículo tradicional enfatiza a escuta, a escrita, a leitura e a memorização. Falar simplesmente não é o foco, e chega a ser desencorajado.

"O ensino em nossos países de origem é muito diferente do daqui", diz Hung Wei Chien, uma mãe de Cupertino que veio de Taiwan para os Estados Unidos em 1979 para estudar na Universidade da Califórnia, Los Angeles (UCLA).

"Lá você aprende a matéria e eles o testam. Pelo menos quando eu cresci, eles não saíam muito da matéria e não permitiam que os alunos vagabundeassem. Se você levantasse e dissesse besteira, seria repreendido."

Hung é uma das pessoas mais alegres e extrovertidas que já conheci, dada a gestos largos e expansivos e frequentes risadas. Vestida com shorts de corrida, tênis e joias cor de âmbar, ela me cumprimenta com um abraço apertado e nos leva a uma padaria para o café da manhã. Comemos nossos doces, conversando sociavelmente.

Até que Hung se lembra do choque cultural quando entrou pela primeira vez em uma sala de aula no estilo norte-americano. Ela considerava rude participar da aula, pois não queria desperdiçar o tempo de seus colegas. E, com certeza, diz ela, rindo, "Eu era a pessoa quieta ali. Na UCLA, o professor começava as aulas dizendo: 'Vamos discutir!' Eu olhava para os meus colegas falando besteiras e os professores eram tão pacientes, apenas ouvindo a todos". Ela assente comicamente, imitando os muito respeitosos professores.

"Lembro-me de ficar impressionada. Era uma aula de linguística e os alunos sequer estavam falando de linguística! Eu pensei: 'Ah, não, nos Estados Unidos, desde que você comece a falar está tudo bem.'"

Se Hung ficou atordoada com o estilo norte-americano de participação em aula, é provável que seus professores tenham ficado igualmente perplexos com sua falta de vontade de falar. Vinte anos depois de Hung ter se mudado para os Estados Unidos, o jornal *San Jose Mercury News* publicou um artigo chamado "Oriente e Ocidente, tradições de ensino em colisão", explorando o espanto dos professores com a relutância de alunos de origem asiática em participar das aulas em universidades da Califórnia. Um professor notou uma "barreira de respeito", criada pela reverência dos alunos asiáticos pelos professores. Outro defendia tornar a participação em sala parte da nota para estimular os estudantes asiáticos a falar em aula. "Imagina-se que você deva se diminuir no ensino chinês, pois outros pensadores são muito melhores que você", disse um terceiro. "Esse é um problema recorrente em turmas com predominância de alunos ásio-americanos."

O artigo gerou forte reação na comunidade ásio-americana. Alguns disseram que as universidades estavam certas ao defender que os alunos asiáticos precisavam adaptar-se às normas educacionais ocidentais. "Ásio-americanos deixaram as pessoas passarem por cima deles por causa de seu silêncio", escreveu um leitor do site ironicamente chamado Model Minority [Minoria-modelo]. Outros sentiram que os estudantes asiáticos não deveriam ser forçados a falar para se encaixar no modelo ocidental. "Talvez, em vez de tentar mudar o jeito deles, as universidades possam aprender a ouvir o som do silêncio", escreveu Heejung Kim, psicóloga cultural da Universidade de Stanford, em um artigo argumentando que falar nem sempre é um ato positivo.

Como é que asiáticos e ocidentais podem olhar para exatamente as mesmas interações em sala de aula e um grupo chamá-las de "participação em aula" e o outro de "dizer besteiras"? O *Journal of Research in Personality* publicou uma resposta para essa pergunta na forma de um mapa-múndi desenhado pelo pesquisador em psicologia Robert McCrae. O mapa de McCrae parece com algo que veríamos em um livro de geografia, mas é baseado, diz ele, "não na quantidade de chuva ou na densidade populacional, mas em níveis de traços de personalidade"; suas nuances de cinza-claro e cinza-escuro — claro para introversão, escuro para extroversão — revelam uma imagem "que é bem clara: a Ásia (...) é introvertida e a Europa, extrovertida". Se o mapa também incluísse os Estados Unidos, sua cor seria cinza-escuro. O povo norte-americano é um dos mais extrovertidos da Terra.

O mapa de McCrae parece ser um grande exercício de estereotipagem. Agrupar continentes inteiros pelo tipo de personalidade é um ato de generalização grosseira: é possível encontrar pessoas falantes na China continental com tanta facilidade quanto em Atlanta, Geórgia. O mapa também não conta as sutis diferenças culturais dentro de um país ou região. Pessoas em Pequim têm estilos diferentes daquelas em Xangai e ambas são diferentes ainda dos cidadãos de Seul ou Tóquio. Da mesma maneira, descrever asiáticos como uma "minoria-modelo" — mesmo quando isso é um elogio — é tão restritivo e condescendente quanto qualquer descrição que reduza indivíduos a um conjunto de características de grupo observadas. Talvez também seja problemático classificar Cupertino como uma incubadora de gênios acadêmicos, não importa o quanto isso possa soar lisonjeiro para alguns.

Mas apesar de eu não querer encorajar uma estereotipagem nacional ou étnica rígida, evitar completamente o tópico da diferença cultural e da introversão seria uma pena: há muitos aspectos da cultura e personalidade asiáticas com que o resto do mundo poderia e deveria aprender. Durante décadas, acadêmicos têm estudado diferenças culturais em traços de personalidade, especialmente entre Ocidente e Oriente e especialmente na dimensão da introversão e da extroversão, o par de traços que os psicólogos, que não concordam em praticamente nada quando a questão é catalogar a personalidade humana, acreditam ser notável e mensurável em todo o mundo.

Muito dessa pesquisa produziu os mesmos resultados dos mapas de McCrae. Por exemplo, um estudo comparando crianças entre oito e dez anos em Xangai e no sul de Ontário, no Canadá, descobriu que crianças tímidas e sensíveis eram renegadas por seus colegas no Canadá, mas tinham muitos colegas na China, onde também tendiam mais que outras crianças a serem consideradas líderes. As crianças chinesas que são sensíveis e reticentes também são chamadas de *dongshi* (compreensivas), um elogio comum.

Da mesma maneira, estudantes chineses de ensino médio disseram aos pesquisadores que preferem amigos que sejam "humildes" e "altruístas", "honestos" e "trabalhadores", enquanto os estudantes norte-americanos procuram os "alegres", "entusiasmados" e "sociáveis". "O contraste é impressionante", escreve Michael Harris Bond, psicólogo especializado em cruzamentos culturais cujo foco é a China. "Os norte-americanos enfatizam a sociabilidade e valorizam os atributos que fazem uma associação fácil e animada. Os chineses enfatizam atributos mais profundos, focando em virtudes morais e nas conquistas."

Outro estudo pediu a alunos ásio-americanos e euro-americanos para pensar alto ao resolver problemas de lógica e descobriu que os asiáticos se davam muito melhor quando se permitia que ficassem quietos, se comparados aos caucasianos, que se davam bem ao vocalizar a resolução de problemas.

Esses resultados não surpreendem ninguém familiarizado com as atitudes tradicionais na Ásia em relação à palavra falada: falar é para comunicar informações que seja necessário saber; quietude e introspecção são sinais de pensamento profundo e maior verdade. Palavras são armas potencialmente perigosas que revelam coisas que seria melhor não dizer. Elas ferem outras pessoas e podem causar problemas ao seu locutor. Considere, por exemplo, estes provérbios do Oriente:

*O vento uiva, mas a montanha permanece parada.*
— Provérbio japonês

*Aqueles que sabem não falam.*
*Aqueles que falam não sabem.*
— Lao Zi, *The Way of Lao Zi* [O caminho de Lao Zi]

*Apesar de eu não fazer nenhuma tentativa em especial para observar a disciplina do silêncio, viver sozinho me faz automaticamente abster-me dos pecados do discurso.*
— Kamo No Chomei, recluso japonês do século XII

E compare com estes provérbios do Ocidente:

*Seja um artesão do discurso e será forte, pois a força de alguém é a língua, e o discurso é mais poderoso do que qualquer luta.*
— Máximas de Ptah-hotep, 2.400 a.C.

*O discurso é a própria civilização. A palavra, até mesmo a mais contraditória, preserva o contato — é o silêncio que isola.*
— Thomas Mann, *A montanha mágica*

*Quem não chora não mama.*
— Provérbio popular

O que está por trás dessas atitudes radicalmente diferentes? Uma resposta é a difundida reverência à educação entre os asiáticos, especialmente aqueles do "Cinturão de Confúcio", países como a China, o Japão, a Coreia e o Vietnã. Até hoje, alguns vilarejos chineses dispõem de estátuas de estudantes que passaram no penoso exame *jinshi* da era da dinastia Ming, centenas de anos atrás. É muito mais fácil alcançar esse tipo de distinção se — como alguns dos jovens de Cupertino — você passar o verão estudando.

Outra explicação é a identidade de grupo. Muitas culturas asiáticas são voltadas para equipes, mas não da mesma forma que os ocidentais pensam em equipes. Os indivíduos na Ásia veem-se como parte de um grande todo — seja a família, a corporação ou a comunidade — e dão um tremendo valor à harmonia dentro do grupo. Muitas vezes subordinam seus próprios desejos aos interesses do grupo, aceitando seu lugar na hierarquia.

A cultura ocidental, ao contrário, é organizada em torno do indivíduo. Nos vemos como unidades contidas em si mesmas; nosso destino é expressarmo-nos, seguir nossa felicidade, libertarmo-nos de restrições indevidas, conquistar algo que nós, sozinhos, fomos trazidos ao mundo para fazer. Podemos ser sociáveis, mas não nos submetemos à vontade do grupo, ou pelo menos não gostamos de pensar que fazemos isso. Amamos e respeitamos nossos pais, mas freamos diante de noções como devoção filial, com suas implicações de subordinação e restrição. Quando nos reunimos com outras pessoas, fazemos isso como unidades autônomas divertindo-se com, competindo com, destacando-se de, disputando posições com, e sim, amando outras unidades autônomas. Até o Deus ocidental é assertivo, vocal e dominante; seu filho, Jesus, é gentil e terno, mas também um carismático homem de influência que agrada ao público (pense no musical *Jesus Cristo Superstar*).

Dessa forma, faz sentido que os ocidentais valorizem a ousadia e as habilidades verbais, traços que promovem a individualidade, enquanto asiáticos prezam a quietude, a humildade e a sensibilidade, que nutrem a coesão do grupo. Se você vive em grupos, então as coisas correrão muito mais tranquilamente se você agir com reserva, até mesmo submissão.

Essa preferência foi vividamente demonstrada por um recente estudo de ressonância magnética no qual pesquisadores mostraram a dezessete norte-americanos e dezessete japoneses figuras de homens em posição de dominância (braços cruzados, músculos protuberantes, pés firmemente plantados no chão) e em posição de subordinação (ombros caídos, mãos entrelaçadas protegendo a virilha, pernas apertadas uma contra a outra). Eles descobriram que as imagens dominantes ativavam centros de prazer do cérebro de norte-americanos, enquanto as imagens dos submissos faziam o mesmo com os japoneses.

De uma perspectiva ocidental, pode ser difícil ver o que é tão atraente em submeter-se à vontade dos outros. Mas o que parece submissão a um ocidental pode parecer educação básica para muitos asiáticos. Don Chen, o estudante sino-americano da Harvard Business School que você conheceu no capítulo 2, contou-me sobre a época em que dividiu um apartamento com um grupo de amigos asiáticos e com um amigo íntimo caucasiano, um cara gentil e calmo que Don achou que iria se adaptar.

Os conflitos começaram quando o amigo caucasiano percebeu os pratos empilhando-se na pia da cozinha e pediu para seus colegas de apartamento asiáticos fazerem sua parte da limpeza. Não foi uma reclamação sem razão, diz Don, e seu amigo achou que tinha verbalizado o pedido com educação e respeito. Mas os colegas de apartamento asiáticos viam diferente. Para eles, o colega soara duro e raivoso. Um asiático naquela situação seria mais cuidadoso com seu tom de voz, disse Don. Ele verbalizaria seu desprazer na forma de uma pergunta, não como um pedido ou uma ordem. Ou sequer o verbalizaria. Não valeria a pena chatear o grupo por uma pilha de pratos sujos.

O que parece deferência asiática aos ocidentais é, na verdade, em outras palavras, uma profunda preocupação com a sensibilidade dos outros. Como observa o psicólogo Harris Bond, "apenas aqueles que vêm de uma tradição explícita rotulariam o modo de discurso [asiático] como 'automodéstia'. Dentro dessa tradição indireta, pode ser rotulado como 'honra ao relacionamento'". E a honra ao relacionamento leva a uma dinâmica social que pode parecer notável de uma perspectiva ocidental.

É por causa dessa honra ao relacionamento que, por exemplo, o transtorno da ansiedade social no Japão, conhecido como *taijin kyofusho*, não tem a forma da preocupação excessiva em passar vergonha, como nos Estados Unidos, mas de envergonhar os outros. É por causa da honra ao relacionamento que monges budistas tibetanos encontram paz interior (e altíssimos níveis de felicidade, como mostram imagens escaneadas de seus cérebros) ao meditar calmamente em comiseração. E é por causa da honra ao relacionamento que as vítimas de Hiroshima pediram desculpas umas às outras por sobreviverem. "Sua civilidade foi bem noticiada, mas pouco se falou de sua humanidade", escreve a ensaísta Lydia Millet. "'Desculpe-me', disse um deles, fazendo uma reverência, com a pele do braço descascando. 'Me arrependo por estar vivo e o seu bebê não.' 'Sinto muito', disse outro sinceramente, com os lábios inchados do tamanho de uma laranja, ao falar com uma criança chorando ao lado de sua mãe morta. 'Sinto muito por não ter sido levado em vez dela.'"

Apesar de a honra ao relacionamento oriental ser bela e admirável, o respeito ocidental pela liberdade individual, a autoexpressão e o destino pessoal também é. O ponto é que uma não é superior à outra, mas há uma profunda diferença entre os valores culturais que tem um poderoso impacto nos tipos de personalidade favorecidos por cada cultura. No Ocidente, incorremos no Ideal da Extroversão, enquanto em grande parte da Ásia (pelo menos antes da ocidentalização de várias décadas), o silêncio vale ouro. Essas perspectivas diferentes afetam detalhes como o que dizemos a nossos colegas de apartamento quando os pratos se empilham na pia — e o que não dizemos em uma aula na universidade.

Além disso, nos dizem que o Ideal da Extroversão não é tão sacrossanto quanto pensamos. Então se, no fundo, você estiver pensando que é natural que os ousados e sociáveis dominem os reservados e sensíveis e que o Ideal da Extroversão é inato na humanidade, o mapa da personalidade de Robert McCrae sugere uma verdade diferente: que cada jeito de ser — quieto ou falante, cuidadoso ou audacioso, inibido ou desinibido — é característico de sua própria e poderosa civilização.

Ironicamente, algumas das pessoas que mais tiveram problemas em se ater a essa verdade foram os jovens ásio-americanos de Cupertino. Uma vez que emergem da adolescência e deixam sua cidade natal, encontram um mundo em que falar alto e claro são como o ingresso para a popularidade e o sucesso financeiro. Eles passam a viver com uma dupla consciência — parte asiática e parte norte-americana —, com cada lado questionando o outro. Mike Wei, o aluno do último ano do ensino médio que me disse que prefere estudar a socializar, é um perfeito exemplo dessa ambivalência. Quando nos encontramos pela primeira vez, ele ainda estava na escola, aninhado no casulo de Cupertino. "Como colocamos muita ênfase na educação", disse Mike na época, referindo-se aos asiáticos em geral, "socializar não é uma grande parte de nossa personalidade".

Quando encontrei com Mike no outono seguinte, em seu primeiro ano em Stanford, a apenas vinte minutos de carro de Cupertino, mas a um mundo de distância em termos populacionais, ele pareceu inquieto. Nós nos encontramos em um café ao ar livre e nos sentamos perto de um grupo de estudantes atletas que irrompia regularmente em risadas. Mike assentiu para os atletas, todos brancos. Caucasianos, diz ele, parecem ter "menos medo de que outras pessoas digam que são barulhentos ou burros demais". Mike ficou frustrado com a superficialidade das conversas da hora do jantar e as "besteiras" que muitas vezes substituíam a participação em seminários de calouros. Ele passava a maior parte do seu tempo livre com outros asiáticos, em parte porque tinham "o mesmo nível de sociabilidade" que ele. Os não asiáticos tendem a fazê-lo se sentir como se "precisasse estar alegre ou excitado, mesmo que isso não seja verdade".

"Meu alojamento tem mais quatro asiáticos, entre cinquenta jovens", diz ele. "Então me sinto mais confortável perto deles. Tem esse garoto chamado Brian e ele é bem quieto. Posso dizer que ele é meio tímido, o que é uma qualidade asiática, e me sinto confortável perto dele por essa razão. Eu sinto que posso ser eu mesmo perto dele. Não preciso fazer algo só para parecer legal, enquanto perto de um grande grupo de pessoas que não são asiáticas ou que simplesmente são barulhentas, tenho a impressão de que é necessário interpretar um papel."

Mike parecia indiferente aos estilos de comunicação ocidentais, mas admitia que às vezes desejava ser barulhento e desinibido. "Eles ficam mais confortáveis com seu próprio caráter", diz ele sobre seus colegas de turma caucasianos. Asiáticos "não ficam desconfortáveis com quem são, mas ficam desconfortáveis em *expressar* quem são. Em um grupo, sempre há pressão para ser sociável. Quando eles não alcançam isso, é possível ver em seus rostos".

Mike contou-me sobre um trote de integração de calouros de que ele participara, uma caça ao tesouro em San Francisco, que deveria encorajar os estudantes a sair de sua zona de conforto. Mike era o único asiático colocado em um grupo arruaceiro, em que alguns dos participantes andaram nus por uma rua de San Francisco e se vestiram de mulher em uma loja de departamentos durante a caça. Uma garota entrou na vitrine da loja de lingerie Victoria's Secret e tirou a roupa até ficar de calcinha e sutiã. Quando Mike contava esses detalhes, pensei que ele fosse me dizer que seu grupo tivesse sido excessivo, inapropriado. Mas ele não criticava os outros alunos. Ele criticava a si mesmo.

"Quando as pessoas fazem coisas assim, há um momento em que me sinto desconfortável. Isso mostra os meus limites. Às vezes sinto que eles são melhores que eu."

Mike recebia mensagens similares de seus professores. Poucas semanas após o evento de orientação, seu conselheiro de calouros — um professor da faculdade de medicina de Stanford — convidou um grupo de alunos a sua casa. Mike esperava causar uma boa impressão, mas não conseguia pensar em nada para dizer. Os outros alunos pareciam não ter problemas em brincar e fazer perguntas inteligentes. "Mike, você falou muito hoje", brincou seu professor na hora de se despedirem. "Você me impressionou." Ele deixou a casa sentindo-se mal consigo mesmo. "As pessoas que não falam são vistas como fracas ou deficientes", concluiu ele, com pesar.

Para dizer a verdade, esses sentimentos não eram totalmente novos para Mike. Ele experimentara seus lampejos no ensino médio. Cupertino pode ter a ética mais confuciana de quietude, estudo e honra ao relacionamento, mas também está sujeita aos costumes do Ideal da Extroversão. Numa tarde de semana, no shopping local, garotos ásio-americanos arrogantes com cabelos espetados provocam garotas de blusas de alcinha, entediadas e sarcásticas. Num sábado de manhã, na biblioteca, alguns adolescentes estudam atenciosamente nos cantos, mas outros reúnem-se em mesas barulhentas. Poucos dos jovens ásio-americanos com quem falei em Cupertino queriam identificar-se com a palavra "introvertido", mesmo se de fato se descrevessem dessa forma. Enquanto são profundamente comprometidos com os valores de seus pais, eles parecem dividir o mundo entre asiáticos "tradicionais" e "celebridades". Os tradicionais mantêm a cabeça baixa e fazem seu dever de casa. As celebridades vão bem academicamente, mas também brincam na aula, desafiam os professores e se fazem notar.

Muitos estudantes tentam deliberadamente ser mais sociáveis que seus pais, diz Mike. "Eles acham que seus pais são quietos demais e tentam compensar exageradamente sendo sociáveis e exibidos." Alguns dos pais também começaram a mudar seus valores. "Os pais asiáticos estão começando a ver que não compensa ser quieto, então encorajam seus filhos a tomar parte no discurso e debater", diz Mike. "Nosso programa de discursos e debates era o segundo maior da Califórnia, dando aos jovens a exposição necessária para falar alto e convincentemente."

Ainda assim, quando encontrei Mike pela primeira vez em Cupertino, sua impressão de si mesmo e seus valores estava intacta. Ele sabia que não era uma das celebridades asiáticas — ele se dava nota 4 em uma escala de popularidade de 1 a 10 —, mas parecia confortável consigo mesmo. "Eu prefiro estar com pessoas cujas personalidades sejam mais autênticas", disse ele na época, "e isso me leva ao encontro de pessoas mais quietas. É difícil ser animado quando estamos ao mesmo tempo tentando ser inteligentes".

De fato, provavelmente Mike teve sorte em desfrutar do casulo de Cupertino por tanto tempo. Jovens ásio-americanos que crescem em comunidades mais tipicamente norte-americanas muitas vezes enfrentam questões com as quais Mike se deparou como calouro em Stanford bem mais cedo na vida. Um estudo comparando euro-americanos e jovens sino-americanos da segunda geração de imigrantes durante um período de cinco anos descobriu que os últimos eram significativamente mais introvertidos do que seus colegas norte-americanos ao longo da adolescência. Enquanto sino-americanos introvertidos de doze anos sentiam-se perfeitamente bem em relação a si mesmos — provavelmente eles ainda se mediam de acordo com os sistemas de valores tradicionais de seus pais —, ao chegar aos dezessete anos e serem mais expostos ao Ideal da Extroversão norte-americano, sua visão de si mesmos afundara.

Para os jovens ásio-americanos, o custo de falhar ao se adaptar é a inquietação social. Mas quando crescem, eles podem pagar o preço com seus contracheques. O jornalista Nicholas Lemann certa vez entrevistou um grupo de ásio-americanos sobre o tema da meritocracia para seu livro *The Big Test* [O grande teste]. "Um sentimento que emerge com consistência", escreveu ele, "é que a meritocracia acaba no dia da formatura e que depois os asiáticos começam a ficar para trás porque não têm o estilo cultural correto para seguir adiante: são passivos demais, reservados demais".

Conheci muitos profissionais em Cupertino que estavam enfrentando essa questão. Uma dona de casa abastada confidenciou que todos os maridos de seu círculo social tinham aceitado empregos na China recentemente e que agora estavam na ponte aérea Cupertino-Xangai, em parte porque seus estilos quietos impediram que avançassem localmente. As empresas norte-americanas "pensam que eles não conseguem lidar com os negócios", disse ela, "por causa da apresentação. Nos negócios, você tem que juntar um monte de besteiras e apresentá-las. Meu marido sempre fala o necessário e para por aí. Quando olhamos para grandes empresas, quase nenhum dos principais executivos é asiático. Eles contratam alguém que não sabe nada sobre negócios, mas que pode fazer uma boa apresentação".

Um engenheiro de softwares disse-me quão negligenciado sentia-se no trabalho em comparação com outras pessoas, "especialmente as de origem europeia, que falavam sem pensar". Na China, disse ele, "se você for quieto, é visto como inteligente. Aqui é completamente diferente. Aqui as pessoas gostam de falar. Mesmo quando têm uma ideia não completamente madura, as pessoas falam. Se eu fosse mais comunicativo, meu trabalho seria muito mais reconhecido. Mesmo que o diretor goste de mim, ele ainda não sabe que fiz um trabalho tão maravilhoso".

O engenheiro confidenciou-me que passou por um treinamento em extroversão no estilo norte-americano com um professor taiwanês chamado Preston Ni. Na Foothill College, perto de Cupertino, Ni conduz um seminário de um dia chamado "Sucesso na comunicação para profissionais estrangeiros". A aula é anunciada on-line através de um grupo local chamado Silicon Valley SpeakUp Association, cuja missão é "ajudar profissionais estrangeiros a serem bem-sucedidos na vida através do desenvolvimento de habilidades sutis". ("Fale o que está na sua cabeça!", diz o site da organização. "Juntos todos conseguem conquistar mais na SVSpeakup.")

Curiosa em saber o que significa "falar o que está na sua cabeça" da perspectiva asiática, matriculei-me na aula, e algumas manhãs de sábado mais tarde me peguei sentada em uma sala de aula moderna e austera, com o sol do norte da Califórnia fluindo através de suas janelas envidraçadas. Havia cerca de quinze alunos ao todo, muitos de países asiáticos, mas também alguns do Leste Europeu e da América do Sul.

O professor Ni, um homem de aparência amigável vestindo um terno de estilo ocidental e uma gravata dourada com o desenho de uma cachoeira chinesa, e dono de um sorriso tímido, começou a aula com uma visão geral da cultura de negócios norte-americana. Nos Estados Unidos, alertou ele, você precisa tanto de estilo como de substância se quiser ser bem-sucedido. Isso pode não ser justo, e pode não ser a melhor forma de julgar a contribuição de uma pessoa com relação ao que realmente importa, "mas se você não tiver carisma, pode ser a pessoa mais brilhante do mundo e ainda assim será desrespeitado".

Isso é diferente de muitas outras culturas, disse Ni. Quando um líder comunista chinês faz um discurso, ele o lê, e não é num teleprompter, mas num papel. "Se ele é o líder, todos têm que escutar."

Ni pediu voluntários e trouxe Raj, um engenheiro de softwares indiano de vinte e poucos anos de uma das quinhentas empresas da lista da *Fortune*, à frente da sala. Raj vestia o uniforme casual do Vale do Silício, camisa de botão e calças de linho, mas sua linguagem corporal era defensiva. Ele estava de pé com os braços protetoramente cruzados diante do peito, batendo os pés no chão com suas botas de caminhada. Antes, naquele mesmo dia, quando fomos andando pela sala nos apresentando, ele nos disse, com uma voz trêmula de seu lugar na última fileira, que queria aprender "como conversar mais" e como "ser mais aberto".

Ni pediu a Raj para dizer à sala seus planos para o resto do fim de semana.

— Vou jantar com um amigo — respondeu Raj olhando fixamente para Ni, sua voz quase inaudível —, e talvez amanhã eu vá dar uma caminhada.

Ni pediu para ele tentar de novo.

— Vou jantar com um amigo — obedeceu Raj —, e depois (*murmúrio, murmúrio, murmúrio*), eu vou dar uma caminhada.

— Minha impressão sobre você — obedeceu gentilmente o professor Ni a Raj —, é que posso lhe dar muito trabalho para fazer, mas não tenho que prestar muita atenção em você. Lembre-se: no Vale do Silício, você pode ser a pessoa mais inteligente e mais capaz, mas se não souber se expressar além de mostrar seu trabalho, você não será devidamente apreciado. Muitos profissionais estrangeiros passam por isso: você é um trabalhador glorificado em vez de um líder.

A turma assentiu com empatia.

— Mas há um jeito de ser você mesmo — continuou Ni — e de deixar mais de você mesmo sair pela sua voz. Muitos asiáticos usam apenas poucos músculos ao falar. Então vamos começar respirando.

Com isso, ele orientou Raj a se deitar e vocalizar as cinco vogais. "A...E...U...O...I", entoou Raj, sua voz flutuando pela sala de aula. "A...E...U... O...I...A...E...U...O...I..."

Finalmente o professor Ni considerou Raj pronto para se levantar novamente.

— Agora, que coisas interessantes você planejou para depois da aula? — perguntou ele, batendo palmas para o encorajar.

— Hoje à noite vou jantar na casa de um amigo e amanhã vou caminhar com outro amigo. — A voz de Raj estava mais alta do que antes, e a turma aplaudiu com prazer.

O próprio professor é um modelo do que pode acontecer quando você trabalha naquilo. Depois da aula, visitei-o em seu escritório e ele me disse o quanto era tímido quando chegou aos Estados Unidos — como se colocava nas situações, como num acampamento de verão ou na escola de negócios, onde ele pôde praticar a extroversão até que ela viesse naturalmente. Hoje em dia ele é um bem-

-sucedido consultor com clientes que incluem o Yahoo!, a Visa e a Microsoft, ensinando algumas das habilidades que ele mesmo trabalhou para adquirir.

Mas quando ele começou a falar sobre conceitos asiáticos de "*soft power*" — o que Ni chama de liderança "pela água em vez de pelo fogo" —, comecei a ver um lado dele que ficava menos impressionado com os estilos ocidentais de comunicação. "Em culturas asiáticas", disse Ni, "muitas vezes há uma maneira sutil de conseguir o que você quer. Nem sempre é agressiva, mas pode ser muito determinada e habilidosa. No final, muito é conquistado por causa disso. O poder agressivo o abate, o poder suave, o *soft power*, faz você vencer".

Pedi ao professor exemplos da vida real desse poder suave e seus olhos brilharam enquanto ele me contava sobre clientes cuja força ficava em suas ideias e em seus corações. Muitas dessas pessoas eram organizadoras de grupos de funcionários — grupos de mulheres, grupos pela diversidade — que haviam conseguido reunir pessoas para sua causa através da convicção em vez de através do dinamismo. Ele falou também de grupos como o Mães contra o Álcool no Volante — conjuntos de pessoas que mudam vidas através do poder não do seu carisma, mas de seu cuidado. Suas habilidades de comunicação são suficientes para transmitir a mensagem que desejam, mas sua real força vem do conteúdo.

"A longo prazo", disse Ni, "se a ideia for boa, as pessoas mudam. Se a causa for justa e você puser seu coração nela, é quase uma lei universal: irá atrair pessoas que querem compartilhar sua causa. O *soft power* é a persistência silenciosa. As pessoas em que estou pensando são muito persistentes em suas interações no dia a dia, cara a cara. No devido tempo, acabam construindo uma equipe". O *soft power*, disse Ni, é exercido por pessoas que admiramos na história: Madre Teresa, Buda, Gandhi.

Fiquei impressionada quando Ni mencionou Gandhi. Eu pedira a quase todos os estudantes de Cupertino que encontrei para dizer o nome de um líder que admiravam e muitos citaram Gandhi. O que há nele que tanto os inspira?

De acordo com sua biografia, Gandhi era um homem essencialmente tímido e quieto. Quando criança, tinha medo de tudo: ladrões, fantasmas, cobras, escuro e, principalmente, outras pessoas. Ele se enterrava nos livros e corria da escola para casa assim que as aulas acabavam, por medo de ter que falar com alguém. Mesmo quando jovem, eleito pela primeira vez para uma posição de liderança como membro do comitê executivo da Sociedade Vegetariana, ele ia a todas as reuniões, mas era tímido demais para falar.

"Você fala comigo bastante bem", perguntou um dos membros, confuso, "mas por que nunca abre a boca em uma reunião do comitê? Você é um vagabundo". Quando ocorria uma disputa política no comitê, Gandhi tinha opiniões firmes, mas sentia medo demais de verbalizá-las. Ele escrevia seus pensamentos, com a intenção de lê-los em voz alta na reunião. Mas no fim das contas, ele sentia medo demais até para fazer isso.

Com o tempo, Gandhi aprendeu a administrar sua timidez, mas nunca a superou totalmente. Ele não conseguia falar de improviso; evitava fazer discursos sempre que possível. Mesmo em seus últimos anos, ele escreveu: "Eu não acho que conseguiria ou sequer estaria inclinado a manter um grupo de amigos engajado em uma conversa."

Mas junto com sua timidez, veio seu tipo único de força — uma forma de controle mais bem-compreendida ao se examinar partes pouco conhecidas da história de vida de Gandhi. Quando jovem, ele decidiu viajar para a Inglaterra para estudar direito contra os desejos dos líderes de sua casta, a Modhi Bania. Os membros da casta eram proibidos de comer carne, e os líderes acreditavam que o vegetarianismo era impossível na Inglaterra. Mas Gandhi já havia jurado a sua querida mãe que se absteria da carne, e não via perigo na viagem. Ele disse isso a Sheth, o chefe da comunidade.

— Você desprezará as ordens da casta? — perguntou Sheth.

— Não tenho escolha — respondeu Gandhi. — Acho que a casta não deveria interferir no assunto.

*Boom!* Ele fora excomungado — um julgamento que continuou válido até mesmo quando ele retornou da Inglaterra vários anos depois com a promessa de sucesso que acompanhava um jovem advogado fluente em inglês. A comunidade dividira-se sobre como lidar com ele. Um lado o acolhia, o outro queria expulsá-lo da casta. Isso significava que Gandhi não era autorizado a comer ou beber na casa de outros membros da casta, inclusive de sua própria irmã e de seus sogros.

Gandhi sabia que outro homem protestaria por readmissão. Mas ele não conseguia ver o porquê. Sabia que lutar apenas geraria retaliação. Em vez disso, ele seguiu os desejos de Sheth e manteve-se distante, até mesmo de sua família.

Sua irmã e outros parentes estavam preparados para abrigá-lo em segredo, mas ele recusou a oferta.

O resultado dessa condescendência? A casta não apenas parou de incomodá-lo, como seus membros — incluindo aqueles que o haviam excomungado — ajudaram-no mais tarde em seu trabalho político, sem esperar nada em troca. Eles o trataram com afeição e generosidade. "Essa é a minha convicção", escreveu Gandhi mais tarde, "de que todas essas coisas boas se devem à minha não resistência. Se eu tivesse promovido agitação para ser admitido na casta, se eu tivesse tentado dividi-la, se eu tivesse provocado os homens da casta, eles certamente teriam retaliado, e em vez de sair da tempestade eu teria, ao chegar da Inglaterra, me encontrado em um redemoinho de agitação".

Esse padrão — a decisão de aceitar o que outros homens desafiariam — ocorreu repetidas vezes na vida de Gandhi. Quando era um jovem advogado na África do Sul, ele se inscreveu para admissão na associação de advogados local. A Sociedade de Direito não queria membros indianos e tentou impedir sua inscrição pedindo-lhe o original de um certificado que estava arquivado na Suprema Corte de Bombaim, portanto inacessível. Gandhi ficou irado; ele sabia bem que a verdadeira razão para essas barreiras era a discriminação. Mas ele não demonstrou seus sentimentos. Em vez disso, negociou pacientemente até que a Sociedade de Direito concordou em aceitar um depoimento juramentado de um dignitário local.

Chegou o dia em que ele deveria prestar juramento, e a Justiça ordenou que ele retirasse o turbante. Foi aí que Gandhi viu suas verdadeiras limitações. Ele sabia que resistir naquele momento seria justificável, mas acreditava em escolher suas batalhas, então retirou o turbante. Seus amigos ficaram chateados. Disseram que ele era fraco, que deveria ter defendido suas crenças. Mas Gandhi sentiu que ele havia aprendido a "apreciar a beleza da concessão".

Se eu contasse essas histórias sem mencionar o nome de Gandhi e suas conquistas posteriores, você poderia enxergá-lo como um homem profundamente passivo. E no Ocidente, passividade é transgressão. Ser "passivo", de acordo com o dicionário, significa "ser subordinado a agentes externos". Também significa "submisso". O próprio Gandhi rejeitava o termo "resistência passiva", que ele associava à fraqueza, preferindo o termo *satyagraha*, que ele cunhou para expressar "firmeza na busca pela verdade".

Mas como sugere a palavra *satyagraha*, a passividade de Gandhi não significava fraqueza de forma alguma. Ela significava focar no principal objetivo e recusar-se a desperdiçar energia em conflitos desnecessários no processo. Gandhi acreditava que o controle era um de seus maiores patrimônios. E ele nascera de sua timidez:

> Formei naturalmente o hábito de controlar meus pensamentos. Uma palavra impensada dificilmente escapou da minha língua ou caneta. A experiência ensinou-me que o silêncio é parte da disciplina espiritual de um devoto da verdade. Encontramos várias pessoas impacientes para falar. Toda essa falação dificilmente pode trazer qualquer benefício para o mundo. É muita perda de tempo. Minha timidez tem sido na verdade meu abrigo e escudo. Ela me permitiu crescer. Ela me ajudou em meu discernimento da verdade.

O *soft power* não se limita a exemplos morais como o de Mahatma Gandhi. Considere, por exemplo, a tão alardeada excelência dos asiáticos em campos como a matemática e a ciência. O professor Ni define o *soft power* como uma "persistência silenciosa", e esse traço está no cerne da excelência acadêmica com tanta certeza quanto está nos triunfos políticos de Gandhi. Persistência silenciosa requer atenção contínua — na verdade, limitando a reação da pessoa a estímulos externos.

O exame TIMSS — sigla em inglês para tendências nos estudos internacionais de matemática e ciências — é um teste-padrão de matemática e ciências padrão aplicado a cada quatro anos em crianças pelo mundo todo. Após cada teste, os pesquisadores avaliam os resultados e comparam as performances de estudantes de diferentes países; países asiáticos como Coreia, Cingapura, Japão e Taiwan ficam constantemente no topo da lista. Por exemplo, em 1995, o primeiro ano em que o teste foi aplicado, Coreia, Cingapura e Japão tiveram a maior média do mundo em matemática e ficaram entre os quatro melhores em ciências entre estudantes da oitava série. Em 2007, quando pesquisadores mediram quantos estudantes em determinado país alcançaram o valor de referência internacional avançado — uma espécie de status de celebridade para estudantes de matemática —, eles descobriram que a maioria dos destaques estavam aglomerados em alguns poucos países asiáticos. Cerca de 40% dos alunos da quarta série em Cingapura e Hong Kong alcançaram ou ultrapassaram o valor de referência avançado, e cerca de 40% a 45% dos alunos de oitava série em Taiwan, Coreia e Cingapura atingiram o padrão. No mundo, a porcentagem média dos estudantes atingiram o valor de referência avançado foi de apenas 5% na quarta série e 2% na oitava série.

Como explicar esses sensacionais abismos entre a performance na Ásia e no resto do mundo? Considere este interessante aspecto do exame TIMSS. Pede-se que os estudantes que fazem o teste também respondam a uma tediosa série de questões sobre si mesmos, que vai desde o quanto gostam de ciências até se há livros suficientes em suas casas para rechear três ou mais estantes. Leva-se um longo tempo para completar o questionário, e como ele não conta para a nota final, muitos estudantes deixam questões em branco. Você teria que ser bastante persistente para responder a todas elas. No entanto, de acordo com um estudo do professor de educação Erling Boe, as nações cujos estudantes respondem mais o questionário também tendem a ter estudantes que vão bem no TIMSS. Em outras palavras, estudantes excelentes parecem não apenas possuir a capacidade cognitiva para resolver problemas de matemática e ciências, mas também possuem uma útil característica de personalidade: persistência silenciosa.

Outros estudos descobriram níveis raros de persistência até mesmo em crianças pequenas asiáticas. Por exemplo, a psicóloga especializada em cruzamentos culturais Priscilla Blinco deu a alunos japoneses e norte-americanos de primeira série um jogo sem solução no qual deveriam trabalhar sozinhos, sem a ajuda de outras crianças ou de um professor, e comparou quanto tempo elas tentavam até desistir. As crianças japonesas passavam uma média de 13,93 minutos no jogo antes de deixá-lo de lado, enquanto as crianças norte-americanas passavam apenas 9,47 minutos. Menos de 27% dos estudantes norte-americanos persistiam tanto quanto a média dos estudantes japoneses — e apenas 10% dos estudantes japoneses desistiam tão rápido quanto a média dos norte-americanos. Blinco atribui esses resultados à qualidade japonesa da persistência.

A persistência silenciosa mostrada por tantos asiáticos e ásio-americanos não se limita aos campos da matemática e das ciências. Muitos anos após minha primeira viagem a Cupertino, retomei contato com Tiffany Liao, a aluna prestes a ingressar na Swarthmore cujos pais a elogiavam por amar a leitura, mesmo em público, quando era pequena. Quando nos encontramos pela primeira vez, Tiffany era uma garota de dezessete anos com carinha de criança, rumo à faculdade. Ela me disse na época que estava empolgada para viajar para a Costa Leste e conhecer pessoas novas, mas que também temia viver em um lugar em que ninguém consumia chá borbulhante, uma bebida popular inventada em Taiwan.

Agora, Tiffany é uma viajada e sofisticada aluna do último ano da faculdade. Ela fez intercâmbio na Espanha. Assina suas mensagens com um toque europeu: "Abrazos, Tiffany". Em sua foto de perfil do Facebook, o visual infantil foi substituído por um sorriso ainda suave e amigável, mas também mais experiente.

Tiffany está no caminho para realizar seu sonho de se tornar jornalista, tendo acabado de ser eleita editora-chefe do jornal da faculdade. Ela ainda se descreve como tímida — sente uma onda de calor no rosto quando fala em público pela primeira vez ou atende o telefonema de um estranho —, mas fica mais confortável para falar em voz alta. Ela acredita que seus "traços quietos", como ela os chama, *ajudaram-na* a tornar-se editora-chefe. Para Tiffany, o *soft power* significa ouvir atentamente, tomar notas detalhadas e fazer uma pesquisa profunda sobre os personagens de suas entrevistas antes de encontrá-los pessoalmente. "Esse processo contribuiu para o meu sucesso como jornalista", escreveu ela para mim. Tiffany passara a aceitar o poder da quietude.

Quando encontrei pela primeira vez Mike Wei, o aluno de Stanford que queria ser tão desinibido quanto seus colegas de turma, ele disse que não existiam líderes quietos. "Como você pode fazer as pessoas saberem que tem uma convicção se ficar quieto?", perguntou ele. Eu o assegurei de que não era assim, mas Mike tinha tanta convicção a respeito da incapacidade de pessoas quietas com relação a isso que no fundo me perguntei se ele não tinha razão.

Mas isso foi antes de eu ouvir o Professor Ni falar sobre o estilo asiático de *soft power*, antes de eu ler sobre a *satyagraha* de Gandhi, antes de contemplar o futuro brilhante de Tiffany como jornalista. Convicção é convicção, ensinaram-me os garotos de Cupertino, qualquer que seja o decibel em que ela é expressa.

# Parte Quatro
## Como amar, como trabalhar

# 9
# Quando você deve agir com mais extroversão do que realmente tem?

*Um homem tem tantas personalidades sociais quanto existem grupos distintos de pessoas com cujas opiniões ele se importa. Ele geralmente mostra um lado diferente de si para cada um desses grupos.*

— William James

Conheça Brian Little, ex-professor de psicologia de Harvard e vencedor da 3M Teaching Fellowship, às vezes referido como o prêmio Nobel do ensino universitário. Baixo, robusto, de óculos e afetuoso, Little tem um vozeirão de barítono, o hábito de começar a cantar e rodopiar no palco e um jeito de ator das antigas de enfatizar as consoantes e alongar as vogais. Ele tem sido descrito como um cruzamento de Robin Williams com Albert Einstein, e quando faz uma piada que agrada o público, o que acontece muito, parece ainda mais satisfeito do que seus espectadores. Suas aulas em Harvard sempre tiveram excesso de inscrições e muitas vezes acabaram com salvas de palmas.

Por outro lado, o homem que estou prestes a descrever parece um tipo muito diferente: ele mora com a esposa em uma casa distante encravada em mais de cem hectares das remotas florestas canadenses, ocasionalmente recebe visitas de seus filhos e netos, mas em outros casos mantém-se reservado. Passa seu tempo livre orquestrando música, lendo e escrevendo livros e artigos e mandando longos e-mails para seus amigos que chama de "e-pístolas". Quando socializa, prefere encontros com apenas uma pessoa. Em festas, se une a alguém para conversas calmas assim que pode ou retira-se para "tomar um pouco de ar fresco".

Quando é forçado a passar muito tempo em público ou em qualquer situação que envolva conflito, ele muitas vezes fica doente.

Você se surpreenderia se eu dissesse que o professor vaudevileano e o recluso que prefere uma vida intelectual são o mesmo homem? Talvez não, se considerar que todos nos comportamos de maneiras diferentes dependendo da situação. Mas se somos capazes de tal flexibilidade, será que faz sentido mapear as diferenças entre introvertidos e extrovertidos? Será que a própria noção de introversão e extroversão também contém uma dicotomia: o introvertido como o sábio filósofo, o extrovertido como o líder destemido? O introvertido como o poeta ou nerd, o extrovertido como o atleta ou líder de torcida? Será que todos não somos um pouco de ambos?

Os psicólogos chamam isso de debate "pessoa-situação": será que traços de personalidade fixos realmente existem ou eles mudam de acordo com a situação na qual as pessoas se encontram? Se você falar com o professor Little, ele dirá que, apesar de sua persona pública e de seus prêmios de ensino, ele é um introvertido puro, não apenas em seu comportamento, mas também em sua constituição neurofisiológica (ele fez o teste do suco de limão que descrevi no capítulo 4 e salivou instantaneamente). Isso poderia colocá-lo diretamente no lado "pessoa" do debate: Little acredita que traços de personalidade existem, e que eles moldam nossa vida de maneira profunda, que são baseados em mecanismos fisiológicos, sendo relativamente estáveis durante toda a vida. Aqueles que defendem essa visão apoiam-se em boa companhia: Hipócrates, Milton, Schopenhauer, Jung e, mais recentemente, nos profetas das máquinas de ressonância magnética e dos testes de condutibilidade da pele.

Do outro lado do debate está um grupo de psicólogos chamados situacionistas. O situacionismo postula que nossas generalizações sobre pessoas, incluindo as palavras que usamos para descrever uns aos outros — tímido, agressivo, observador, agradável —, são enganadoras. Não há um eu essencial; há apenas os vários "eus" das situações X, Y e Z. A visão situacionista ganhou proeminência em 1968, quando o psicólogo Walter Mischel publicou *Personality and Assessment* [Personalidade e avaliação], desafiando a ideia de traços de personalidade fixos. Mischel argumentava que fatores situacionais preveem o comportamento de pessoas como Brian Little muito melhor do que supostos traços de personalidade.

Nas décadas seguintes, o situacionismo prevaleceu. A visão pós-moderna do eu que emergiu nessa época, influenciada por teóricos como Erving Goffman, autor de *A representação do eu na vida cotidiana*, sugeria que a vida social é performance e que máscaras sociais são nossa verdadeira essência. Muitos pesquisadores duvidaram que traços de personalidade sequer existissem em qualquer sentido significativo. Pesquisadores de personalidade tiveram problemas em achar emprego.

Mas assim como o debate natureza-criação foi substituído pelo interacionismo — a ideia de que ambos os fatores contribuem para o que somos e que na verdade influenciam um ao outro —, o debate pessoa-situação tem sido substituído por uma compreensão com mais nuances. Os psicólogos da personalidade reconhecem que podemos nos sentir sociáveis às seis da tarde e solitários às dez da noite, e que essas flutuações são reais e dependem da situação. Mas eles também enfatizam a quantidade de evidências que surgiram para apoiar a premissa de que, apesar dessas variações, há realmente uma personalidade fixa.

Hoje em dia, até Mischel admite que traços de personalidade existem, mas ele acredita que tendem a ocorrer em padrões. Por exemplo, algumas pessoas são agressivas com colegas e subordinados, mas dóceis com figuras de autoridade; outras são o contrário. Pessoas "sensíveis à rejeição" são calorosas e afetuosas quando se sentem seguras, mas hostis e controladoras quando se sentem rejeitadas.

No entanto, essa concessão confortável levanta uma variação no problema do livre-arbítrio que exploramos no capítulo 5. Sabemos que há limites fisiológicos para quem somos e como devemos agir. Mas devemos tentar manipular nosso comportamento dentro do campo disponível para nós ou devemos simplesmente ser verdadeiros para conosco? Em que ponto controlar nosso comportamento torna-se fútil ou cansativo?

Se você for um introvertido no mundo dos negócios nos Estados Unidos, deve tentar guardar seu verdadeiro eu para fins de semana calmos e gastar seus dias de semana lutando para "se abrir, se misturar, falar mais frequentemente e se conectar com sua equipe e com outros, empregando toda a energia e personalidade que puder", como aconselhou Jack Welch em sua coluna na *BusinessWeek* on-line? Se você for um universitário extrovertido, deve guardar seu verdadeiro eu para fins de semana de farra e passar os dias de semana se concentrando nos estudos? As pessoas podem *regular* suas personalidades desse jeito?

A única boa resposta que ouvi para essas perguntas veio de Brian Little.

Na manhã de 12 de outubro de 1979, Little visitou a Royal Military College Saint-Jean, próxima ao rio Richelieu, a quarenta quilômetros de Montreal, para falar a um grupo de militares graduados. Como se esperaria de um introvertido, ele se preparara bem para o discurso, não apenas ensaiando seus comentários, mas também se assegurando de que poderia citar sua última pesquisa. Mesmo enquanto dava sua palestra, ele estava no que chama de modo introvertido clássico, constantemente passando os olhos pela sala à procura de sinais de desagrado na plateia e fazendo ajustes quando necessário — uma referência estatística aqui, um pouco de humor ali.

A palestra foi um sucesso (tanto que foi chamado a fazê-la todo ano). Mas o convite seguinte da faculdade horrorizou-o: juntar-se à cúpula para um almoço. Little tinha que dar outra palestra à tarde, e sabia que conversar trivialidades por uma hora e meia acabaria com ele. Ele precisava recarregar as baterias para a performance da tarde.

Pensando rápido, ele anunciou que era apaixonado por navios e perguntou a seus anfitriões se em vez do almoço podia usar a oportunidade da visita para admirar os barcos navegando pelo rio Richelieu. Ele então passou sua hora de almoço caminhando para cima e para baixo à beira do rio com uma expressão contemplativa no rosto.

Durante anos, Little retornou à escola para dar palestras, e durante anos, na hora do almoço, caminhou às margens do rio Richelieu alimentando seu hobby imaginário — até o dia em que a escola mudou o campus para um local longe do rio. Sem sua história como justificativa, o professor Little lançou mão da única escapatória que conseguiu encontrar — o banheiro masculino. Depois de cada palestra, ele corria para o banheiro e se escondia em uma cabine. Certa vez, um militar viu os sapatos de Little debaixo da porta e começou uma conversa entusiástica, então ele passou a manter os pés no alto, apoiados nas paredes do banheiro, onde não poderiam ser vistos. (Abrigar-se em banheiros é um fenômeno surpreendentemente comum, como você provavelmente sabe se é um introvertido. "Depois da palestra, estarei na cabine número nove", disse Little certa vez a Peter Gzowski, um dos mais eminentes apresentadores de talk shows do Canadá. "Depois do programa, estarei na cabine número oito", respondeu Gzowski, sem perder a piada.)

Você pode se perguntar como um grande introvertido como o professor Little consegue falar em público de forma tão eficaz. A resposta, diz ele, é simples, e tem a ver com um novo ramo da psicologia que ele criou sozinho, chamado teoria do traço livre. Little acredita que traços fixos e traços livres coexistem. De acordo com a teoria, nascemos e somos culturalmente imbuídos de certos traços de personalidade — a introversão, por exemplo —, mas podemos e realmente agimos fora desses caracteres a serviço "de projetos pessoais essenciais".

Em outras palavras, introvertidos são capazes de agir como extrovertidos pelo bem de um trabalho que considerem importante, de pessoas que amem ou de qualquer coisa a que deem um alto valor. A teoria do traço livre explica por que um introvertido pode dar uma festa surpresa para sua esposa extrovertida ou se juntar à associação de pais e alunos da escola de sua filha. Ela explica como é possível que um cientista extrovertido aja com reserva em seu laboratório ou que uma pessoa agradável aja com dureza em uma negociação de trabalho ou que um tio rabugento trate sua sobrinha com ternura quando a leva para tomar sorvete. Como esses exemplos sugerem, a teoria do traço livre aplica-se a muitos contextos diferentes, mas é especialmente relevante para introvertidos vivendo sob o Ideal da Extroversão.

De acordo com Little, nossas vidas melhoram radicalmente quando estamos envolvidos em projetos pessoais essenciais que consideramos significativos, administráveis e não excessivamente estressantes, e que são apoiados por outros. Quando alguém nos pergunta "Como vão as coisas?", podemos dar uma resposta qualquer, mas nossa verdadeira resposta está vinculada a quão bem nossos projetos pessoais essenciais estão indo.

É por isso que Little, um introvertido assumido, dá palestras com tanta paixão. Como um Sócrates dos dias modernos, ele ama profundamente seus alunos; abrir suas mentes e cuidar de seu bem-estar são dois de seus projetos pessoais essenciais. Quando Little passava horas de trabalho em seu escritório em Harvard, os alunos enfileiravam-se no corredor como se alguém estivesse distribuindo ingressos grátis para um show de rock. Por mais de vinte anos, seus alunos pediram-lhe várias centenas de cartas de recomendação *por ano*. "Brian

Little é o mais cativante, divertido e zeloso professor que já conheci", escreveu um de seus alunos. "Não posso sequer começar a explicar as incontáveis maneiras pelas quais ele afetou positivamente minha vida." Então, para Brian Little, o esforço adicional necessário para ampliar seus limites naturais é justificado por ver seu projeto pessoal essencial — inflamar todas aquelas mentes — dar frutos.

À primeira vista, a teoria do traço livre parece ir contra uma estimada característica de nossa herança cultural. O conselho frequentemente citado de Shakespeare, "Seja verdadeiro para si mesmo", corre em nosso DNA filosófico. Muitos de nós se sentem desconfortáveis com a ideia de adotar uma "falsa" persona por qualquer período de tempo. E se agimos de forma diferente do nosso caráter ao convencer a nós mesmos de que nosso falso eu é real, no fim das contas podemos nos esgotar sem nem saber por quê. A genialidade da teoria de Little é o quão claramente ela resolve esse desconforto. Sim, estamos apenas fingindo ser extrovertidos e, sim, tal falta de autenticidade pode ser moralmente ambígua (para não dizer exaustiva), mas se é a serviço do amor ou de um chamado profissional, então estamos fazendo o que Shakespeare aconselhou.

Quando as pessoas sabem adotar traços livres, pode ser difícil acreditar que estejam agindo fora de seu caráter. Os alunos de Little geralmente ficam incrédulos quando ele clama ser um introvertido. Mas Little está longe de ser o único; muitas pessoas, principalmente aquelas em posições de liderança, adotam um certo nível de extroversão fingida. Considere, por exemplo, meu amigo Alex, diretor de uma empresa de serviços financeiros, experiente na socialização, que aceitou dar uma entrevista franca sob a condição de que o anonimato fosse mantido. Alex me disse que a extroversão fingida foi algo que ensinou a si mesmo na sétima série, quando decidiu que alguns colegas estavam tirando vantagem dele.

"Eu era a pessoa mais legal que você já quisera conhecer", lembra Alex, "mas o mundo não era assim. O problema é que, se você fosse apenas uma boa pessoa, você seria subjugado. Recusei-me a levar uma vida em que as pessoas poderiam fazer isso comigo. Eu pensei: 'Ok, o que a política daqui recomenda?' E só havia uma coisa, realmente. Eu precisava dominar as pessoas. Se eu quisesse ser uma pessoa legal, teria que controlar a escola".

Mas como chegar de A a B? "Estudei a dinâmica social, garanto que mais do que qualquer um que você conheça", disse Alex. Ele observou a maneira como as pessoas falavam, a maneira como andavam — principalmente posições de dominação masculina. Ajustou sua própria persona, o que permitiu que continuasse sendo um garoto fundamentalmente doce e tímido, mas sem que os outros tirassem vantagem dele. "Diante de qualquer situação difícil em que poderia ser subjugado, eu dizia para mim mesmo: 'Preciso aprender a fazer isso.' Então agora estou moldado para a guerra. Porque assim as pessoas não ferram você."

Alex também tirou vantagem de suas forças naturais. "Aprendi que garotos basicamente só fazem uma coisa: eles caçam meninas. Eles as conquistam, eles as perdem, eles falam sobre elas. Eu pensei: 'Isso é complicado. Eu realmente *gosto* de meninas.' É daí que vem a intimidade. Então em vez de sentar e *falar* sobre meninas, eu passei a conhecê-las. Usei os relacionamentos com meninas, mais a habilidade em esportes, para dominar meus colegas da escola. Ah, e de vez em quando você tem que bater em alguém. Eu também fiz isso."

Atualmente Alex tem um comportamento informal, afável, relaxado. Nunca o vi de mau humor. Mas você verá seu lado belicoso se tentar chateá-lo em uma negociação. E verá seu eu introvertido se tentar marcar um jantar com ele.

"Eu poderia passar anos sem ter nenhum amigo a não ser minha esposa e meus filhos", diz ele. "Olhe para nós. Você é uma das minhas melhores amigas e quantas vezes nós nos falamos — quando você me liga! Eu não gosto de socializar. Meu sonho é viver da terra em um terreno de quatrocentos hectares com a minha família. Você nunca verá um grupo de amigos nesse sonho. Por isso, não importa o que você veja na minha persona pública, eu sou um introvertido. Eu penso que fundamentalmente sou a mesma pessoa que sempre fui. Extremamente tímido, mas compenso isso."

Mas quantos de nós somos capazes de agir fora do caráter a esse ponto — colocar de lado, por um momento, a questão de se realmente queremos isso?

O professor Little é um grande *performer*, assim como muitos presidentes de empresas. E o resto de nós?

Alguns anos atrás, um psicólogo e pesquisador chamado Richard Lippa partiu em busca da resposta a essa questão. Ele chamou um grupo de introvertidos a seu laboratório e pediu a eles para agirem como extrovertidos ao fingirem dar uma aula de matemática. Então ele e sua equipe, câmeras na mão, mediram a extensão de seus passos, a quantidade de contato visual que faziam com seus "alunos", o percentual de tempo que gastavam falando, o ritmo e o volume de sua voz, e a duração total de cada sessão. Também avaliaram o quão extrovertidos no geral pareciam seus objetos de estudo, baseados em suas vozes gravadas e na linguagem corporal.

Então Lippa fez o mesmo com extrovertidos de verdade e comparou os resultados. Ele descobriu que apesar de o último grupo ter parecido muito mais extrovertido, alguns dos pseudoextrovertidos eram surpreendentemente convincentes. Parece que a maioria de nós sabe fingir até certo ponto. Quer estejamos cientes, quer não, de que a extensão de nossos passos e a quantidade de tempo que gastamos falando e sorrindo marcam-nos como introvertidos ou extrovertidos, sabemos disso inconscientemente.

Mesmo assim, há um limite para o quanto podemos controlar nossa própria apresentação. Isso ocorre em parte por causa de um fenômeno chamado vazamento comportamental, no qual nosso verdadeiro eu goteja através da linguagem corporal inconsciente: um sutil desvio de olhar quando um extrovertido teria feito contato visual ou uma habilidosa virada na conversa de um palestrante que coloca o fardo da fala sobre o público quando um orador extrovertido teria falado por mais tempo.

Como é que alguns dos pseudoextrovertidos de Lippa chegaram tão perto da pontuação dos *verdadeiros* extrovertidos? Acontece que os introvertidos que eram especialmente bons em agir como extrovertidos tendiam a pontuar alto em um traço que os psicólogos chamam de "automonitoramento". Quem pratica isso tem grande habilidade para mudar de comportamento de acordo com as demandas sociais da situação. Eles procuram por pistas que lhes indiquem como agir. Quando em Roma, faça como os romanos, de acordo com o psicólogo Mark Snyder, autor de *Public Appearances, Private Realities* [Aparências públicas, realidades privadas] e criador da escala de automonitoramento.

Um dos automonitoradores mais eficientes que já conheci é um homem chamado Edgar, uma figura bem conhecida e muito querida no circuito social de Nova

York. Ele e sua esposa organizam ou vão a eventos beneficentes e coisas do gênero quase toda noite. Ele é uma espécie de *enfant terrible* cujas últimas travessuras são um dos tópicos de conversa favoritos. Mas Edgar é um introvertido declarado. "Prefiro sentar e ler e pensar sobre coisas do que falar com pessoas", diz ele.

Mas mesmo assim, ele fala com as pessoas. Edgar foi criado em uma família altamente sociável que esperava que ele se automonitorasse, e ele se motivou a isso. "Adoro política", diz ele, "adoro diplomacia, adoro fazer as coisas acontecerem, quero mudar o mundo do meu jeito. Então faço coisas que são artificiais. Eu não gosto realmente de ser um convidado na festa de outra pessoa, porque nessas ocasiões preciso ser divertido. Mas dou festas, pois isso me coloca no centro das coisas sem precisar agir como uma pessoa realmente sociável".

Quando de fato vai a festas de outras pessoas, Edgar se esforça ao máximo para desempenhar seu papel. "Durante toda a faculdade, e até mesmo recentemente, antes de ir a um jantar ou a uma festa, fazia um cartão com entre três e cinco anedotas relevantes e divertidas. Elas surgem ao longo do dia — se algo me ocorresse, eu anotava. Então, no jantar, espero por uma deixa e as lanço. Às vezes eu tinha que ir ao banheiro e pegar meus cartões para me lembrar das historinhas."

Mas, com o tempo, Edgar parou de levar cartões a jantares. Ele ainda se considera um introvertido, mas entrou tão profundamente em seu papel de extrovertido que contar anedotas passou a ser algo que ocorre naturalmente a ele. De fato, os que mais se automonitoram tendem a ser bons em produzir o efeito e a emoção desejados em dada situação social — eles também se sentem menos estressados ao fazer isso.

Diferentemente dos Edgars do mundo, automonitoradores esporádicos baseiam seu comportamento no próprio compasso interior. Eles possuem um repertório menor de comportamentos e máscaras sociais à disposição. São menos sensíveis a pistas situacionais, como quantas anedotas espera-se que você conte em um jantar, e são menos interessados em desempenhar papéis, mesmo quando sabem quais são as pistas. É como se automonitoradores esporádicos (AME) e automonitoradores constantes (AMC) atuassem para públicos diferentes, disse Snyder: um interior e outro exterior.

Se quer saber com que frequência você é um automonitorador, aqui vão algumas perguntas da escala de automonitoramento de Snyder:

1. Quando está incerto sobre como agir em uma situação social, você observa o comportamento dos outros em busca de pistas?

2. Você frequentemente pede conselhos de amigos para escolher livros, filmes, música?
3. Em situações diferentes e com pessoas diferentes, você age de formas diferentes com frequência?
4. Você acha fácil imitar outras pessoas?
5. Você consegue olhar alguém nos olhos e dizer uma mentira com a cara limpa se for por uma boa causa?
6. Você já enganou pessoas sendo amigável quando na verdade não gostava delas?
7. Você faz um show para impressionar ou divertir as pessoas?
8. Às vezes os outros acham que você está sentindo emoções mais profundas do que realmente está?

Uma maior quantidade de "sim" a essas questões corresponde a uma grande frequência com que você se automonitora.

Agora faça as seguintes perguntas a si mesmo:

1. O seu comportamento geralmente é a expressão de seus verdadeiros sentimentos, atitudes e crenças interiores?
2. Você acha que só consegue defender ideias nas quais realmente acredita?
3. Você se recusaria a mudar sua opinião, ou o jeito como faz as coisas, para agradar alguém ou receber um favor?
4. Você tende a não gostar de jogos como charadas ou atuações de improviso?
5. Você tem dificuldade em mudar de comportamento para se adaptar a pessoas diferentes e situações diferentes?

Uma maior quantidade de "sim" a essas questões corresponde a uma menor frequência com que você se automonitora.

Quando o professor Little apresentou o conceito de automonitoramento em suas aulas de psicologia da personalidade, alguns alunos ficaram muito preocupados sobre se era ético ser um automonitorador frequente. Alguns casais "mistos" — AMEs e AMCs apaixonados — chegaram até a terminar por isso, segundo informações que ele recebeu. Para automonitoradores frequentes, automonitoradores esporádicos podem parecer rígidos e socialmente estranhos. Para automonitoradores esporádicos, automonitoradores frequentes podem parecer conformistas e enganadores — "mais pragmáticos do que escrupulosos", nas palavras de Mark Snyder. De fato, descobriu-se que AMCs mentem melhor que AMEs, o que parece apoiar a instância moral tomada por automonitoradores esporádicos.

Mas Little, um homem ético e simpático que é também um automonitorador de grande frequência, vê as coisas de um jeito diferente. Ele vê o automonitoramento como um ato de modéstia. É uma questão de se acomodar às normas situacionais, mais do que "destruir tudo para se adaptar às necessidades e preocupações de outra pessoa". Nem todo automonitoramento é baseado na atuação, disse ele, ou em socializar. Uma versão mais introvertida do automonitoramento pode ser menos focada em procurar a luz dos holofotes e mais em evitar passos sociais em falso. Quando Little faz um ótimo discurso, é em parte pelo fato de que ele está automonitorando cada momento, constantemente checando seu público para sinais sutis de prazer ou tédio e ajustando sua apresentação às necessidades deste.

Então, se você consegue *fingir*, se domina as habilidades da atuação, a atenção a nuances sociais e a vontade de se submeter às normas sociais que o automonitoramento requer, será que você *deve*? A resposta é que uma estratégia de traços livres pode ser efetiva se usada com cautela, mas desastrosa se usada em excesso.

Recentemente falei em um painel na Harvard Law School. A ocasião era o 55º aniversário da admissão de mulheres naquela escola. Alunos de todo o país reuniram-se no campus para celebrar. O tema do painel era "Em uma voz diferente: estratégias para uma autoapresentação poderosa". Havia quatro palestrantes: uma advogada civil e criminal, uma juíza, uma treinadora de discursos e eu. Preparei meus comentários cuidadosamente; eu sabia o papel que queria desempenhar.

A treinadora de discursos foi a primeira. Ela falou o quanto dar uma palestra estressa as pessoas. A juíza, que era coreano-americana, falou do quão frustrante era quando as pessoas presumiam que todos os asiáticos eram quietos e estudiosos, quando na verdade ela era sociável e assertiva. A advogada, que era pequena, loira e muito resoluta, falou de quando conduzira um interrogatório e foi advertida pelo juiz: "Vá devagar, tigresa!"

Quando chegou a minha vez, dirigi meus comentários às mulheres do público que não se viam como tigresas, criadoras de mitos ou nocauteadoras. Disse que a capacidade de negociar não era inata, como cabelos loiros ou dentes perfeitos, e que ela não pertence exclusivamente aos esmurradores de mesa do mundo. Eu disse a elas que qualquer um pode ser um grande negociador, e que na verdade muitas vezes compensa ser quieto e gracioso, ouvir mais do que falar, ter um instinto voltado para a harmonia em vez de para o conflito. Com esse estilo, você pode agir de forma agressiva sem inflamar o ego de seu interlocutor. E ao escutar, você pode aprender o que realmente está motivando a pessoa com quem você está negociando e surgir com soluções criativas que satisfaçam ambas as partes.

Também compartilhei alguns truques psicológicos para sentir-se calmo e seguro em situações intimidadoras, como prestar atenção em como seu rosto e seu corpo se mostram quando você está se sentindo genuinamente confiante, e adotar essas mesmas posições quando chega a hora de fingir. Estudos provaram que executar gestos simples — como sorrir — faz com que nos sintamos mais fortes e mais felizes, enquanto franzir a sobrancelha faz com que nos sintamos piores.

Naturalmente, quando o painel acabou e os membros do público vieram falar com os palestrantes, foram as introvertidas e pseudoextrovertidas que vieram falar comigo. Duas dessas mulheres destacam-se na minha memória.

A primeira foi Alison, uma advogada. Ela era magra e estava meticulosamente arrumada, mas seu rosto parecia pálido, contraído, infeliz. Ela fora advogada no mesmo escritório de direito corporativo por mais de uma década. Agora estava candidatando-se a vagas de conselheira-geral em várias companhias, o que parecia o próximo passo lógico, exceto pelo fato de ela não querer isso de verdade. E, com certeza, ela não tinha recebido nenhuma proposta de emprego. Com a força de suas credenciais, ela avançava para a última rodada de entrevistas e era rejeitada no último minuto. E sabia por quê, pois o *headhunter* que coordenava suas entrevistas dera a mesma resposta todas as vezes: ela não tinha a personalidade certa para o trabalho. Alison, que se descrevia como uma pessoa introvertida, parecia aflita ao relatar seu último julgamento condenatório.

A segunda ex-aluna, Jillian, tinha um alto cargo em uma empresa de advocacia ambiental que ela amava. Jillian parecia gentil, alegre, pé no chão. Ela tinha sorte em passar tanto de seu tempo pesquisando e escrevendo documentos sobre tópicos com que se importava. No entanto, às vezes ela tinha que encabeçar reuniões e fazer apresentações. Mesmo sentindo uma profunda satisfação após essas reuniões, ela não gostava da luz dos holofotes e queria meus conselhos para se manter calma quando se sentia assustada.

Então, qual é a diferença entre Alison e Jillian? Ambas eram pseudoextrovertidas e pode-se dizer que Alison tentava e falhava enquanto Jillian era bem-sucedida. Mas o problema de Alison era que na verdade ela estava atuando fora de seu caráter a serviço de um projeto com o qual não se importava. Ela não amava o direito. Escolhera ser uma advogada de Wall Street porque parecia ser isso o que advogados poderosos e bem-sucedidos faziam, então sua pseudoextroversão não se apoiava em valores mais profundos. Ela não estava dizendo a si mesma: *estou fazendo isso para avançar num trabalho com o qual me importo profundamente, e quando o trabalho estiver feito vou voltar ao meu verdadeiro eu.* Em vez disso, seu monólogo interior era: *o caminho para o sucesso é ser o tipo de pessoa que não sou.* Isso não é automonitoramento; é autonegação. Enquanto Jillian atua fora de seu caráter pelo bem de tarefas válidas que temporariamente requerem uma orientação diferente, Alison acredita que há algo de errado com quem ela é.

No fim, nem sempre é tão fácil identificar nossos projetos pessoais essenciais. E isso pode ser difícil principalmente para os introvertidos, que passam tanto de suas vidas agindo de acordo com normas extrovertidas que, ao chegar a hora de escolher uma carreira, ou uma vocação, parece perfeitamente normal ignorar as próprias preferências. Eles podem se sentir desconfortáveis na faculdade de direito e de enfermagem ou no departamento de marketing, mas não mais do que se sentiam no colégio ou na colônia de férias.

Eu também já estive nessa posição um dia. Eu gostava de direito corporativo e me convenci durante algum tempo de que aquela era a minha vocação. Eu queria muito acreditar nisso, já que investira anos na faculdade de direito, em treinamento no trabalho e muito do direito de Wall Street era atraente. Meus colegas eram intelectuais, gentis e atenciosos (a maioria). Eu tinha um bom salário. Tinha um escritório no 42º andar de um arranha-céu com vista para a Estátua da Liberdade. Eu gostava da ideia de que poderia desabrochar em um ambiente tão poderoso. E eu era muito boa em fazer as perguntas com "mas" e "e se" que são centrais para os processos de pensamento da maioria dos advogados.

Levei quase uma década para entender que o direito nunca fora meu projeto pessoal, nem chegava perto disso. Hoje posso dizer sem hesitar o que é: meu marido e meus filhos, escrever, promover os valores deste livro. Quando percebi isso, tive que fazer uma mudança. Olho para os anos que passei como advogada de Wall Street como um tempo passado em um país estrangeiro. Foi interessante, foi empolgante, e conheci muitas pessoas interessantes que nunca teria conhecido de outra maneira. Mas eu sempre fui uma expatriada.

Tendo passado tanto tempo direcionando a transição da minha própria carreira e aconselhando os outros na deles, descobri que há três passos-chave para identificar seus projetos pessoais essenciais.

Primeiro, pense no que você gostava quando era criança. Como você respondia à pergunta sobre o que queria ser quando crescesse? A resposta específica que você deu pode parecer absurda, mas o impulso por trás dela não era. Se você queria ser bombeiro, o que isso significava para você? Um homem bom que resgatava pessoas em dificuldades? Um homem intrépido? Ou era o simples prazer de dirigir um caminhão? Se você queria ser bailarina, era porque poderia usar uma roupa especial ou porque desejava aplausos, ou era a pura alegria de rodopiar à velocidade da luz? Pode ser que soubesse mais sobre você naquela época do que sabe agora.

Segundo, preste atenção ao trabalho para o qual você tende a ser atraído. No escritório de advocacia de que fazia parte, eu nunca me voluntariei para pegar um caso corporativo extra, mas passei muito tempo fazendo trabalho *pro bono* para uma ONG de liderança feminina. Também participei de vários comitês dedicados à consultoria, ao treinamento e ao desenvolvimento pessoal de jovens advogados do escritório. Agora, como você provavelmente pôde perceber neste livro, não sou o tipo que gosta de comitês. Mas os objetivos daqueles comitês me empolgavam, então era isso que eu fazia.

Finalmente, preste atenção ao que você inveja. A inveja é um sentimento feio, mas ele diz a verdade. Você inveja mais aqueles que têm o que você deseja. Conheci minha inveja depois de encontrar alguns ex-colegas da faculdade de direito e de compararmos observações sobre a carreira de ex-alunos. Eles falavam com admiração e, sim, com inveja de um colega que trabalhava regularmente sob a jurisdição da Suprema Corte. Num primeiro momento, senti-me crítica. Mais poder a esse colega!, pensei, parabenizando-me pela magnanimidade. Então percebi que minha magnanimidade não tinha muito valor, pois eu não desejava defender um caso na Suprema Corte, ou nenhum dos outros prêmios da vida de advogada. Quando me perguntei quem eu *realmente* invejava, a resposta veio instantaneamente: meus ex-colegas que haviam se tornado escritores ou psicólogos. Hoje estou em busca da minha própria versão desses dois papéis.

Mas mesmo que você esteja se esforçando em razão de um projeto pessoal essencial, você não vai querer agir de forma muito diferente da sua personalidade, ou por muito tempo. Lembra-se das idas do professor Little ao banheiro entre os discursos? Aquelas sessões de esconde-esconde nos dizem, paradoxalmente, que a melhor maneira de se comportar fora do caráter é permanecer fiel a si mesmo o máximo possível — comece criando tantos "nichos restauradores" quanto puder em seu dia a dia.

"Nicho restaurador" é o termo de Little para o lugar ao qual você pode ir quando quiser retornar ao seu verdadeiro eu. Pode ser um local físico, como as margens do rio Richelieu, ou temporal, como as pausas silenciosas que você planeja fazer entre as ligações de vendas. Pode significar cancelar seus planos sociais para o fim de semana antes de uma reunião importante no trabalho, praticar ioga ou meditação ou escolher se comunicar por e-mail em vez de pessoalmente. (Mesmo as senhoras vitorianas, cujo trabalho era estar disponível aos amigos e à família, podiam se retirar para descansar toda tarde.)

Você escolhe um nicho restaurador quando fecha a porta de seu escritório privado (se tiver a sorte de ter um) entre reuniões. Você pode até criar um nicho restaurador *durante* uma reunião, escolhendo cuidadosamente onde vai se sentar e como e quando participará. Em sua autobiografia, *In an Uncertain World* [Num mundo incerto], Robert Rubin, secretário do Tesouro do presidente Clinton, descreve como ele "sempre gostava de ficar longe do centro, fosse no Salão Oval ou no escritório do chefe de gabinete, onde seu lugar usual se tornou a cadeira que ficava na cabeceira da mesa. Aquela pequena distância física era mais confortável para mim e permitia-me 'ler' o que se passava na sala e comentar de uma perspectiva um pouquinho recuada. Não me preocupava em passar despercebido. Não importa o quão distante você está sentado ou parado de pé, sempre era possível dizer: 'Senhor presidente, eu acho isso, aquilo ou aquilo outro.'"

Estaríamos todos em melhor situação se, antes de aceitar um novo emprego, avaliássemos a presença ou ausência de nichos restauradores com tanto cuidado quanto consideramos a política de licenças ou plano de saúde. Introvertidos deveriam perguntar a si mesmos: este emprego irá me permitir passar tempo em atividades dentro do meu caráter, como por exemplo ler, desenvolver estratégias, escrever e pesquisar? Terei um espaço de trabalho privado ou estarei sujeito às constantes demandas de um escritório aberto? Se o trabalho não me der nichos restauradores suficientes, terei tempo o bastante à noite e nos fins de semana para garanti-los a mim mesmo?

Extrovertidos também vão querer procurar por nichos restauradores. O trabalho envolverá falar, viajar e conhecer pessoas novas? O espaço do escritório será estimulante o suficiente? Se o trabalho não for perfeito, os horários serão flexíveis o bastante para que eu possa me soltar depois do expediente? Considere com cuidado a descrição do trabalho. Uma mulher altamente extrovertida que entrevistei estava empolgada com um cargo de "organizadora comunitária", em um site para pais, até que se deu conta de que ficaria sentada sozinha atrás de um computador das nove às cinco.

Às vezes as pessoas encontram nichos restauradores nas profissões que menos esperaríamos. Uma de minhas antigas colegas de faculdade é uma advogada civil que passa a maior parte de seu tempo em plena solidão, pesquisando e escrevendo resumos legais. Como a maioria de seus casos é resolvida, ela vai ao tribunal tão raramente que não se importa em exercitar suas habilidades de pseudoextroversão quando precisa. Uma assistente administrativa introvertida que entrevistei transformou sua experiência em escritórios em um negócio de internet em que pode trabalhar de casa, e que serve como fórum e serviço de treinamento para "assistentes virtuais". E no próximo capítulo conheceremos um astro das vendas que quebrou o recorde desse setor em sua empresa ano após ano ao insistir em permanecer fiel ao seu próprio eu introvertido. Essas três pessoas pegaram áreas tipicamente extrovertidas e as reinventaram à sua própria imagem, e assim agem de acordo com seu caráter a maior parte do tempo, transformando seus dias de trabalho em um gigante nicho restaurador.

Nem sempre é fácil encontrar nichos restauradores. Você pode querer ler calmamente perto da lareira nas noites de sábado, mas se sua esposa quiser que você passe essas noites com um grande círculo de amigos, o que fazer? Você pode querer se retirar para o oásis do seu escritório particular entre ligações de vendas, mas e se a sua empresa tiver acabado de se mudar para um escritório aberto? Se você planeja exercitar traços livres, precisará da ajuda de amigos, família e colegas. É por isso que o professor Little convoca, com grande paixão, todos nós a entrar em um "acordo do traço livre".

Essa é a parte final da teoria do traço livre. Um acordo do traço livre reconhece que todos vamos agir fora de nosso caráter às vezes — em troca de sermos nós mesmos o restante do tempo. Um acordo do traço livre ocorre quando uma esposa que quer sair todo sábado à noite e um marido que quer relaxar perto da lareira fazem uma agenda: *metade das vezes nós sairemos, metade das vezes ficaremos em casa*. Um acordo do traço livre é feito quando você vai ao chá de panela, à festa de noivado e à despedida de solteira de sua melhor amiga extrovertida, mas ela entende quando você deixa de ir às atividades de grupo dos três dias anteriores ao casamento.

Geralmente, é possível negociar acordos do traço livre com amigos e namorados, a quem você quer agradar e que amam o seu verdadeiro caráter. No ambiente de trabalho é um pouco complicado, já que a maioria das empresas ainda não pensa nesses termos. Por enquanto, você pode precisar agir indiretamente. A conselheira de carreiras Shoya Zichy contou-me a história de um de seus clientes, uma analista financeira introvertida que trabalhava em um ambiente onde estava ou se apresentando a clientes ou falando com colegas que constantemente entravam e saíam de seu escritório. Ela estava tão desgastada que planejava deixar o emprego — até que Zichy sugeriu que ela negociasse um tempo de descanso.

Ela trabalhava para um banco de Wall Street, que não tem uma cultura que conduza a uma discussão franca sobre as necessidades dos altamente introvertidos. Então pensou cuidadosamente em como apresentar seu pedido. Ela disse ao chefe que a própria natureza do trabalho — análise estratégica — requeria um tempo de descanso para que pudesse se concentrar. Ao tratar seu caso empiricamente, ficou mais fácil pedir o que ela necessitava em termos psicológicos: dois dias na semana para trabalhar de casa. Seu chefe disse sim.

Mas a pessoa com quem você melhor pode negociar um acordo do traço livre — depois de vencer sua resistência — é você mesmo.

Digamos que você seja solteiro. Você não gosta de bares, mas deseja intimidade, e quer estar em uma relação duradoura na qual possa compartilhar noites aconchegantes e longas conversas com seu parceiro e um pequeno círculo de amigos. Para atingir esse objetivo, você faz um acordo consigo mesmo de que vai se esforçar para ir a eventos, porque essa é a única maneira de encontrar um par, e reduzir o número de reuniões a que irá a longo prazo. Mas enquanto você persegue esse objetivo, só irá a quantos eventos puder suportar sem desconforto. Você decidirá com antecedência qual será a regularidade — uma vez por semana, uma vez por mês, uma vez a cada três meses. E quando tiver atingido essa cota, ganhará o direito de ficar em casa sem se sentir culpado.

Ou talvez você sempre tenha sonhado em construir sua própria pequena empresa e trabalhar em casa para passar mais tempo com seu cônjuge e filhos. Como você precisará fazer uma rede de contatos, então colocará em prática o seguinte acordo do traço livre consigo mesmo: toda semana, participar de um evento com esse fim. Em cada um, você terá pelo menos uma conversa pessoal (já que isso é mais fácil para você do que lidar com um público) e entrará em contato com seu interlocutor no dia seguinte. Depois disso, poderá voltar para casa e não se sentir mal quando recusar outras oportunidades de fazer contatos que apareçam.

O professor Little sabe muito bem o que acontece quando você não faz um acordo do traço livre consigo mesmo. Fora as idas ocasionais ao rio Richelieu ou ao banheiro, ele já seguiu uma agenda em que combinava os elementos da introversão e da extroversão que requerem mais energia. Do lado extrovertido, seus dias consistiam num contínuo de palestras, encontros com alunos, monitoramento de grupos de discussão de estudantes e redação de todas aquelas cartas de recomendação. Do lado introvertido, ele levava essas responsabilidades muito a sério.

"Uma maneira de ver isso", afirma ele agora, "é dizer que eu estava fortemente engajado em comportamentos extrovertidos, mas é claro que, se eu fosse realmente extrovertido, teria feito cartas de recomendação muito objetivas e com menos nuances, não teria investido tempo na preparação de seminários, e os eventos sociais não teriam me sugado". Ele também sofria de uma certa quantidade do que ele chama de "confusão reputacional", assim ele se tornou conhecido pela efervescência exagerada, e a reputação alimentava-se de si mesma. Essa era a persona que os outros conheciam, então era essa a persona que ele se sentia obrigado a apresentar.

Naturalmente, Little começou a se sentir desgastado, não apenas mentalmente, mas também fisicamente. Não importa. Ele amava seus alunos, amava sua área, amava aquilo tudo. Até o dia em que acabou em um consultório médico com um caso de pneumonia dupla que ele estivera ocupado demais para notar. Sua esposa o arrastara até ali contra a sua vontade, o que foi bom. De acordo com os médicos, se ela tivesse esperado muito mais, ele teria morrido.

Uma pneumonia dupla e uma vida com excesso de tarefas podem acontecer a qualquer um, é claro, mas para Little aquilo era o resultado de agir fora de seu caráter durante muito tempo e sem nichos restauradores suficientes. Quando sua consciência o impele a fazer mais coisas do que pode aguentar, você começa a perder o interesse, mesmo em tarefas nas quais você normalmente se engajaria. Você também pode pôr em risco sua saúde física. "Trabalho emocional", que é o esforço que fazemos para controlar e mudar nossas emoções, é associado ao estresse, ao desgaste e mesmo a sintomas físicos como o aumento de doenças cardiovasculares. Little acredita que agir por muito tempo fora de seu caráter pode também aumentar a atividade do sistema nervoso autônomo, o que pode, por sua vez, comprometer o sistema imunológico.

Um estudo digno de atenção sugere que aqueles que reprimem emoções negativas tendem a extravasá-las mais tarde de maneiras inesperadas. A psicóloga Judith Grob pediu a algumas pessoas que escondessem suas emoções enquanto ela mostrava imagens nojentas. Ela até mesmo pediu que segurassem canetas com a boca para evitar que fizessem caretas. Ela descobriu que o grupo dos que escondiam as emoções relatava sentir-se menos enojado pelas imagens do que aquele a que se permitira reagir naturalmente. Mais tarde, no entanto, as pessoas que esconderam suas reações sofreram efeitos colaterais. Sua memória fora prejudicada e as emoções que haviam sido reprimidas pareciam preencher seus pensamentos. Quando Grob pedira que completassem a letra que faltava na palavra "gr_ss", por exemplo, elas tendiam mais do que as outras a escrever "gross", nojento, do que "grass", grama. "As pessoas que tendem a [suprimir suas emoções negativas] regularmente", conclui Grob, "podem começar a ver o mundo de uma perspectiva mais negativa".

É por isso que hoje em dia Little está em modo de recuperação, aposentado da vida universitária e deleitando-se na companhia da esposa em sua casa no interior do Canadá. Little diz que a esposa, Sue Phillips, diretora da escola de políticas públicas e administração da Universidade de Carleton, é tão parecida com ele que eles não precisam de um acordo do traço livre para governar seu relacionamento. Mas seu acordo do traço livre *consigo mesmo* faz com que ele desempenhe seus "deveres acadêmicos e profissionais restantes com refinamento", mas sem "ficar fora por mais tempo do que o necessário".

Então ele vai para casa e aconchega-se perto da lareira com Sue.

# 10
# O abismo da comunicação

## Como falar com membros do tipo oposto

*O encontro entre duas personalidades é como o contato entre duas substâncias químicas; se houver alguma reação, ambas são transformadas.*

— Carl Jung

Se introvertidos e extrovertidos são o norte e o sul do temperamento — pontos opostos de um único espectro —, então como é possível que eles se entendam? No entanto, os dois tipos são frequentemente atraídos um pelo outro — na amizade, nos negócios e especialmente no romance. Esses casais podem desfrutar de grande atração e admiração mútua, a sensação de que um completa o outro. Um tende a escutar, o outro, a falar; um é sensível à beleza, mas também às contrariedades, enquanto o outro passa seus dias despreocupadamente; um paga as contas e o outro organiza a brincadeira das crianças. Mas isso também pode causar problemas quando os membros dessas uniões vão em direções opostas.

Greg e Emily são um exemplo de casal introvertido-extrovertido que amam e enlouquecem um ao outro na mesma medida. Greg, que acabou de fazer trinta anos, tem um andar decidido, uma mecha escura de cabelo sempre caindo sobre os olhos e um sorriso fácil. A maioria das pessoas o descreveria como sociável. Emily, uma moça madura de 27 anos, é tão contida quanto Greg é expansivo. Graciosa e de fala mansa, ela mantém seus cabelos ruivos presos em um coque, e muitas vezes não fita diretamente as pessoas.

Greg e Emily complementam um ao outro com perfeição. Sem Greg, Emily poderia se esquecer de sair de casa, a não ser para ir trabalhar. Mas sem Emily, Greg iria se sentir — paradoxalmente para uma criatura tão sociável — sozinho.

Antes de eles se conhecerem, a maioria das namoradas de Greg foi extrovertida. Ele diz que gostou daqueles relacionamentos, mas nunca chegou a conhecer bem suas namoradas, pois estavam sempre "planejando como estar com grupos de pessoas". Ele fala sobre Emily com uma doce reverência, como se ela tivesse acesso a um estado mais profundo do ser. Também a descreve como a "âncora" em volta da qual seu mundo gira.

Emily, por sua vez, adora a natureza efervescente de Greg; ele a faz sentir-se feliz e viva. Ela sempre se sentiu atraída por extrovertidos, que, segundo ela, "fazem todo o trabalho das conversas. Para eles, isso não dá trabalho algum".

O problema é que durante a maior parte dos cinco anos em que estão juntos, Greg e Emily vêm tendo uma ou outra versão da mesma briga. Greg, um promotor de shows com um grande círculo de amigos, quer dar jantares todas as sextas-feiras — encontros casuais e animados com vários pratos de macarrão e garrafas de vinho. Ele dá jantares às sextas desde o último ano da faculdade, e isso se tornou o ponto alto de sua semana e uma parte querida de sua identidade.

Emily passou a temer esses eventos semanais. Advogada de um museu de arte que trabalha duro e uma pessoa muito reservada, a última coisa que ela quer fazer quando chega em casa do trabalho é divertir os outros. Sua ideia de um perfeito começo de fim de semana é uma noite calma no cinema, apenas ela e Greg.

Esta parece uma diferença irreconciliável: Greg quer 52 festas por ano, Emily quer nenhuma.

Greg diz que Emily deveria esforçar-se mais. Ele a acusa de ser antissocial. "Eu *sou* sociável", diz ela. "Eu amo você, amo minha família, amo meus amigos íntimos. Eu só não amo jantares festivos. As pessoas não se *relacionam* realmente nessas festas — elas apenas *socializam*. Você tem sorte, pois devoto toda a minha energia a você. Você distribui a sua a todo mundo."

Mas logo Emily recua, em parte porque detesta brigar, mas também porque duvida de si mesma. *Talvez eu* seja *antissocial*, pensa ela. *Talvez tenha algo de errado comigo*. Quando ela e Greg discutem por causa disso, as memórias da infância vêm à sua mente: como a escola era mais difícil para ela do que para sua irmã mais nova, emocionalmente mais forte; como ela parecia se preocupar mais do que as outras pessoas com temas sociais, como a melhor forma de dizer não quando alguém lhe convidava para fazer algo depois da escola e ela preferia ficar em casa. Emily tinha muitos amigos —, ela sempre tivera talento para a amizade —, mas nunca saía em bandos.

Emily sugeriu um compromisso: e se Greg desse os jantares quando ela estivesse fora da cidade visitando sua irmã? Mas Greg não queria fazer isso sozinho. Ele ama Emily e quer estar com ela, assim como todos quando passam a conhecê-la. Então por que Emily se distancia?

Para Greg, essa questão é mais do que uma mera irritação. Ficar sozinho para ele é uma espécie de kryptonita: faz com que ele se sinta fraco. Ele ansiara por uma vida a dois de aventuras compartilhadas. Imaginara que ser um casal estaria no centro de tudo. E ele nunca admitiu isso para si mesmo, mas para ele, estar casado significava nunca ter que ficar sozinho. Mas agora Emily estava dizendo que ele deveria socializar sem ela. Ele sente como se ela estivesse se retirando de uma parte fundamental do seu contrato conjugal. E ele acredita que de fato há algo errado com sua esposa.

*Há algo de errado comigo?* Não surpreende que Emily se faça essa pergunta ou que Greg dirija essa cobrança contra ela. Provavelmente o mais comum — e danoso — mal-entendido sobre tipos de personalidade é o de que introvertidos são antissociais e extrovertidos são pró-sociais. Mas vimos que nenhuma dessas formulações é correta; introvertidos e extrovertidos são sociais *de formas diferentes*. O que os psicólogos chamam de "necessidade de intimidade" está presente tanto em introvertidos quanto em extrovertidos. Na verdade, pessoas que dão um grande valor à intimidade não tendem a ser, como o ilustre psicólogo David Buss coloca, "o extrovertido barulhento, sociável e festeiro". A maior tendência é que eles sejam alguém com um seleto grupo de amigos próximos, que preferem "conversas sinceras e significativas a festanças". A maior tendência é que sejam pessoas como Emily.

Da mesma forma, extrovertidos não procuram necessariamente proximidade na socialização. "Extrovertidos parecem precisar de pessoas como um fórum para preencher suas necessidades de impacto social, assim como um general precisa de soldados para preencher sua necessidade de liderança", disse o psicólogo William Graziano. "Quando extrovertidos chegam a uma festa, todos sabem que eles estão presentes."

Seu grau de extroversão parece influenciar quantos amigos você tem, mas não o quanto você é um bom amigo. Em um estudo com 132 alunos da Universidade Humboldt de Berlim, os psicólogos Jens Aspendorf e Susanne Wilpers procuraram entender o efeito dos diferentes traços de personalidade nas relações dos estudantes com seus colegas e suas famílias. Eles se concentraram nos chamados Cinco Grandes Traços: introversão-extroversão; disposição a ser agradável, abertura à experiência, consciência e estabilidade emocional. (Muitos psicólogos da personalidade acreditam que a personalidade humana pode ser resumida por essas cinco características.)

Aspendorf e Wilpers previram que os estudantes extrovertidos teriam mais facilidade em fazer amizades que os introvertidos, e isso se confirmou. Mas se os introvertidos fossem realmente antissociais e os extrovertidos, pró-sociais, então seria de se supor que os alunos com as relações mais harmoniosas também fossem os de maior extroversão. E esse definitivamente não foi o caso. Em vez disso, os estudantes cujos relacionamentos eram mais livres de conflitos tinham maiores graus de disposição a serem agradáveis. Pessoas agradáveis são ternas, incentivadoras e amorosas; os psicólogos da personalidade descobriram que se elas forem colocadas na frente da tela de um computador com palavras, focarão mais tempo que as outras em termos como *cuidado*, *apoio* e *ajuda*, e por menos tempo em termos como *rapto*, *violação* e *assédio*. Introvertidos e extrovertidos têm a mesma tendência a serem agradáveis; não há correlação entre a extroversão e essa disposição. Isso explica por que muitos extrovertidos adoram o estímulo de socializar, mas não se dão particularmente bem com aqueles mais próximos.

Isso também explica por que alguns introvertidos — como Emily, cujo talento para a amizade sugere que ela é do tipo altamente agradável — esbanjam atenção a seus amigos íntimos e família, mas não gostam de banalidades. Então quando Greg rotula Emily de "antissocial", ele está errado. Emily cuida do seu casamento do modo que se espera de um introvertido agradável, fazendo de Greg o centro de seu universo social.

A não ser quando ela não o faz. Emily tem um trabalho exigente e às vezes quando chega em casa à noite tem pouca energia. Ela está sempre feliz em ver Greg, mas às vezes prefere sentar-se ao lado dele e ler em vez de sair para jantar ou ter uma conversa animada. Simplesmente estar na companhia dele já basta. Para Emily, isso é perfeitamente natural, mas Greg sente-se ferido pelo fato de ela fazer um esforço por seus colegas, mas não por ele.

Essa era uma dinâmica dolorosamente comum nos casais introvertidos-extrovertidos que entrevistei: os introvertidos desejando desesperadamente um momento de descanso e a compreensão de seus parceiros, os extrovertidos querendo companhia e ressentindo-se porque os outros pareciam se beneficiar do "melhor" de seus parceiros.

Pode ser difícil para os extrovertidos entenderem o quanto os introvertidos precisam recarregar no final de um dia agitado. Todos nós simpatizamos com um cônjuge que não dormiu o suficiente e que chega em casa depois do trabalho cansado demais para conversar, mas é mais difícil entender que o excesso de estímulo social pode ser igualmente exaustivo.

Também é difícil para os introvertidos entenderem o quanto seu silêncio pode ser doloroso. Entrevistei uma mulher chamada Sarah, uma animada e dinâmica professora de inglês do ensino médio que é casada com Bob, um introvertido reitor de faculdade de direito que passa seus dias angariando fundos e chega morto em casa. Sarah chorou de frustração e solidão quando me contou sobre seu casamento.

"Quando está no trabalho, ele é incrivelmente cativante. Todos me dizem que ele é muito engraçado e que eu tenho sorte em ser casada com ele. E eu tenho vontade de estrangulá-los. Toda noite, quando acabamos de comer, ele sai da mesa e limpa a cozinha. Depois quer ler o jornal e trabalhar em suas fotografias sozinho. Por volta das nove, ele vem para o quarto e quer ver TV e ficar comigo. Mas nem aí ele realmente está comigo. É uma versão crescida da brincadeira paralela", disse Sarah, se referindo ao estágio em que bebês não interagem entre si. Ela está tentando convencer Bob a fazer uma mudança na carreira. "Acho que teríamos uma ótima vida se ele tivesse um trabalho em que pudesse se sentar na frente do computador o dia inteiro, mas ele insiste em angariar fundos", disse ela.

Em casais em que o homem é introvertido e a mulher, extrovertida, como no caso de Sarah e Bob, muitas vezes confundimos traços de personalidade com diferenças de gêneros, então partimos para a sabedoria convencional de que "Marte" precisa se retirar para sua caverna enquanto "Vênus" prefere interagir. Mas qualquer que seja a razão para essas diferenças nas necessidades sociais — seja o gênero, seja o temperamento —, o importante é que é possível trabalhá-

-las. Em A *audácia da esperança*, por exemplo, o presidente Obama confidencia que no começo do casamento com Michelle ele estava trabalhando em seu primeiro livro e "frequentemente passava a noite enfiado em meu escritório nos fundos do nosso apartamento próximo da linha do trem; o que eu considerava normal muitas vezes deixava Michelle sentindo-se sozinha". Ele atribui seu próprio estilo às demandas da escrita e de ter sido criado a maior parte do tempo como filho único, e então diz que, com os anos, ele e Michelle aprenderam a atender às necessidades um do outro e a vê-las como legítimas.

Também pode ser difícil para introvertidos e extrovertidos entenderem as formas de resolver as diferenças uns dos outros. Uma de minhas clientes era uma advogada impecavelmente vestida chamada Celia. Ela queria o divórcio, mas tinha medo de contar a ele. Celia tinha boas razões para tomar aquela decisão, mas previa que ele imploraria para que ela ficasse e que ela nunca conseguiria superar a culpa. Acima de tudo, Celia queria dar a notícia com compaixão.

Decidimos simular a conversa deles, comigo atuando como seu marido.

— Eu quero terminar o casamento — disse Celia. — Desta vez é sério.

— Fiz de tudo para segurar as pontas. Como você pode fazer isso comigo?

Celia pensou por um minuto.

— Passei muito tempo pensando nisso e acho que esta é a decisão certa — respondeu ela com a voz firme.

— O que posso fazer para você mudar de ideia? — perguntei.

— Nada — afirmou Celia, secamente.

Sentindo por um minuto o que seu marido sentiria, fiquei sem fala. Ela fora tão seca, tão impassível... Ela estava prestes a se divorciar de mim — de mim, seu marido por onze anos! *Ela não se importava?*

Pedi a Celia para tentar de novo, agora com emoção na voz.

— Não consigo — lamentou ela. — Não consigo fazer isso.

Mas ela fez. "Eu quero terminar o casamento", repetiu ela, com a voz engasgada de tristeza. Ela começou a chorar descontroladamente.

O problema de Celia não era falta de sentimento. Era a forma como *demons-*

*trava* suas emoções sem perder o controle. Pegando um lenço, ela rapidamente se recompôs e voltou para o modo ríspido e impassível de advogada. Essas eram as duas maneiras que ela tinha de agir — com sentimentos esmagadores ou autocontrole distante.

Estou lhe contando a história de Celia porque de várias maneiras ela se parece muito com Emily e outros introvertidos que entrevistei. Emily fala com Greg sobre jantares, não sobre divórcio, mas seu estilo de comunicação ecoa o de Celia. Quando ela e Greg discordam, sua voz torna-se baixa e seca, seus modos, levemente distantes. O que ela está tentando fazer é minimizar a agressão — Emily fica desconfortável com a raiva —, mas *parece* estar se distanciando emocionalmente. Enquanto isso, Greg faz exatamente o oposto, levantando a voz e soando agressivo enquanto ela se esforça cada vez mais para resolver o problema deles. Quanto mais Emily parece distanciar-se, mais solitário, mais ferido e, finalmente, mais irritado Greg fica; quanto mais ele fica com raiva, mais ferida e desgostosa Emily se sente e mais profundamente ela se retrai. Logo, eles estão presos em um ciclo destrutivo do qual não conseguem escapar, em parte porque ambos acreditam que estão discutindo da maneira certa.

Essa dinâmica não deveria surpreender aqueles que estão familiarizados com a relação entre personalidade e estilo de resolução de conflitos. Assim como homens e mulheres muitas vezes têm formas diferentes de resolver conflitos, introvertidos e extrovertidos também as têm; estudos sugerem que os primeiros tendem a evitar conflitos e que os últimos são "confrontadores", confortáveis com estilos de discussão diretos e até argumentativos.

Essas abordagens são diametralmente opostas, logo estão fadadas a gerar conflito. Se Emily não se importasse tanto, ela não reagiria tão fortemente à abordagem direta de Greg. Se ele tivesse modos mais suaves, ele apreciaria a tentativa de Emily de colocar panos quentes nas coisas. Quando as pessoas têm estilos de conflito compatíveis, o desacordo pode ser uma ocasião para cada parceiro afirmar o ponto de vista do outro. Mas Greg e Emily parecem entender um ao outro um pouco *menos* a cada vez que discutem de uma maneira que o outro desaprova.

Será que eles também *gostam* menos um do outro, pelo menos durante a briga? Um estudo esclarecedor feito pelo psicólogo William Graziano sugere que a resposta para essa pergunta pode ser "sim". Graziano dividiu um grupo de 61 estudantes do sexo masculino em times para disputar um jogo de futebol americano simulado. Metade dos participantes foi escolhida para participar de um jogo cooperativo, no qual lhes diziam que "o futebol é útil para nós, porque, para ser bem-sucedido no futebol, *os membros do time precisam trabalhar bem juntos*". A outra metade foi escolhida para um jogo que enfatizava a competição entre os times. Mostravam-se slides e informações biográficas fictícias sobre seus colegas de time e sobre os competidores do outro time, e pediu-se que eles avaliassem como se sentiam em relação aos outros jogadores.

As diferenças entre introvertidos e extrovertidos foi notável. Os introvertidos do jogo cooperativo avaliaram todos os jogadores — não apenas seus adversários, mas também seus colegas de time — mais positivamente do que os introvertidos que participaram do jogo competitivo. Os extrovertidos fizeram exatamente o oposto: avaliaram todos os jogadores mais positivamente quando jogavam o jogo competitivo. Essas descobertas sugerem algo muito importante: introvertidos gostam de pessoas que conhecem em contextos amigáveis; extrovertidos preferem aqueles com quem competem.

Um estudo muito diferente, no qual robôs interagiam com vítimas de derrame durante exercícios de fisioterapia, apresentaram resultados impressionantes por sua similaridade. Pacientes introvertidos respondiam melhor e interagiam por mais tempo com robôs desenvolvidos para falar de uma maneira suave e gentil: "Eu sei que é difícil, mas lembre-se que é para o seu próprio bem" e "Muito bem, continue com o bom trabalho". Os extrovertidos, por outro lado, trabalhavam mais duro quando os robôs usavam uma linguagem mais forte e agressiva: "Você sabe que pode fazer mais do que isso!" e "Concentre-se no seu exercício!".

Essas descobertas sugerem que Greg e Emily enfrentam um desafio interessante. Se Greg gosta mais das pessoas quando elas se comportam de forma vigorosa ou competitiva, e se Emily sente-se da mesma maneira em relação a pessoas educadas e cooperativas, então como eles podem chegar a um acordo sobre o impasse dos jantares — e chegar lá de uma maneira amorosa?

Uma resposta intrigante vem de um estudo da escola de negócios da Universidade de Michigan, não com casais de tipos de personalidade opostos, mas com negociadores de culturas diferentes, nesse caso, asiáticos e israelitas. Pediu-se que 76 estudantes de MBA de Hong Kong e Israel imaginassem que se casariam dentro de alguns meses e que tinham que finalizar os preparativos com o bufê para a recepção. Esse "encontro" aconteceu por vídeo.

Mostrou-se a alguns estudantes um vídeo em que o gerente era gentil e sorridente; outros assistiram a um vídeo mostrando um gerente irritadiço e antagônico. Mas a mensagem do gerente do bufê era a mesma em ambos os casos. Outro casal estava interessado na mesma data de casamento. O preço subira. Era pegar ou largar.

Os estudantes de Hong Kong reagiram de forma muito diferente dos estudantes israelitas. Os asiáticos tendiam muito mais a aceitar a proposta do gerente amigável do que do hostil; apenas 14% deles gostariam de trabalhar com o gerente difícil, enquanto 71% aceitaram o acordo do gerente sorridente. Mas os israelitas tinham a mesma tendência a aceitar a proposta dos *dois* gerentes. Em outras palavras, para os negociadores asiáticos, o estilo contava tanto quanto o conteúdo, enquanto os israelitas se concentravam mais na informação que estava sendo transmitida. Eles se mantinham impassíveis diante da demonstração tanto das emoções compassivas quanto das hostis.

A explicação para essa diferença notável tem a ver com a maneira pela qual essas duas culturas definem respeito. Como vimos no capítulo 8, muitos asiáticos mostram apreço pela minimização de conflitos. Só que os israelitas, dizem os pesquisadores, "não tendem a ver [o desacordo] como sinal de desrespeito, mas como sinal de que a parte oposta está preocupada e realmente envolvida na tarefa".

Podemos dizer o mesmo de Greg e Emily. Quando Emily baixa a voz e abranda suas emoções durante as brigas com Greg, ela acha que está sendo respeitosa ao não deixar transparecer seus sentimentos negativos. Mas Greg acha que ela está se distanciando, ou pior, que ela não dá a mínima. Do mesmo modo, quando Greg libera sua raiva, ele presume que Emily sente, como ele, que isso é uma expressão saudável e honesta de sua relação profundamente comprometida. Mas para Emily, é como se Greg tivesse repentinamente se voltado contra ela.

Em seu livro *Anger, the Misunderstood Emotion* [Raiva, a emoção malcompreendida], Carol Tavris conta a história de uma cobra bengalesa que gostava de morder habitantes do vilarejo que passavam. Um dia, um *swami* — um homem que alcançara o autocontrole — convence a cobra de que morder é errado. A cobra se compromete a parar imediatamente e consegue. Em pouco tempo, os garotos do vilarejo perdem o medo da cobra e começam a maltratá-la. Surrada e ensanguentada, a cobra reclama com o *swami* que isso foi o que recebeu ao cumprir sua promessa.

— Eu disse a você para não morder — disse o *swami* —, mas não lhe disse para não sibilar.

"Muitas pessoas, como a cobra do *swami*, confundem o sibilar com a mordida", escreve Tavris.

Muitas pessoas — como Greg e Emily — têm muito a aprender com a história do *swami*: Greg a parar de morder, Emily a aceitar que não tem problema que ele e ela sibilem.

Greg pode começar mudando suas ideias sobre a raiva. Ele acredita, como a maioria de nós, que liberar a raiva faz a poeira baixar. A "hipótese da catarse" — de que a agressão se constrói dentro de nós até ser saudavelmente liberada — vem dos gregos, foi ressuscitada por Freud e ganhou força durante o "mostre tudo" dos anos 1960, com seus sacos de pancada e gritos primais. Mas a hipótese da catarse é um mito — um mito plausível, um mito elegante, mas ainda assim um mito. Muitos estudos mostraram que liberar a raiva não a diminui: *alimenta-a*.

Ficamos melhor quando não nos permitimos chegar à nossa raiva. Incrivelmente, neurocientistas descobriram que pessoas que usam botox, que impede que façam expressões de raiva, parecem menos inclinadas à raiva do que aquelas que não usam, porque o próprio ato de franzir o rosto impele a amígdala a processar emoções negativas. E a raiva não é apenas danosa no momento; depois, por dias, os raivosos têm que trabalhar para reparar o que fizeram com seus parceiros. Apesar da fantasia popular do sexo fabuloso depois de brigas, muitos casais dizem que leva tempo para se sentirem amorosos novamente.

O que Greg pode fazer para acalmar-se quando sentir a fúria aumentar? Ele pode respirar fundo. Pode fazer uma pausa de dez minutos. E pode se perguntar se a coisa que o está deixando com raiva é assim tão importante. Se não é, pode deixar para lá. Mas se for, ele irá querer verbalizar suas necessidades não como ataques pessoais, mas como temas de discussão neutros. "Você é tão antissocial!" pode virar "Podemos encontrar um jeito de organizar nossos fins de semana que funcione para os dois?".

Esse conselho serviria mesmo se Emily não fosse uma introvertida sensível (ninguém gosta de se sentir dominado ou desrespeitado), mas acontece que

Greg é casado com uma mulher *especialmente* atingida pela raiva. Então ele precisa reagir à sua esposa que se esquiva de conflitos, e não à confrontadora com quem desejaria ter se casado, pelo menos no calor do momento.

Agora vamos olhar o lado de Emily da equação. O que ela podia estar fazendo de diferente? Ela está certa em protestar quando Greg morde — quando ele ataca injustamente —, mas e quando ele sibila? Emily pode dirigir-se às suas próprias reações contraproducentes à raiva, entre elas sua tendência a cair num ciclo de culpa e defesa. Sabemos pelo capítulo 6 que muitos introvertidos tendem, desde a mais tenra infância, a ter fortes sentimentos de culpa; também sabemos que todos tendemos a projetar nossas próprias reações nos outros. Como Emily, que evita conflitos, nunca "morderia" ou mesmo sibilaria a não ser que Greg fizesse algo realmente horrível, em algum nível ela processa a mordida *dele* como se significasse que ela é culpada — de qualquer coisa, quem sabe? A culpa de Emily é tão intolerável que ela tende a negar a validade de todas as reclamações de Greg — tanto as legítimas quanto as exacerbadas pela raiva. Isso, é claro, leva a um círculo vicioso em que ela desliga sua empatia natural e Greg acha que não é ouvido.

Então Emily precisa aceitar que não tem problema nenhum em estar errada. Num primeiro momento, ela pode ter dificuldade para descobrir quando está e quando não está; o fato de que Greg expressa suas queixas com tanto ardor torna difícil resolver isso. Mas Emily deve tentar não ser arrastada para esse pântano. Quando Greg faz observações legítimas, ela deve aceitá-las, não apenas para ser uma boa parceira para o marido, mas também para ensinar a si mesma que não há nada de errado em ter transgredido. Isso fará com que ela não se sinta constantemente ferida — e reaja — quando as queixas de Greg *forem* injustificadas.

Reagir? Mas Emily detesta brigar.

Não tem problema. Ela precisa sentir-se mais confortável com o som do seu próprio sibilar. Introvertidos podem hesitar em causar desarmonia, mas, como a cobra passiva, eles devem se preocupar da mesma forma em encorajar a causticidade de seus parceiros. E reagir pode não convidar à retaliação, como teme Emily; em vez disso pode encorajar Greg a recuar. Ela não precisa dar uma grande demonstração. Muitas vezes, um firme "Não está bom para mim" funciona.

De vez em quando, Emily também pode querer sair de sua zona de conforto atual e extravasar a própria raiva. Lembre-se de que, para Greg, exaltação significa conexão. Da mesma maneira que os jogadores extrovertidos no jogo de futebol se sentiram calorosos em relação a seus competidores, Greg pode se sentir mais próximo de Emily se ela incorporar só um pouco do tom do jogador empolgado, pronto para entrar em campo.

Emily também pode vencer seu próprio desagrado pelo comportamento de Greg lembrando a si mesma de que ele não é tão agressivo quanto parece. John, um introvertido que entrevistei que tem um ótimo relacionamento com sua intensa esposa, descreve como aprendeu a fazer isso após 25 anos de casamento:

> Quando Jennifer está atrás de mim por causa de alguma coisa, ela realmente está atrás de mim. Se eu for para a cama sem limpar a cozinha, no dia seguinte ela gritará comigo: "Esta cozinha está imunda!", então dou uma olhada na cozinha. Há três ou quatro xícaras fora do lugar, não está imunda. Mas o drama com que ela imbui tais momentos é natural para ela. É sua maneira de dizer: "Quando for possível, eu gostaria que você limpasse a cozinha só um pouco mais." Se ela dissesse isso dessa forma para mim, eu diria: "Com prazer, e desculpe por não ter feito isso antes." Mas como ela vem até mim com a energia de um trem desgovernado, eu quero frear e dizer: "Muito ruim." A razão pela qual não faço isso é porque somos casados há 25 anos e passei a entender que Jennifer não põe a minha vida em perigo ao falar desse jeito.

Então qual é o segredo de John para se relacionar com sua enérgica esposa? Ele faz com que ela saiba que palavras usadas foram inaceitáveis, mas também tenta entender seu significado. "Tento recorrer à minha empatia", diz ele. "Tiro o tom de voz dela da equação. Retiro sua violação aos meus sentidos e tento entender o que ela está querendo dizer."

E o que Jennifer está tentando dizer sob essas palavras desgovernadas é bem simples: respeite-me. Preste atenção em mim. Me ame.

Greg e Emily agora têm ideias valiosas sobre como resolver suas diferenças. Mas há mais uma pergunta que precisam responder: por que exatamente eles têm opiniões tão diferentes sobre os jantares de sexta? Sabemos que o sistema nervoso de Emily provavelmente entra em modo econômico quando ela chega a uma sala cheia de gente. E sabemos que Greg sente o oposto: é impelido em direção às pessoas, conversas, eventos, qualquer coisa que lhe dê a sensação de aventura desejada pelos extrovertidos, movida a dopamina. Mas vamos mergulhar um pouco mais fundo na anatomia das conversas fiadas em festas. A chave para ligar as diferenças de Greg e Emily está nos detalhes.

Alguns anos atrás, 32 pares de introvertidos e extrovertidos, todos eles desconhecidos uns dos outros, conversaram por alguns minutos ao telefone como parte de uma experiência conduzida por um neurocientista chamado dr. Matthew Lieberman, na época um estudante da pós-graduação de Harvard. Quando desligavam, pedia-se que preenchessem questionários detalhados, avaliando como haviam se sentido e se comportado durante a conversa. "O quanto você gostou de seu parceiro de conversa?", "O quanto você foi amigável?", "O quanto você gostaria de interagir com essa pessoa novamente?". Também se pediu que se colocassem na pele de seus parceiros de conversa: "O quanto seu parceiro gostou de você?", "O quanto ele foi sensível a você?", "Quão encorajador?".

Lieberman e sua equipe compararam as respostas e também ouviram as conversas e fizeram seus próprios julgamentos do quanto as partes se sentiam uma em relação à outra. Eles descobriram que os extrovertidos eram muito mais precisos do que os introvertidos em perceber se seus parceiros haviam gostado de falar com eles. Essas descobertas sugerem que os extrovertidos são melhores em decodificar pistas sociais do que os introvertidos. Em um primeiro momento, isso não parece surpreendente, escreve Lieberman; ecoa a hipótese popular de que extrovertidos são melhores na leitura de situações sociais. O único problema, como Lieberman mostrou através de um outro desdobramento de sua experiência, é que essa hipótese não está correta.

Lieberman e sua equipe pediram a um grupo seleto de participantes para ouvir as gravações das conversas que haviam acabado de ter — *antes* de preencher o questionário. Ele descobriu que nesse grupo não havia diferença entre introvertidos e extrovertidos em sua habilidade de ler pistas sociais. Por quê?

A resposta é que os indivíduos que ouviram as gravações puderam decodificar pistas sociais *sem ter que fazer mais nada ao mesmo tempo*. E introvertidos são decodificadores bastante bons, de acordo com vários estudos anteriores às experiências de Lieberman. Uma dessas experiências na verdade descobriu que introvertidos são melhores decodificadores do que extrovertidos.

Mas esses estudos mediam o quão bem introvertidos *observam* dinâmicas sociais, não o quão bem participam delas. A participação impõe um conjunto de demandas ao cérebro muito diferente daquele da observação. Ela requer uma espécie de cumprimento mental de várias tarefas ao mesmo tempo: a capacidade de processar muitas informações de curto prazo de uma só vez sem se distrair ou se estressar demais. Esse é o tipo de funcionamento do cérebro no qual extrovertidos geralmente possuem uma boa habilidade. Em outras palavras, extrovertidos são sociáveis porque seus cérebros têm facilidade em lidar com demandas concorrentes por sua atenção — o que é o caso em uma conversa num jantar. Introvertidos, ao contrário, são avessos a eventos sociais que os forcem a lidar com muitas pessoas ao mesmo tempo.

Considere que a mais simples interação social entre duas pessoas requer a realização de uma impressionante quantidade de tarefas: interpretar o que a outra pessoa está dizendo; interpretar a linguagem corporal e as expressões faciais; sutilmente se revezar entre falar e ouvir; responder ao que a outra pessoa disse; perceber se você está sendo compreendido; determinar se está sendo bem-recebido e, se não, encontrar uma forma de melhorar ou retirar-se da situação. Pense no que é necessário para processar tudo isso de uma só vez! E isso é numa conversa com uma só pessoa. Agora imagine a quantidade de tarefas simultâneas que é necessária em uma configuração de grupo como um jantar.

Então, quando introvertidos assumem o papel de observadores, como quando escrevem romances ou contemplam a teoria de uma determinada área — ou ficam quietos em jantares —, eles não estão demonstrando falta de vontade ou de energia. Eles simplesmente estão fazendo o que sua constituição manda.

O experimento de Lieberman nos ajuda a entender o que derruba os introvertidos socialmente. Ela não mostra como eles podem brilhar.

Considere o caso de um camarada de aparência comum chamado Jon Berghoff. Jon é o introvertido típico, desde sua aparência física: corpo magro e rijo, nariz proeminente e maçãs salientes, expressão pensativa por trás dos óculos. Ele não é muito falante, mas o que diz é pensado cuidadosamente, em especial quando está em grupo: “Se eu estiver em uma sala com dez pessoas e tiver a opção de falar ou não”, diz ele, “serei aquele que não vai falar. Quando as pessoas perguntam: ‘Por que você não está dizendo nada?’, é a mim que estão fazendo essa pergunta”.

Jon também é um vendedor de destaque e o tem sido desde a adolescência. No verão de 1999, quando ainda estava no primeiro ano do ensino médio, ele começou a trabalhar como distribuidor iniciante, vendendo produtos de cozinha. Em seu trabalho, ele ia à casa dos clientes para vender facas. Era uma das situações de venda mais íntimas que se pode imaginar; não ocorria em um *showroom* ou numa loja de carros, mas na cozinha do cliente em potencial, vendendo um produto que ele usaria diariamente para colocar a comida na mesa.

Nas primeiras oito semanas de trabalho, Jon vendeu 50 mil dólares em facas. Ele passou a ser o maior representante da empresa, entre os quarenta mil novos recrutados daquele ano. No ano 2000, quando ainda estava no último ano da escola, Jon gerara mais de 135 mil dólares em comissões e quebrara mais de 25 recordes nacionais e regionais. Enquanto isso, na escola, ele ainda era o cara socialmente estranho que se escondia na biblioteca na hora do almoço. Mas em 2002, ele já havia recrutado, contratado e treinado noventa outros representantes de vendas e aumentara as vendas locais em 500% em relação ao ano anterior. Desde então, Jon abriu a Global Empowerment Coaching, seu próprio negócio de treinamento pessoal e de vendas. Até o momento, ele já deu centenas de palestras, seminários de treinamento e consultorias privadas a mais de trinta mil vendedores e gerentes.

O segredo para o sucesso de Jon? Uma pista importante vem de uma experiência feita pela psicóloga do desenvolvimento Avril Thorne, hoje professora da Universidade da Califórnia, Santa Cruz. Thorne reuniu 52 jovens — 26 introvertidas e 26 extrovertidas — e designou-as dois pares diferentes. Cada pessoa tinha uma conversa de dez minutos com uma parceira de seu próprio tipo e uma segunda conversa de mesma duração com seu “oposto”. A equipe de Thorne gravou as conversas e pediu para as participantes ouvirem.

O processo revelou algumas descobertas surpreendentes. As introvertidas e extrovertidas participaram quase igualmente, desmentindo a ideia de que introvertidos falam menos. Mas os pares introvertidos tendiam a focar em um ou dois temas sérios de conversa, enquanto os pares extrovertidos escolhiam tópicos mais leves e abrangentes. Muitas vezes as introvertidas discutiam problemas ou conflitos em suas vidas: escola, trabalho, amizades e por aí vai. Talvez por conta dessa preferência por "conversar sobre problemas", elas tendiam a adotar o papel de conselheiras, se revezando para aconselhar sobre o problema em questão. As extrovertidas, ao contrário, tinham maior tendência a oferecer informações casuais sobre si mesmas que estabeleciam a existência de atributos em comum com a outra pessoa: *Você tem um cachorro novo? Que ótimo. Uma amiga minha tem um aquário incrível.*

Mas a parte mais interessante da experiência de Thorne foi o quanto os dois tipos apreciaram um ao outro. Quando as introvertidas conversaram com as extrovertidas, escolheram temas mais animados, relataram ter estabelecido a conversa com mais facilidade e as descreveram como uma "lufada de ar fresco". Em contraste, as extrovertidas sentiram que podiam relaxar mais com parceiras introvertidas e que podiam confessar seus problemas. Elas não se sentiram pressionadas a ficar falsamente alegres.

Essas são informações sociais úteis. Introvertidos e extrovertidos às vezes sentem-se mutuamente desestimulados, mas a pesquisa de Thorne sugere o quanto um tem a oferecer ao outro. Os extrovertidos precisam saber que os introvertidos — que frequentemente parecem desdenhar a superficialidade — podem ficar felizes em serem levados a um lugar mais leve; e os introvertidos, que às vezes sentem como se sua propensão a falar sobre problemas fizesse deles um peso, devem saber que dão segurança para que os outros falem sério.

A pesquisa de Thorne também nos ajuda a entender o impressionante sucesso de Jon Berghoff nas vendas. Ele transformou sua preferência por conversas sérias, e por adotar um papel de conselheiro em vez de cair na persuasão, em uma espécie de terapia para clientes em potencial. "Descobri cedo que as pessoas não compravam de mim porque entendiam o que eu estava vendendo", explica Jon, "mas porque elas se sentiam compreendidas".

Jon também se beneficia de sua tendência natural a fazer várias perguntas e a ouvir com atenção as respostas. "Cheguei a um ponto em que eu podia entrar na casa de alguém e em vez de tentar vender-lhe facas eu fazia uma centena de perguntas seguidas. Eu podia administrar toda a conversa só fazendo as perguntas certas." Hoje, em seu negócio de treinamento, Jon faz a mesma coisa. "Eu tento sintonizar a estação da pessoa com quem estou trabalhando. Presto atenção na energia que ela está exalando. Para mim é fácil fazer isso, pois fico muito com meus pensamentos, de qualquer jeito."

Mas ser vendedor não requer a habilidade de deixar as pessoas empolgadas, animadas? De acordo com Jon, não. "Muitas pessoas acreditam que vender requer falar rápido ou saber usar o carisma para persuadir. Essas coisas de fato requerem um modo extrovertido de comunicação. Mas no setor de vendas há um ditado que diz: 'Temos duas orelhas e uma boca, e devemos usá-las proporcionalmente.' Acredito que é isso que faz alguém realmente ser bom em vendas ou consultoria — a primeira coisa é que elas têm que ouvir muito bem. Quando olho para os melhores vendedores na minha empresa, nenhuma dessas qualidades extrovertidas é a chave de seu sucesso."

Voltemos ao impasse de Greg e Emily. Acabamos de adquirir duas informações cruciais: a primeira é que o desgosto de Emily por conversas que exigem tarefas simultâneas é real e explicável; e a segunda é que quando introvertidos são capazes de experimentar conversas à sua maneira, eles fazem profundas e agradáveis conexões com os outros.

Foi apenas quando aceitaram essas duas realidades que Greg e Emily encontraram uma forma de quebrar o impasse. Em vez de focar no *número* de jantares que dariam, eles começaram a falar sobre o *formato* das festas. Em vez de todos sentados ao redor de uma grande mesa, o que requereria o tipo de conversa multitarefa que Emily tanto detesta, por que não servir o jantar em bufê, com as pessoas sentando-se em pequenos e casuais grupos nos sofás e almofadas no chão? Isso permitiria que Greg gravitasse para seu local habitual no centro da sala e Emily para o seu, nas bordas, onde ela poderia ter o tipo de conversa íntima de que gosta.

Com a questão resolvida, o casal agora está livre para abordar a questão mais espinhosa de quantas festas dar. Depois de um cabo de guerra, eles concordaram em duas noites por mês — 24 jantares por ano, em vez de 52. Emily ainda não espera ansiosamente por esses eventos. Mas ela às vezes gosta deles, apesar de si mesma. E Greg pode ser o anfitrião das noites de que tanto gosta, mantendo-se leal a sua identidade e estando com a pessoa que ele mais adora — tudo ao mesmo tempo.

# 11
# Sobre sapateiros e generais

## Como educar crianças quietas em um mundo que não consegue ouvi-las

*Com qualquer coisa jovem e terna, a parte mais importante da tarefa é o seu começo; pois é aí que o caráter está sendo formado e a impressão desejada, mais prontamente absorvida.*

— Platão, A *República*

Mark Twain certa vez contou a história de um homem que rodou o planeta em busca do maior general que já viveu. Quando o homem foi informado de que a pessoa que ele procurava já tinha morrido e ido para o céu, ele fez uma viagem aos Portões de Pérolas para procurá-lo. São Pedro apontou um homem qualquer.

— Esse não é o maior dos generais — protestou o homem. — Eu conhecia essa pessoa quando ela vivia na Terra, e ele era apenas um sapateiro.

— Eu sei disso — disse São Pedro —, mas se ele *tivesse* sido general, teria sido o maior de todos.

Todos devemos procurar por sapateiros que poderiam ter sido generais. Isso significa focar em crianças introvertidas, cujos talentos são demasiadamente reprimidos, seja em casa, seja na escola, seja no parquinho.

Considere essa história como um alerta, contada a mim pelo dr. Jerry Miller, psicólogo infantil e diretor do Centro para a Criança e a Família da Universidade de Michigan. O dr. Miller tinha um paciente chamado Ethan, cujos pais o haviam levado para tratamento em quatro ocasiões diferentes. A cada vez os pais mencionavam o mesmo medo de que algo estivesse errado com o filho.

A cada vez, o dr. Miller assegurara que Ethan estava perfeitamente bem.

A razão para sua preocupação inicial era bastante simples. Ethan tinha sete anos e seu irmão de quatro anos batera nele várias vezes. Ethan não revidava. Seus pais — ambos tipos sociáveis e proativos com empregos poderosos em empresas e uma paixão pela competição no golfe e no tênis — não viam nada de mais na agressão por parte do filho mais novo, mas preocupavam-se que a passividade de Ethan fosse "ser a história de sua vida".

Conforme Ethan crescia, seus pais tentaram em vão inculcar o "espírito de luta" no garoto. Eles o mandaram para o campo de beisebol e de futebol, mas Ethan só queria ir para casa ler. Ele sequer era competitivo na escola. Apesar de muito brilhante, era um aluno mediano. Ele podia ir melhor, mas preferia focar em seus hobbies, principalmente montar miniaturas de carros. Ele tinha alguns amigos próximos, mas nunca estava no centro da vida social da sala de aula. Incapazes de compreender o misterioso comportamento do filho, os pais pensaram que ele poderia estar deprimido.

Mas o problema de Ethan, diz o dr. Miller, não era depressão, mas um caso clássico de "má combinação entre pais e filho". Ethan era alto, magro e nada atlético; parecia o típico nerd. Seus pais eram pessoas sociáveis e assertivas que estavam "sempre sorrindo, sempre falando com as pessoas enquanto arrastavam Ethan atrás deles".

Compare as preocupações deles a respeito de Ethan à avaliação do dr. Miller: "Ele era o típico fã de Harry Potter — estava sempre lendo", diz Miller, entusiasticamente. "Ele gostava de qualquer tipo de brincadeira imaginativa. Adorava construir coisas. Tinha tanto que queria compartilhar... Aceitava melhor os pais do que eles o aceitavam. Ele não os definia como um caso patológico, apenas como pessoas diferentes dele. Aquela mesma criança em um lar diferente seria uma criança-modelo."

Mas os pais de Ethan nunca encontraram uma forma de vê-lo sob essa perspectiva. A última coisa que o dr. Miller soube foi que os pais finalmente haviam encontrado outro psicólogo que aceitara "tratar" seu filho. E agora era o dr. Miller quem se preocupava com Ethan.

"Esse é um caso claro de um problema 'iatrogênico'", diz ele. "É quando o tratamento deixa você doente. O exemplo clássico é quando se usa o tratamento para tentar transformar uma criança homossexual em heterossexual. Eu me preocupo com essa criança. Esses pais são pessoas muito cuidadosas e bem-intencionadas. Eles sentem que sem o tratamento não estarão preparando o filho para a sociedade. Que ele precisa de mais coragem. Talvez essa última parte seja verdadeira; não sei. Mas quer seja, quer não, acredito firmemente que é impossível mudar essa criança. Preocupa-me que eles estejam pegando um garoto perfeitamente saudável e danificando sua visão de si mesmo."

É claro que não é necessariamente uma má combinação quando pais extrovertidos têm um filho introvertido. Com um pouco de atenção e compreensão, qualquer pai pode ser uma boa combinação para qualquer filho, diz o dr. Miller. Mas os pais precisam se distanciar de suas próprias preferências e ver como o mundo é aos olhos do seu filho quieto.

Veja o caso de Joyce e de sua filha de sete anos, Isabel. Isabel é uma delicada aluna da segunda série que gosta de usar sandálias brilhosas e pulseiras coloridas de borracha que serpenteiam seu braço fino. Ela tem várias melhores amigas, com quem troca confidências, e se dá bem com a maioria dos alunos de sua turma. Ela é do tipo que abraça um colega que teve um dia ruim, e até dá seus presentes de aniversário para a caridade. É por isso que sua mãe, Joyce, uma mulher bondosa e atraente, com um senso de humor inteligente e modos expansivos, estava tão confusa com os problemas de Isabel na escola.

Na primeira série, Isabel frequentemente chegava em casa preocupada com a valentona da sala, que lançava comentários maldosos a qualquer um sensível o bastante para se sentir ferido por eles. Apesar de a valentona em geral alvejar outras crianças, Isabel passava horas dissecando o significado das palavras da garota, quais teriam sido suas verdadeiras intenções e até mesmo o que ela deveria sofrer em casa para motivar seu comportamento tão terrível na escola.

Na segunda série, Isabel começou a pedir a sua mãe para não marcar brincadeiras com outras crianças sem consultá-la antes. Geralmente ela preferia ficar em casa. Quando Joyce a buscava na escola, ela frequentemente encontrava as outras meninas reunidas em grupos e Isabel no parquinho, lançando uma bola de basquete sozinha. "Ela não estava se enturmando. Eu tive que parar de buscá-la por um tempo", relembra Joyce. "Era triste demais assistir àquilo." Joyce não conseguia entender por que sua doce e amorosa filha queria passar tanto tempo sozinha. Ela se preocupava com a possibilidade de haver algo errado com Isabel. Apesar do que sempre pensara a respeito da natureza empática da filha, será que Isabel não tinha a capacidade de se relacionar com os outros?

Foi só quando sugeri que a filha de Joyce poderia ser uma introvertida e expliquei o que isso era que Joyce começou a pensar de forma diferente sobre as experiências de Isabel na escola. Da perspectiva de Isabel, as coisas não pareciam preocupantes. "Preciso de um tempo depois da escola", disse ela mais tarde. "A escola é difícil, pois há muitas pessoas na sala, então você fica cansada. Eu fico louca quando minha mãe planeja brincadeiras sem me dizer, pois não quero ferir os sentimentos dos meus amigos. Mas eu prefiro ficar em casa. Na casa de uma amiga você tem que fazer as coisas que as outras pessoas querem fazer. Eu gosto de ficar com a minha mãe depois da escola, pois posso aprender com ela. Ela vive há mais tempo do que eu. Podemos ter conversas profundas. Eu gosto de ter conversas profundas, pois elas deixam as pessoas felizes."[1]

Isabel está nos dizendo, com toda a sua sabedoria da segunda série, que introvertidos se relacionam com outras pessoas. É claro que sim. Eles apenas fazem isso à sua maneira.

Agora que Joyce entende as necessidades de Isabel, mãe e filha, contentes, trocam ideias, traçando estratégias que ajudem Isabel a passar o dia na escola. "Antes eu fazia com que Isabel saísse e visse gente o tempo todo, preenchendo seu tempo depois da escola com atividades", diz Joyce. "Agora eu entendo que a escola é muito estressante para ela, então decidimos juntas quanta socialização faz sentido e quando isso deve acontecer." Joyce não se importa quando Isabel quer ficar sozinha em seu quarto depois da escola ou sair de uma festa de aniversário um pouco antes das outras crianças. Ela também entende que, como Isabel não vê problema em nada disso, não há razão para ela mesma ver.

Joyce também teve algumas ideias sobre como ajudar a filha a administrar a política do parquinho. Certa vez, Isabel estava preocupada sobre como dividir o tempo entre três amigas que não se davam bem umas com as outras. "Meu instinto inicial", diz Joyce, "seria dizer: *Não se preocupe com isso! Apenas brinque com*

[1] Algumas pessoas que leram este livro antes da publicação comentaram que a citação de Isabel não poderia estar correta — "Nenhuma criança da segunda série fala assim!" Mas foi isso o que ela disse.

*todas elas!* Mas agora entendo que Isabel é um tipo de pessoa diferente. Ela tem dificuldade em bolar estratégias para lidar com todas essas pessoas simultaneamente no parquinho. Então conversamos sobre com quem ela vai brincar e quando, e ensaiamos coisas que ela pode falar com as amigas para suavizar a situação".

Outra vez, quando Isabel era um pouco mais velha, ela ficou chateada porque suas amigas sentavam-se em duas mesas diferentes no refeitório. Uma mesa era povoada por suas amigas quietas e a outra, pelas extrovertidas da turma. Isabel descreveu as meninas do segundo grupo como "barulhentas, falando o tempo todo, sentando-se umas em cima das outras — *argh!*" Mas ela estava triste pois sua melhor amiga, Amanda, adorava sentar na "mesa maluca", mesmo também sendo amiga das meninas que se sentavam na "mesa calma e relaxada". Isabel sentiu-se dividida. Onde ela deveria se sentar?

O primeiro pensamento de Joyce foi que a "mesa maluca" parecia mais divertida. Mas ela perguntou a Isabel qual *ela* preferia. Isabel pensou por um minuto e disse: "Talvez de vez em quando eu vá sentar com a Amanda, mas eu realmente gosto de ficar mais quieta e dar um tempo de tudo na hora do almoço."

*Por que você iria querer fazer isso?*, pensou Joyce. Mas ela se segurou antes de dizer isso em voz alta. "Parece bom para mim", disse a Isabel. "E a Amanda ainda ama você. Só que ela realmente gosta de sentar na outra mesa. Mas isso não significa que ela não goste de você. E você deve ter o tempo de descanso de que precisa."

Entender a introversão, diz Joyce, mudou sua forma de ser mãe — e ela não acredita que demorou tanto. "Quando vejo Isabel sendo a pessoa maravilhosa que é, valorizo isso, mesmo que o mundo diga que ela deveria querer estar na outra mesa. Na verdade, olhar para aquela mesa com os olhos dela me ajuda a refletir sobre como sou percebida pelos outros e como preciso estar atenta e administrar meu 'padrão' extrovertido, para não perder a companhia de outras pessoas como a minha doce filha."

Joyce também passou a apreciar os modos sensíveis da filha. "Isabel é uma alma velha", diz ela. "Você esquece que ela é só uma criança. Quando falo com ela, não me sinto tentada a usar aquele tom de voz especial que as pessoas reservam às crianças e não adapto meu vocabulário. Falo com ela como falaria com qualquer adulto. Ela é muito sensível, muito zelosa. Ela se preocupa com o bem-estar das outras pessoas. Ela fica facilmente emocionada, mas todas essas características combinam e amo isso na minha filha."

Joyce é uma das mães mais zelosas que já vi, mas ela teve uma curva de aprendizado abrupta enquanto mãe para sua filha por causa da diferença de temperamentos. Será que ela teria vivido uma combinação mãe-filha mais natural se fosse introvertida? Não necessariamente. Pais introvertidos podem enfrentar seus próprios desafios. Às vezes dolorosas memórias de infância podem atrapalhar.

Emily Miller, uma assistente social de Ann Arbor, Michigan, contou-me sobre uma menininha que ela tratava, Ava, cuja timidez era tão extrema que impedia que ela fizesse amigos ou se concentrasse na aula. Recentemente ela chorara quando pediram que se juntasse a um grupo para cantar na frente da turma, e sua mãe, Sarah, decidiu procurar a ajuda de Miller. Quando Miller pediu a Sarah, uma bem-sucedida jornalista de negócios, para ser uma parceira no tratamento de Ava, ela se debulhou em lágrimas. Ela também fora uma criança tímida e sentia-se culpada por ter passado a Ava seu terrível fardo.

"Eu escondo isso melhor agora, mas ainda sou como minha filha", explicou ela. "Eu posso falar com qualquer um, mas só quando tenho o bloquinho de jornalista como escudo."

A reação de Sarah não é rara para a mãe pseudoextrovertida de uma criança tímida, diz Miller. Sarah não apenas está revivendo sua infância, mas também projetando em Ava suas piores memórias. No entanto, Sarah precisa entender que ela e Ava não são a mesma pessoa, mesmo que pareçam ter herdado temperamentos similares. Primeiramente, Ava também é influenciada por seu pai e por inúmeros fatores ambientais, e assim seu temperamento é destinado a se expressar de forma diferente. O sofrimento de Sarah não precisa ser o de sua filha, e é um grande desserviço a Ava presumir que ele será. Com a orientação correta, Ava pode chegar ao ponto em que sua timidez não passará de uma chateação pequena e pouco frequente.

Mas mesmo pais que ainda precisam trabalhar a própria autoestima podem ser enormemente úteis aos filhos, de acordo com Miller. Conselhos de um pai que compreende como a criança se sente transmitem segurança. Se seu filho está nervoso no primeiro dia de aula, ajuda lhe dizer que você se sentiu do mesmo jeito quando começou a escola e ainda se sente às vezes no trabalho, mas que melhora com o tempo. Mesmo se ele não acreditar em você, é sinal de que você o entende e aceita.

Você também pode usar sua empatia para auxiliá-lo a julgar quando deve encorajar seu filho a enfrentar os próprios medos e quando isso seria demais para ele. Por exemplo, Sarah pode saber que cantar na frente da turma é um passo grande demais para Ava dar de uma vez só. Mas ela também pode sentir que cantar com um grupo pequeno e simpático, ou com um amigo de confiança, é um primeiro passo administrável, mesmo se Ava protestar em um primeiro momento. Em outras palavras, ela pode sentir quando incentivar Ava, e o quanto.

A psicóloga Elaine Aron, cujo trabalho sobre a sensibilidade descrevi no capítulo 6, oferece ideias sobre essas questões quando escreve sobre Jim, um dos melhores pais que ela conhece. Jim é um extrovertido despreocupado com duas filhas pequenas. A primeira filha, Betsy, é igual a ele, mas a segunda, Lily, é mais sensível — uma interessada mas ansiosa observadora de seu próprio mundo. Jim é amigo de Aron, então sabia tudo sobre sensibilidade e introversão. Ele abraçou o jeito de ser de Lily, mas ao mesmo tempo não queria que ela crescesse tímida.

Então, escreve Aron, ele "tornou-se determinado a apresentá-la a qualquer possível oportunidade de prazer na vida, desde as ondas do oceano, escalada em árvores e comidas novas a reuniões de família, futebol e variação nas roupas em vez de usar apenas um confortável uniforme. Em quase todos os casos, Lily inicialmente pensou que essas novas experiências não eram ideias tão boas, e Jim *sempre* respeitou sua opinião. Ele nunca a forçou, apesar de ser muito persuasivo. Ele simplesmente compartilhava sua visão da situação com ela — a segurança e os prazeres envolvidos, as similaridades com coisas de que ela já gostava. Ele esperava por aquele brilhozinho em seus olhos que dizia que queria juntar-se aos outros, mesmo que ainda não pudesse.

> Jim sempre abordava essas situações com cuidado para assegurar que ela não acabasse assustada, e em vez disso fosse capaz de experimentar o prazer e o sucesso. Às vezes ele a segurava até que estivesse suficientemente pronta. Acima

de tudo, ele mantinha aquilo como um conflito interno, não um conflito entre ele e ela... e se ela ou outra pessoa comentasse a respeito de sua quietude e hesitação, ele prontamente respondia: "É apenas o seu estilo. Outras pessoas têm estilos diferentes. Mas esse é o seu. Você gosta de fazer as coisas em seu próprio tempo e de ter segurança." Jim também sabe que faz parte do estilo dela ficar amiga de qualquer um que os outros importunem, fazer seu trabalho com cuidado, perceber tudo o que acontece na família e ser a melhor estrategista em sua liga de futebol.

Uma das melhores coisas que você pode fazer por uma criança introvertida é trabalhar com ela em suas reações a novidades. Lembre-se de que introvertidos não reagem apenas a novas pessoas, mas também a novos lugares e acontecimentos. Então não confunda a reserva de seu filho diante de situações novas com incapacidade de se relacionar com os outros. *Ele está recuando diante da novidade ou da superestimulação, não diante do contato humano*. Como vimos no capítulo anterior, os níveis de introversão e extroversão não estão correlacionados à disposição de ser agradável ou a gostar de intimidade. Introvertidos têm a mesma tendência de outras crianças a procurar companhia, mesmo que frequentemente em doses menores.

O segredo é expor gradualmente seu filho a novas situações e pessoas — tomando cuidado para respeitar seus limites, mesmo quando parecem extremos. Isso produz crianças mais confiantes do que a superproteção ou superestimulação. Faça com que seu filho perceba que os sentimentos dele são normais e naturais, mas também que não há nada a temer: "Eu sei que pode ser estranho brincar com alguém que você nunca encontrou, mas aposto que aquele menino adoraria brincar de caminhãozinho com você se o convidasse." Siga o ritmo do seu filho; não o apresse. Se ele for pequeno, faça as apresentações iniciais ao outro menino se precisar. E fique por perto nos bastidores — ou, se ele for realmente pequeno, com uma mão gentil e apoiadora em seu ombro — pelo tempo que parecer que ele se beneficia da sua presença. Quando ele correr riscos sociais, deixe-o saber que você admira seus esforços: "Vi você ir até aquelas crianças novas ontem. Eu sei que pode ser difícil, mas estou orgulhoso de você."

O mesmo vale para novas situações. Imagine uma criança que tem mais medo do mar do que outras da mesma idade. Pais atentos reconhecem esse medo como natural e até inteligente; o mar é de fato perigoso. Mas não permitem que ela passe o verão na segurança das dunas nem a jogam na água esperando que nade.

Em vez disso, sinalizam que entendem sua aflição, enquanto a estimulam a dar pequenos passos. Talvez brinquem na areia por alguns dias com as ondas do mar batendo a uma distância segura. Um dia eles se aproximam da beira d'água, talvez com a criança encarapitada em seus ombros. Eles esperam um tempo calmo ou uma maré baixa, mergulham um dedo, depois um pé, depois um joelho. Eles não se apressam; cada pequeno passo é enorme no mundo de uma criança. Quando ela finalmente aprende a nadar como um peixe, alcançou o ponto crucial na relação, não apenas com a água, mas também com o medo.

Lentamente, seu filho verá que vale a pena derrubar o muro do desconforto para se divertir do outro lado. Ele aprenderá a derrubá-lo sozinho. Como escreveu o dr. Kenneth Rubin, diretor do Centro para Crianças, Relacionamentos e Cultura da Universidade de Maryland: "Se você for consistente em ajudar seu filho pequeno a regular suas emoções e seus comportamentos de maneira suave e com apoio, algo mágico começará a acontecer: com o tempo, você poderá ver sua filha silenciosamente se tranquilizando: 'Aquelas crianças estão se divertindo, eu posso ir até lá.' Ela estará aprendendo a autorregular seu medo e precaução."

Se você quiser que seu filho aprenda essas habilidades, não o deixe ouvir que é tímido: ele acreditará no rótulo e perceberá seu nervosismo como um traço fixo em vez de uma emoção que pode controlar. Ele também saberá muito bem que "tímido" é uma palavra negativa na nossa sociedade. Acima de tudo, não o envergonhe por sua timidez.

Se for possível, é melhor ensinar ao seu filho habilidades de autopersuasão enquanto ele ainda é muito pequeno, quando há menos estigma associado à hesitação social. Seja um modelo ao cumprimentar estranhos de uma forma calma e amigável e se reunindo com amigos. Da mesma maneira, convide alguns dos colegas de turma dele para ir à sua casa. Deixe-o saber gentilmente que quando está com os outros, não é correto sussurrar ou se encolher para comunicar necessidades, que ele precisa falar em voz alta. Assegure-se de que os encontros sociais dele sejam agradáveis, selecionando crianças que não sejam excessivamente agressivas e grupos que pareçam amigáveis. Faça com que seu filho brinque com crianças menores se isso lhe der confiança, e mais velhas se elas o inspirarem.

Se ele não está se dando bem com uma criança em especial, não o force; você quer que a maioria de suas primeiras experiências sociais seja positiva. Combine para que ele entre em novas situações sociais o mais gradualmente possível. Quando vocês forem a uma festa de aniversário, por exemplo, converse antes sobre como vai ser a festa e como a criança deve cumprimentar os colegas ("Primeiro você vai dizer 'Feliz aniversário, Joey', e depois 'Oi, Sabrina'"). E garanta que cheguem cedo. É muito mais fácil ser um dos primeiros convidados, pois assim seu filho sente como se as outras pessoas estivessem entrando num espaço do qual ele é "dono", em vez de precisar penetrar em um grupo preexistente.

Da mesma forma, se seu filho estiver nervoso antes de o ano escolar começar, levo-o para conhecer sua sala de aula e, idealmente, para conhecer a professora sem outras pessoas em volta, assim como outros adultos de aparência amigável, como os diretores e orientadores, zeladores e funcionários da cantina. Você pode fazer isso de forma sutil: "Eu não conheço a sua sala nova, por que não vamos até lá e damos uma olhada?" Descubram juntos onde é o banheiro, quais são as regras para ir lá, o caminho da sala até a cantina e onde o ônibus da escola irá buscá-lo no fim do dia. Combine encontros durante as férias com crianças compatíveis da mesma turma.

Você também pode ensinar a seu filho estratégias sociais simples para ajudá-lo a enfrentar momentos desconfortáveis. Encoraje-o a parecer confiante mesmo que ele não esteja. Três lembretes simples valem muito: sorria, mantenha a coluna reta e faça contato visual. Ensine-o a procurar rostos amigáveis na multidão. Bobby, de três anos, não gostava de ir ao jardim de infância porque no intervalo a turma deixava os limites seguros da sala e brincava no terraço com crianças mais velhas de outras turmas. Ele se sentia tão intimidado que só queria ir à escola em dias de chuva, quando não havia brincadeiras no terraço. Seus pais o ajudaram a descobrir com que crianças ele se sentia confortável e a entender que o barulhento grupo de alunos mais velhos não tinha que estragar sua diversão.

Se você achar que não está disposto a tudo isso, ou que seu filho precisa praticar mais, peça a seu pediatra para ajudar a localizar um curso de habilidades sociais na sua área. Esses cursos ensinam crianças a entrar em grupos, a se apresentarem a novos colegas e a decifrar a linguagem corporal e as expressões faciais. E eles podem ajudar seu filho a passar pelo que para muitas crianças introvertidas é a parte mais complicada de suas vidas sociais: o dia na escola.

---

É a manhã de uma terça-feira de outubro e a turma da quinta série de uma escola pública de Nova York está se preparando para uma aula sobre as três instâncias do governo norte-americano. As crianças estão sentadas de pernas cruzadas em um tapete num canto iluminado da sala de aula, enquanto a professora, empoleirada em uma cadeira com um livro no colo, leva alguns minutos para explicar os conceitos básicos. Então é hora de uma atividade de grupo aplicando a lição.

"Essa sala fica tão bagunçada depois do almoço...", diz a professora. "Há chiclete embaixo das carteiras, embalagens por todos os lados e salgadinhos de queijo por todo o chão. Não gostamos que nossa sala fique bagunçada, não é?" Os alunos balançam a cabeça. "Hoje vamos fazer algo para resolver juntos esse problema."

Ela divide a sala em três grupos de sete crianças: um grupo legislativo, cuja tarefa é aprovar uma lei para regular o comportamento da hora do almoço; um grupo executivo, que deve decidir como aplicar a lei; e um grupo judiciário, que tem que formular um sistema para julgar os comedores bagunceiros.

As crianças formam os grupos animadamente, sentando-se em três grandes conjuntos. Não há necessidade de mudar os móveis de lugar. Como boa parte do currículo é feita para trabalho em grupo, as carteiras já estão arrumadas em grupos de sete. A sala irrompe em uma alegre algazarra. Algumas das crianças que pareciam mortas de tédio durante a lição de dez minutos agora estão conversando com seus colegas.

Mas nem todas. Quando você vê as crianças em uma grande massa, elas parecem felizes cachorrinhos emaranhados. Mas quando nos concentramos nas crianças individualmente — como Maya, uma ruiva de rabo de cavalo, óculos de aros largos e uma expressão sonhadora no rosto —, temos uma imagem muito diferente.

No grupo de Maya, a "instância executiva", todos falam ao mesmo tempo. Maya fica na sua. Samantha, alta e rechonchuda em sua camiseta roxa, toma a frente. "Aquele que estiver segurando a sacola de plástico fala!" Os alunos passam a sacola, cada um contribuindo com um pensamento na sua vez. Eles me lembram as crianças de *O senhor das moscas*, civicamente passando a concha, pelo menos até que a confusão se instale.

Maya parece intimidada quando a sacola chega até ela.

— Eu concordo — diz ela, entregando-a como uma batata quente à pessoa seguinte.

A sacola circula várias vezes pela mesa; cada vez que Maya a passa ao vizinho, não diz nada. Finalmente a discussão acaba. Ela parece perturbada. Acredito que esteja com vergonha por não ter participado. Samantha lê em seu caderno uma lista de mecanismos de ação que o grupo definiu junto.

— Regra número 1 — diz ela —, se quebrar as leis, perde o recreio...

— Espere! — interrompe Maya. — Eu tenho uma ideia!

— Fale — diz Samantha, um pouco impaciente.

Mas Maya, que como muitos introvertidos sensíveis parece sintonizada nas indicações mais sutis de desaprovação, nota a malícia na voz de Samantha. Ela abre a boca para falar, mas baixa os olhos, conseguindo apenas balbuciar algo ininteligível. Ninguém consegue ouvi-la. Ninguém tenta. A menina legal do grupo — a anos-luz do restante com sua desenvoltura e suas roupas da moda — suspira dramaticamente. Maya se cala, confusa, e a garota legal diz:

— Tudo bem, Samantha, você pode continuar lendo as regras agora.

A professora pede à instância executiva uma recapitulação de seu trabalho. Todos competem pela chance de falar. Todos menos Maya. Samantha toma a frente como sempre, sua voz sobrepõe-se à de todos os outros, até que o resto do grupo fique em silêncio. Seu relato não faz muito sentido, mas ela está tão confiante e bem-intencionada que isso parece não importar.

Maya, por sua vez, senta-se encolhida às margens do grupo, escrevendo seu nome repetidamente em seu caderno, em grandes letras de forma, como se para reassegurar sua identidade. Pelo menos para ela mesma.

Mais cedo, a professora de Maya havia me contado que ela é uma aluna intelectualmente vivaz que brilha ao escrever redações. É uma talentosa jogadora de softbol. E é gentil com os outros, se oferecendo para ser tutora de outras crianças com dificuldade nos estudos. Mas nenhum dos atributos positivos de Maya parece evidente naquela manhã.

Qualquer pai ou mãe ficaria consternado ao pensar que essa foi a experiência de seu filho ao aprender, socializar e ser ele mesmo. Maya é introvertida; ela está fora de seu ambiente em uma sala barulhenta e superestimulante onde as lições são ensinadas em grandes grupos. Sua professora me contou que ela se sairia muito melhor em uma escola com uma atmosfera calma onde pudesse trabalhar com outras crianças que "dessem tão duro e tivessem tanta atenção aos detalhes" e onde boa parte do dia envolvesse trabalho independente. Maya precisa aprender a ser mais assertiva em grupos, é claro, mas será que experiências como a que eu testemunhei lhe ensinarão essa habilidade?

A verdade é que muitas escolas são idealizadas para extrovertidos. Introvertidos precisam de tipos de instrução diferentes dos extrovertidos, escrevem Jill Burruss e Lisa Kaenzig, especialistas em educação da College of William and Mary. E, com grande frequência, "muito pouco é disponibilizado para esse estudante, exceto conselhos constantes sobre como ser mais sociável e gregário".

Costumamos esquecer que não há nada sagrado em aprender em salas de aula com grandes grupos e que organizamos os alunos dessa maneira não por ser a melhor forma de aprender, mas porque é mais vantajoso financeiramente, e o que mais faríamos com nossos filhos enquanto os adultos estão no trabalho? Se seu filho preferir trabalho autônomo e socializar com uma pessoa de cada vez, não há nada de errado com ele; ele apenas não se ajusta ao modelo dominante. O objetivo da escola deve ser preparar as crianças para o resto de suas vidas, mas, com bastante frequência, as crianças precisam estar preparadas é para sobreviver à própria escola.

O ambiente escolar pode ser altamente antinatural, em especial da perspectiva de uma criança introvertida que ama trabalhar de forma intensiva em projetos com os quais se importa e socializar com um ou dois amigos de cada vez. De manhã, o ônibus abre sua porta e despeja seus ocupantes em uma massa barulhenta e agitada. As aulas são dominadas por discussões em grupo nas quais um professor provoca o aluno introvertido a falar. Ele almoça na algazarra cacofônica da cantina, onde tem que disputar um lugar na mesa lotada. O pior de tudo é que ele tem pouco tempo para criar. O dia é estruturado de uma forma que quase garante que sua energia será sugada em vez de estimulada.

Por que aceitamos essa situação uniformizadora como algo inescapável quando sabemos perfeitamente que adultos não se organizam assim? Muitas vezes nos maravilhamos com a forma pela qual crianças introvertidas e nerds "desabrocham" em adultos seguros e felizes. Comparamos isso a uma metamorfose. No entanto, talvez não sejam nossos filhos que mudam, mas seus ambientes. Quando adultos, eles podem escolher carreiras, cônjuges e círculos sociais que combinam com eles. Não precisam viver em qualquer cultura na qual sejam mergulhados. Pesquisas de um campo conhecido como "combinação pessoa-ambiente" mostram que as pessoas florescem quando, nas palavras do psicólogo Brian Little, estão "engajadas em ocupações, papéis e cenários que estejam de acordo com suas personalidades". O oposto também é verdade: crianças param de aprender quando se sentem emocionalmente ameaçadas.

Ninguém sabe disso melhor do que LouAnne Johnson, uma ex-fuzileira naval de fala dura e professora amplamente reconhecida por educar alguns dos adolescentes mais problemáticos no sistema de educação pública da Califórnia (Michelle Pfeiffer interpretou-a no filme *Mentes perigosas*). Visitei Johnson em sua casa em Truth or Consequences, Novo México, para descobrir mais sobre sua experiência ensinando crianças de todos os tipos.

Johnson tem facilidade em trabalhar com crianças muito tímidas — o que não é por acaso. Uma de suas técnicas é compartilhar com seus alunos o quanto ela mesma costumava ser tímida. Sua memória mais antiga da escola é de ser obrigada a ficar de pé num banquinho no jardim de infância porque preferia sentar-se num canto e ler livros e a professora queria que ela "interagisse". "Muitas crianças tímidas ficam fascinadas ao descobrir que sua professora foi tão tímida quanto elas", disse ela. "Lembro-me de uma garota muito tímida da minha aula de inglês no ensino médio, cuja mãe me agradeceu por dizer a sua filha que eu acreditava que seu auge seria mais tarde na vida, e que ela não devia se preocupar por não brilhar na escola. Ela disse que aquele comentário mudara a forma como sua filha via a vida. Pense nisso — um comentário desatento causou tanto impacto em uma criança terna."

Quando estamos encorajando crianças tímidas a falar, diz Johnson, ajuda tornar o assunto tão atrativo que elas esqueçam suas inibições. Ela aconselha pedir aos alunos que discutam temas quentes como "A vida dos meninos é muitos mais fácil que a das meninas". Johnson, que frequentemente fala em público sobre educação, apesar de sempre ter tido uma fobia em relação a isso, sabe em primeira mão como isso funciona bem. "Eu não superei minha timidez", disse ela. "Ela está sentada no cantinho me chamando. Mas sou apaixonada pela ideia de mudar nossas escolas, por isso minha paixão supera minha timidez quando começo a falar. Se você encontra algo que desperte sua paixão ou que gere um desafio saudável, você esquece de si mesmo por um momento. É como férias emocionais."

Mas não arrisque colocar crianças para fazer um discurso para a turma a não ser que você tenha dado a elas as ferramentas para saber com razoável confiança que tudo dará certo. Faça as crianças praticarem com um colega ou em grupos pequenos, e se elas ficarem assustadas demais, não as force. Especialistas acreditam que experiências negativas relacionadas a falar em público na infância podem deixar as crianças com um medo eterno do palco.

Então, que tipo de ambiente escolar funcionaria melhor para as Mayas do mundo? Primeiro, alguns pensamentos para os professores:

- Não pense na introversão como algo que precisa ser curado. Se uma criança introvertida precisar de ajuda com habilidades sociais, ensine a ela ou recomende treinamento fora do horário de aula, exatamente como você faria com um aluno que precisa de atenção extra em matemática ou leitura. Mas valorize essas crianças pelo que elas são. "O comentário típico nos boletins de muitas crianças é 'Eu gostaria que Molly falasse mais em aula'", disse Pat Adams, o ex-diretor da Emerson School, escola para alunos dotados em Ann Arbor, Michigan. "Mas aqui nós entendemos que muitas crianças são introspectivas. Tentamos estimulá-las a se abrir, mas não fazemos disso um grande problema. Acreditamos que crianças introvertidas têm um estilo de aprendizado diferente."

- Estudos mostram que entre um terço e metade de nós somos introvertidos. Isso significa que você tem mais crianças introvertidas em sua turma do que pensa. Mesmo quando pequenos, alguns introvertidos passam a agir como extrovertidos, dificultando sua identificação. Equilibre seus métodos de ensino para servir a todas as crianças da turma. Extrovertidos tendem a gostar de movimento, estímulo, trabalho colaborativo. Introvertidos preferem palestras, tempo de descanso e projetos independentes. Faça uma mistura justa.

- Introvertidos muitas vezes têm um ou dois grandes interesses que não são necessariamente compartilhados por seus colegas. Às vezes eles são influenciados a se sentirem estranhos por conta da força dessas paixões, quando na verdade estudos mostram que esse tipo de intensidade é um pré-requisito para o desenvolvimento de talentos. Elogie essas crianças por seus interesses, encoraje-as e as ajude a encontrar amigos que pensem de forma parecida, se não na sala de aula, então fora dela.

- Um pouco de trabalho colaborativo é bom para introvertidos, e até mesmo benéfico. Mas ele deve acontecer em grupos pequenos — pares ou trios — e ser cuidadosamente estruturado para que cada criança saiba seu papel. Roger Johnson, codiretor do Centro de Aprendizado Cooperativo da Universidade de Minnesota, diz que crianças tímidas ou introvertidas se beneficiam especialmente de trabalho bem-administrado em grupos pequenos, pois "geralmente ficam muito confortáveis com um ou dois colegas para responder a uma questão ou completar uma tarefa, mas jamais pensariam em levantar a mão e se dirigir a toda a turma. É muito importante que esses alunos tenham a chance de traduzir seus pensamentos em linguagem." Imagine o quanto a experiência de Maya teria sido diferente se estivesse em um grupo menor e alguém tivesse se preocupado em dizer: "Samantha, você está encarregada de organizar a discussão. Maya, seu trabalho é tomar notas e lê-las para o grupo."

- Por outro lado, lembre-se da pesquisa de Anders Ericsson sobre a Prática Deliberada no capítulo 3. Em muitos campos, é impossível ganhar perícia sem saber trabalhar sozinho. Faça com que os alunos extrovertidos aprendam com seus colegas introvertidos. Ensine a todas as crianças como trabalhar de forma independente.

- Não coloque crianças quietas em lugares próximos às áreas de "alta interação" da sala de aula, diz o professor de comunicação James McCroskey. Elas não vão falar mais nessas áreas; apenas vão se sentir mais ameaçadas e terão problemas para se concentrar. Facilite a participação em aula para os introvertidos, mas não insista. "Forçar jovens altamente apreensivos a se expressarem oralmente é danoso", escreve McCroskey. "Isso aumentará a apreensão e reduzirá a autoestima."

- Se a sua escola tem uma política de admissão seletiva, pense duas vezes antes de basear suas decisões de admissão na performance de crianças em um cenário de brincadeiras de grupo. Muitas crianças introvertidas fecham-se em grupos de estranhos, e você não terá sequer um vislumbre de como elas são quando estão relaxadas e confortáveis.

E aqui vão alguns pensamentos para os pais. Se você tem a sorte de poder escolher a escola de seu filho, seja pública, seja privada, você deve procurar um lugar que:

- valorize interesses independentes e enfatize a autonomia
- conduza atividades de grupo com moderação e em grupos pequenos e cuidadosamente administrados
- valorize a gentileza, o acolhimento, a empatia e a cidadania
- insista em salas de aula e corredores ordenados
- seja organizada em turmas quietas e pequenas
- escolha professores que pareçam entender temperamentos tímidos/ sérios/ introvertidos/ sensíveis
- foque as atividades acadêmicas/ esportivas/ extracurriculares em matérias que sejam particularmente interessantes para seu filho
- insista bastante em um programa antibullying
- enfatize uma cultura tolerante e realista
- atraia colegas de mentalidade parecida, por exemplo, crianças intelectuais, artísticas ou atléticas, dependendo da preferência de seu filho.

Escolher a dedo uma escola pode parecer pouco realista para muitas famílias. Mas qualquer que seja a escola, há muito que você pode fazer para ajudar seu filho introvertido a se desenvolver. Descubra que matérias mais lhe dão energia e deixe-o livre com elas, seja com tutores externos, seja com programas extras como feiras de ciências e aulas de escrita criativa. Quanto a atividades em grupo, treine-o para procurar por papéis confortáveis em conjuntos maiores. Uma das vantagens do trabalho em grupo, mesmo para introvertidos, é que com frequência ele oferece muitos nichos diferentes. Incentive seu filho a tomar a iniciativa e a pedir para si a responsabilidade de tomar notas, desenhar ou o que quer que lhe interesse mais. A participação parecerá mais confortável quando ele souber qual deve ser sua contribuição.

Você também pode ajudá-lo na prática de falar em voz alta. Deixe-o saber que está tudo bem em demorar um pouco para reunir os pensamentos antes de falar, mesmo que todo mundo pareça estar agitado. Ao mesmo tempo, lhe dê o conselho de que contribuir mais cedo para a discussão é muito mais fácil do que esperar até que todo mundo tenha falado, pois a tensão aumentará enquanto ele espera sua vez. Se ele não tiver certeza do que dizer, ou se estiver se sentindo desconfortável para fazer afirmações, ajude-o a jogar com seus pontos fortes. Ele tende a fazer perguntas inteligentes? Elogie essa qualidade e ensine-o que boas perguntas são muitas vezes mais úteis do que propor respostas. Ele tende a ver as coisas de um ponto de vista único? Ensine a ele o quanto isso é valioso e converse sobre como pode compartilhar essa visão com os outros.

Explore cenários da vida real: por exemplo, os pais de Maya poderiam sentar com ela e descobrir como a filha poderia ter lidado com o exercício do grupo executivo de maneira diferente. Tente interpretar, nas situações mais específicas possíveis. Maya poderia ensaiar com suas próprias palavras como seria dizer "Eu tomarei notas!" ou "E se fizermos uma regra em que todos os que jogarem embalagens no chão terão que passar os últimos dez minutos do almoço recolhendo lixo?".

O desafio é que isso depende de fazer Maya se abrir e contar o que aconteceu em seu dia na escola. Mesmo que geralmente sejam expansivas, muitas crianças não compartilham experiências que as tenham feito sentir-se envergonhadas. Quanto mais nova for a criança, mais ela tenderá a se abrir, então você deve começar esse processo o mais cedo possível em sua vida escolar. Peça informações ao seu filho de uma maneira gentil e sem fazer julgamentos, com perguntas específicas e claras. Em vez de perguntar "Como foi seu dia?", tente perguntar "Do que você gosta na sua professora?", ou "Do que você não gosta muito?". Deixe-o responder em seu tempo. Tente evitar questionamentos, com a voz excessivamente animada que muitos pais costumam usar: "Você se divertiu na escola hoje?!" Ele sentirá o quanto é importante responder que sim.

Se mesmo assim ele não quiser falar, espere. Às vezes ele precisará relaxar por algumas horas antes de estar pronto. Você pode perceber que ele se abre apenas em momentos aconchegantes e relaxados, como na hora do banho ou na hora de dormir. Se esse for o caso, assegure-se de construir essas situações ao longo do dia. E se ele falar com outros, como uma babá em quem confia, uma tia ou um irmão mais velho, mas não com você, engula seu orgulho e peça ajuda.

Finalmente, tente não se preocupar se seu filho introvertido não for a criança mais popular da escola. É de fundamental importância para seu desenvolvimento que ele tenha uma ou duas amizades sólidas, dizem os especialistas em desenvolvimento infantil, mas ser popular não é necessário. Muitas crianças introvertidas desenvolvem excelentes habilidades sociais quando crescem, mesmo que tendam a entrar em grupos de sua própria maneira — esperam um pouco antes de tomarem a iniciativa ou participam apenas por períodos curtos. Não tem problema. Seu filho precisa adquirir habilidades sociais e fazer amigos, não se tornar o aluno mais sociável da escola. Isso não significa que a popularidade não seja divertida. Provavelmente você deseja isso para ele, assim como pode desejar que ele seja bonito, esperto ou talentoso nos esportes. Mas certifique-se de que você não está impondo seus desejos, e lembre-se de que há muitos caminhos para uma vida satisfatória.

Muitos desses caminhos serão encontrados em interesses fora da escola. Enquanto extrovertidos têm mais tendência a passar de um hobby ou atividade para outro, os introvertidos geralmente são fiéis ao que os entusiasma. Isso lhes dá uma maior vantagem quando crescem, pois a verdadeira autoestima vem da competência, e não o contrário. Pesquisadores descobriram que o engajamento e o compromisso intensos em uma atividade são uma rota comprovada para a felicidade e o bem-estar. Talentos e interesses bem-desenvolvidos podem ser uma ótima fonte de confiança para seu filho, não importa o quanto ele possa se sentir diferente dos colegas.

Por exemplo, Maya, a menina que era um membro tão quieto da "instância executiva", adora ir para casa depois de um dia na escola e ler. Mas ela também ama softbol, com todas as pressões sociais e de performance. Ela ainda se lembra do dia em que entrou no time depois de passar por testes. Maya ficou paralisada de medo, mas também se sentiu forte — capaz de bater na bola com um bom e poderoso golpe. "Acho que todos aqueles treinos finalmente compensaram", refletiu ela mais tarde. "Eu apenas continuei sorrindo. Estava tão feliz e orgulhosa — e aquela sensação nunca foi embora."

Para os pais, no entanto, nem sempre é fácil orquestrar situações que provocam sentimentos profundos de satisfação. Por exemplo, você pode sentir que deve encorajar seu filho a praticar qualquer esporte que seja a porta de entrada para a amizade e a admiração em sua cidade. E não há problema, se ele gostar desse esporte e for bom nele, como Maya no softbol. Esportes de equipe podem ser um grande benefício para qualquer um, especialmente crianças que de outra maneira se sentiriam desconfortáveis ao participar de um grupo. Mas deixe seu filho tomar a dianteira em escolher as atividades de que mais gosta. Tudo bem se ele não gostar de nenhum esporte de equipe. Ajude-o a procurar atividades em que ele conhecerá outras crianças, mas nas quais também tenha bastante espaço próprio. Cultive os pontos fortes de que ele dispõe. Se suas paixões forem solitárias demais para o seu gosto, lembre-se de que atividades solo como pintura, engenharia ou escrita criativa podem levar a comunidades de colegas entusiastas.

"Conheci crianças que encontraram outras", diz o dr. Miller, "ao compartilhar interesses importantes: xadrez, RPGs elaborados, e até discutindo interesses profundos como matemática ou história". Rebecca Wallace-Segall, diretora do Writopia Lab, em Nova York, que dá oficinas de escrita criativa para adolescentes, diz que estudantes que se matriculam em suas aulas "frequentemente não são garotos e garotas que gostariam de falar durante horas sobre moda e celebridades. Esses adolescentes têm menos tendência a vir, talvez porque estejam menos inclinados a analisar e mergulhar fundo — não é a zona de conforto deles. As ditas crianças tímidas geralmente estão famintas para discutir ideias, desconstruí-las e executá-las, e, paradoxalmente, quando se permite que interajam assim, elas não são nada tímidas. Elas se conectam com os outros, mas em uma zona mais profunda, em um lugar que é considerado chato ou cansativo por alguns de seus colegas." Essas crianças "desabrocham" quando estão prontas; a maioria dos garotos e garotas da Writopia lê seus trabalhos em livrarias locais e um espantoso número ganha prêmios de grande prestígio em competições de escrita nacionais.

Se seu filho tende à superestimulação, então também é uma boa ideia que ele escolha atividades como arte ou corrida de longa distância, que dependem menos da performance sob pressão. Se ele se sentir atraído por atividades que requeiram performance, você pode ajudá-lo a se desenvolver.

Quando eu era criança, adorava patinação artística. Podia passar horas no rinque traçando oitos, girando alegremente ou voando pelo ar. Mas no dia das minhas competições, eu ficava um caco. Não dormia na noite anterior e muitas vezes caía durante movimentos que executara com facilidade nos treinos. Primeiro, eu acreditei no que as pessoas me diziam — que eu ficava nervosa, como todo mundo. Mas então vi uma entrevista na TV com Katarina Witt, medalha de ouro nas Olimpíadas. Ela disse que a tensão antes das competições dava-lhe a adrenalina que ela precisava para *ganhar* o ouro.

Então eu soube que Katarina e eu éramos criaturas completamente diferentes, mas levei décadas para descobrir por quê. Seus nervos eram tão brandos que simplesmente a energizavam, enquanto os meus eram opressores o bastante para me sufocar. Na época, minha mãe, que me dava muito apoio, perguntou a outras mães de patinadoras como suas filhas lidavam com a ansiedade pré-competição, e voltou com ideias que ela esperava que fizessem com que me sentisse melhor. "A Kristen também fica nervosa", relatou ela. "A mãe da Rebecca disse que ela fica apavorada na noite anterior a uma competição." Mas eu conhecia bem Kristen e Rebecca, e tinha certeza de que elas não tinham tanto medo quanto eu.

Acho que teria ajudado se eu me entendesse melhor naquela época. Se você for pai ou mãe de uma aspirante a patinadora artística, ajude-a a aceitar que ela fica nervosa por causa de deveres pesados, sem lhe dar a ideia de que isso é fatal para o seu sucesso. O que ela mais tem medo é de falhar publicamente. Ela precisa perder a sensibilidade a esse medo habituando-se a competir e até mesmo a fracassar. Encoraje-a a entrar em competições de nível mais baixo longe de casa, onde ela se sentirá anônima e ninguém vai saber se ela cair. Certifique-se de que ela ensaiou bastante. Se ela planejar competir em um rinque que não conheça, tente fazer com que pratique nele algumas vezes. Fale sobre o que pode dar errado e sobre como lidar com isso: "Ok, e daí se você cair e ficar em último lugar? A vida continua!" E ajude-a a vislumbrar a sensação de fazer seus movimentos suavemente.

Despertar uma paixão pode transformar uma vida, não apenas pelo tempo em que seu filho estiver na escola, mas muito além. Considere a história de David Weiss, baterista e jornalista musical. David é um bom exemplo de alguém que cresceu tímido como Charlie Brown, mas que construiu uma vida de criatividade, produtividade e propósito. Ele ama a esposa e seu filhinho. Gosta do trabalho que tem. Possui um grande e interessante círculo de amizades e mora em Nova York, que ele considera o lugar mais vibrante do mundo para um entusiasta da música. Se você medir a vida pelos termômetros do amor e do trabalho, então David é um enorme sucesso.

Mas nem sempre ficou claro, pelo menos para ele, que sua vida se desenrolaria tão bem. Quando criança, ele era tímido e estranho. As coisas de que gostava, a música e a escrita, não tinham valor para as pessoas que mais lhe importavam naquela época: seus colegas. "As pessoas sempre me diziam: 'Esses são os melhores anos da sua vida'", lembra ele. "E eu pensava comigo mesmo: *Espero que não!* Eu odiava a escola. Lembro-me de pensar: *Eu tenho que sair daqui*. Eu estava na sexta série quando o filme *A vingança dos nerds* foi lançado e parecia que eu tinha saído do elenco. Eu sabia que era inteligente, mas cresci no subúrbio de Detroit, que é como 99% do resto do país: se você for bonito e atleta, não será importunado. Mas os outros não o respeitam se você parecer inteligente demais. Eles provavelmente tentarão aborrecê-lo por isso. Esse era meu melhor atributo, e eu definitivamente gostava de usá-lo, mas também era algo que eu precisava manter sob controle."

Então, como ele passou de um ponto a outro? A chave para David foi tocar bateria. "Em um certo ponto", diz David, "eu superei totalmente meus problemas da infância. E sei exatamente como: comecei a tocar bateria. A bateria é a minha musa. É o meu Yoda. Quando eu estava no colégio, a banda de jazz do ensino médio veio e tocou para a gente e eu pensei que o mais legal era, de longe, o garoto que tocava bateria. Para mim, os bateristas eram como atletas, mas atletas musicais, e eu adorava música".

Em um primeiro momento, para David, tocar bateria era mais uma questão de afirmação social: ele parou de ser expulso de festas por atletas que tinham o dobro de seu tamanho. Mas logo se tornou algo muito mais profundo: "De repente reparei que aquela era uma forma de expressão criativa, e isso transformou por completo minha mente. Eu tinha quinze anos. Foi quando me comprometi a continuar com aquilo. Minha vida inteira mudou por causa da bateria, e isso não parou até hoje."

David ainda se lembra bem como era ser ele mesmo aos nove anos. "Sinto que estou em contato com aquela pessoa hoje em dia", diz ele. "Quando faço algo que ache legal, como estar em numa sala cheia de gente em Nova York entrevistando a cantora Alicia Keys ou coisa do gênero, mando uma mensagem para aquela pessoa para que ela saiba que tudo terminou bem. Eu me sinto como se tivesse nove anos e estivesse recebendo um sinal do futuro, o que é uma das coisas que me deu força para continuar. Eu consegui criar essa dinâmica entre quem sou agora e quem eu era no passado."

A outra coisa que deu força a David foram seus pais. Eles focaram menos em desenvolver sua confiança e mais em assegurar que encontrasse maneiras de ser produtivo. Não importava no que ele estivesse interessado, desde que se dedicasse àquilo e se divertisse. David lembra-se de que seu pai era um grande fã de futebol americano, mas "a última pessoa a dizer 'como é que você não está no campo de futebol?'". Por um tempo, David tocou piano, depois violoncelo. Quando anunciou que queria trocar para a bateria, seus pais ficaram surpresos, mas nunca relutaram. Eles aceitaram sua nova paixão. Foi a maneira de eles acolherem o filho.

Se a história de transformação de David Weiss diz algo a você, é por uma boa razão. Ela é um exemplo perfeito do que o psicólogo Dan McAdams chama de história de vida de redenção — e um sinal de saúde mental e bem-estar.

No Centro para o Estudo de Vidas Foley da Universidade Northwestern, McAdams estuda as histórias que as pessoas contam sobre elas mesmas. Ele acredita que todos escrevemos nossas histórias de vida como se fôssemos autores, com inícios, conflitos, reviravoltas e fins. E o modo como caracterizamos nossos reveses passados influencia profundamente o quanto estamos satisfeitos com nossa vida atual. Pessoas infelizes tendem a ver reveses como contaminadores que arruinaram algo que de outra maneira seria bom ("Nunca mais fui o mesmo depois que minha esposa me deixou"), enquanto adultos produtivos os veem como bênçãos disfarçadas ("O divórcio foi a coisa mais dolorosa que já me aconteceu, mas estou muito mais feliz com a minha nova esposa"). Aqueles que vivem as vidas mais realizadas — recompensando suas famílias, sociedades e, finalmente, a si próprios — tendem a encontrar significado em seus obstáculos. Em certo sentido, McAdams deu nova vida a uma das grandes ideias da mitologia ocidental: é onde tropeçamos que se encontram nossos tesouros.

Para muitos introvertidos como David, a adolescência é o grande local de tropeços, o matagal escuro e emaranhado da baixa autoestima e da inquietação social. No final do ensino fundamental e no ensino médio, a moeda principal é a vivacidade e a sociabilidade; atributos como profundidade e sensibilidade não contam muito. Mas muitos introvertidos têm sucesso compondo histórias de vida parecidas com a de David. Nossos momentos de Charlie Brown são o preço que temos que pagar para tocar felizes nossas baterias por décadas.

# Conclusão

## O País das Maravilhas

*Nossa cultura tornou uma virtude viver apenas como extrovertidos. Desencorajamos a jornada interior, a busca por um centro. Então perdemos nosso centro e temos que encontrá-lo novamente.*

— Anaïs Nin

Quer você seja um introvertido, quer um extrovertido que ama ou trabalha com um, espero que se beneficie pessoalmente das ideias deste livro. Aqui está um plano para levar com você:

O amor é essencial; a sociabilidade é opcional. Valorize aqueles mais próximos e queridos para você. Trabalhe com colegas de quem goste e a quem respeite. Procure entre seus novos conhecidos aqueles que podem cair na primeira categoria ou de cuja companhia você goste por si mesma. E não se preocupe em socializar com todos os outros. Relacionamentos deixam todos mais felizes, inclusive introvertidos, mas pense mais na qualidade do que na quantidade.

O segredo da vida é colocar a si mesmo sob a luz certa. Para alguns são os holofotes da Broadway; para outros, uma escrivaninha iluminada. Use seus poderes naturais — a persistência, a concentração, o discernimento e a sensibilidade — para fazer um trabalho que você ama e com o qual se importa. Resolva problemas, faça arte, pense profundamente.

Descubra qual deve ser a sua contribuição para o mundo e assegure-se de contribuir. Se para isso for necessário falar em público, fazer contatos ou desempenhar outras atividades que o deixam desconfortável, faça assim mesmo. Mas aceite que são atividades difíceis, treine o necessário para facilitá-las e recompense a si mesmo quando terminar.

Deixe seu emprego de âncora na TV e forme-se em biblioteconomia. Mas se ser um âncora de TV for a sua paixão, então crie uma persona extrovertida para enfrentar o dia. Aqui está a regra para eventos de networking: uma nova relação realmente boa e honesta vale uma dezena de cartões de visita. Corra para casa depois e caia no sofá. Crie seus nichos restauradores.

Respeite a necessidade de socialização de seus entes queridos, e a sua própria de solidão (e vice-versa, se você for um extrovertido).

Passe seu tempo livre como quiser, não da maneira que acha que deve. Fique em casa no ano-novo se é o que o deixa feliz. Falte a uma reunião de comitê. Atravesse a rua para evitar conversar banalidades com conhecidos aleatórios. Leia. Cozinhe. Corra. Escreva uma história. Faça um acordo consigo mesmo de que irá a um certo número de eventos sociais em troca de não se sentir culpado quando resolver faltar.

Se seus filhos são quietos, ajude-os a fazer as pazes com novas situações e novas pessoas, mas também os deixe serem eles mesmos. Deleite-se com a originalidade de suas mentes. Orgulhe-se da força de suas consciências e da lealdade de suas amizades. Não espere que eles apenas sigam a correnteza. Encoraje-os, em vez disso, a seguir suas paixões. Festeje quando eles contarem os frutos dessas paixões, seja no banco do baterista, seja no campo de softbol, seja na página escrita.

Se você for professor, desfrute de seus alunos gregários e participativos. Mas não se esqueça de valorizar os tímidos, gentis, autônomos, aqueles que se entusiasmam com kits de química, taxonomia de papagaios ou arte do século XIX. Eles são os artistas, engenheiros e pensadores de amanhã.

Se você for um gerente, lembre-se de que entre um terço e metade da sua mão de obra provavelmente é introvertida, quer pareça, quer não. Pense duas vezes na maneira como você dispõe os escritórios da sua empresa. Não espere que introvertidos fiquem empolgados com escritórios abertos, festas de aniversário na hora do almoço ou viagens de construção de equipes. Aproveite ao máximo os pontos fortes dos introvertidos — estas são as pessoas que podem ajudá-lo a pensar profundamente, criar estratégias, resolver problemas complexos e encontrar agulhas no palheiro.

Lembre-se também dos perigos do Novo Pensamento de Grupo. Se é de criatividade que você precisa, peça a seus funcionários para resolverem problemas sozinhos antes de compartilhar suas ideias. Se você quiser a sabedoria da multidão, reúna-a virtualmente ou por escrito e assegure-se de que as pessoas não vejam as ideias umas das outras até que todas tenham tido uma chance de contribuir. O contato cara a cara é importante, pois constrói confiança, mas a dinâmica de grupo contém obstáculos inevitáveis para o pensamento criativo. Planeje para que as pessoas interajam uma a uma ou em pequenos grupos casuais. Não confunda assertividade ou eloquência com boas ideias. Se você tiver uma mão de obra proativa (e eu espero que você tenha), lembre-se de que ela pode ter uma melhor performance sob o comando de um líder introvertido do que sob o comando de um extrovertido ou carismático.

Quem quer que você seja, tenha em mente que as aparências enganam. Algumas pessoas agem como extrovertidos, mas o esforço custa-lhes a energia, a autenticidade e até a saúde física. Outros parecem distantes e reclusos, mas suas paisagens interiores são ricas e cheias de atividades. Então da próxima vez que vir uma pessoa com o rosto plácido e uma voz suave, lembre-se de que em sua mente ela pode estar resolvendo uma equação, compondo um soneto, criando o design de um chapéu. Ou seja, ela pode estar empregando os poderes da quietude.

Sabemos pelos mitos e contos de fadas que há muitos tipos de poderes diferentes no mundo. Uma criança recebe um sabre de luz; outra, a educação de um mago. O truque não é ter todos os tipos de poder disponíveis, mas usar bem o que você recebeu. Aos introvertidos é oferecida a chave para jardins privados cheios de riquezas. Possuir essa chave é cair como Alice no buraco do coelho. Ela não *escolheu* ir para o País das Maravilhas — mas transformou isso numa aventura que era nova, fantástica e pessoal.

Aliás, Lewis Carroll também era um introvertido. Sem ele, não haveria *Alice no País das Maravilhas*. E agora isso não deve nos surpreender.

# Uma nota sobre a dedicatória

Meu avô era um homem de fala mansa com simpáticos olhos azuis e uma paixão por livros e ideias. Ele sempre usava um terno e tinha um modo cortês de comentar qualquer coisa que merecesse ser comentada nas pessoas, principalmente nas crianças. No bairro do Brooklyn, onde ele serviu como rabino, as calçadas estavam recheadas de homens de chapéus pretos, mulheres com saias que escondiam os joelhos e crianças com um improvável bom comportamento. Em seu caminho para a sinagoga, meu avô cumprimentava o passante, gentilmente elogiando a inteligência de uma criança, a altura da outra, o conhecimento de atualidades de uma terceira. As crianças o adoravam, os homens de negócios o respeitavam, as almas perdidas apoiavam-se nele.

Mas o que ele mais adorava fazer era ler. Em seu pequeno apartamento, onde vivera sozinho durante décadas como viúvo, todos os móveis haviam perdido sua função original para servir de base a pilhas de livros: textos hebraicos com folhas douradas misturados com Margaret Atwood e Milan Kundera. Meu avô gostava de se sentar sob a luz fluorescente em forma de halo em sua pequena mesa da cozinha, bebendo chá gelado e comendo bolo, com um livro aberto sobre a toalha branca de algodão. Em seus sermões, cada um deles uma tapeçaria de pensamentos antigos e humanistas, ele compartilhava os frutos dos estudos daquela semana com a congregação. Era uma pessoa tímida que tinha dificuldade em fazer contato visual com o público, mas era tão ousado em suas explorações espirituais e intelectuais que, quando falava, a congregação tomava-se de um sentimento tão forte que todos ficavam de pé.

O resto da família seguiu o mesmo caminho. Em nossa casa, ler era a atividade de grupo primária. Nas tardes de sábado, nos aconchegávamos com nossos livros no escritório. Aquilo era o melhor de dois mundos: tinha-se o calor da família por perto, mas também podia-se divagar pela terra da aventura dentro da própria mente.

Mas quando pré-adolescente, comecei a me perguntar se toda aquela leitura teria me marcado como alguém "de fora", uma suspeita que pareceu se confirmar quando fui para o acampamento de verão aos dez anos e vi uma garota de óculos grossos e testa larga se recusar a deixar o livro que estava lendo no tão importante primeiro dia de acampamento e instantaneamente se tornar uma pária, seus dias e noites um pesadelo de exclusão social. Eu também desejava ler, mas deixei meus livros intocados na mala (apesar de me sentir culpada por isso, como se eles precisassem de mim e eu os tivesse abandonado). Vi que a garota que continuava lendo era considerada nerd e tímida, as mesmas coisas que eu também era e sabia que precisaria esconder.

Depois daquele verão, me senti menos confortável com meu desejo de ficar sozinha com um livro. No ensino médio, na faculdade e como jovem advogada, tentei parecer mais extrovertida e menos intelectual do que realmente era.

Mas quando fiquei mais velha, me inspirei no exemplo do meu avô. Ele era um homem quieto e um grande homem. Quando morreu, aos 94 anos, depois de 62 anos no púlpito, a polícia teve de fechar ruas do bairro para acomodar a multidão de enlutados. Ele ficaria surpreso ao saber disso. Hoje penso que uma das melhores coisas nele era a sua humildade.

Este livro é dedicado, com amor, à família da minha infância. À minha mãe, com seu infinito entusiasmo para conversas calmas em volta da mesa da cozinha; ela deu a seus filhos o dom da intimidade. Eu tive sorte em ter uma mãe tão devotada. Ao meu pai, um médico dedicado que nos deu o exemplo da alegria de sentar-se por horas em frente à escrivaninha, buscando conhecimento, mas que também me apresentou a seus poemas e experiências científicas favoritos. A meu irmão e minha irmã, com quem compartilho até hoje a ternura e a afeição de ter crescido em nossa pequena família e nossa casa cheia de literatura. À minha avó, por sua determinação, coragem e carinho.

E à memória do meu avô, que falava tão eloquentemente a linguagem da quietude.

# Uma nota sobre as palavras "introvertido" e "extrovertido"

Este livro é sobre a introversão vista de um ponto de vista *cultural*. Sua primeira preocupação é com a antiga dicotomia entre o "homem de ação" e o "homem de contemplação" e como poderíamos melhorar o mundo se existisse maior equilíbrio entre os dois tipos de poder. Ele foca na pessoa que se reconhece em algum lugar desta constelação de atributos: reflexivo, cerebral, nerd, despretensioso, sensível, pensativo, sério, contemplativo, sutil, introspectivo, interiorizado, gentil, calmo, modesto, solitário, tímido, avesso a riscos, suscetível. *O poder dos quietos* é sobre o oposto dessa pessoa: o homem de ação que é entusiástico, expansivo, sociável, gregário, excitável, dominante, assertivo, ativo, destemido, duro, extrovertido, relaxado, ousado e confortável sob os holofotes.

Essas são categorias amplas, é claro. Poucos indivíduos identificam-se completamente com apenas um ou outro. Mas a maioria de nós reconhece esses tipos imediatamente, pois desempenham um papel significativo em nossa cultura.

Psicólogos da personalidade contemporâneos podem ter uma concepção da introversão e da extroversão que difere da que usei neste livro. Os que aderem à taxonomia dos Cinco Grandes Traços geralmente veem tais características como a tendência a ter uma natureza cerebral, uma vida interior rica, uma consciência forte, algum grau de ansiedade (especialmente timidez) e uma natureza avessa a riscos como pertencentes a categorias bem diferentes da introversão. Para eles, esses traços podem corresponder tanto a "abertura à experiência" quanto a "consciência" e "neurose".

Meu uso da palavra "introvertido" é deliberadamente mais amplo, recorrendo às ideias da psicologia dos Cinco Grandes, mas também abarcando o pensamento junguiano sobre o mundo interior dos introvertidos de "encanto inexaurível" e experiência subjetiva; a pesquisa de Jerome Kagan sobre alta reatividade e ansiedade (ver capítulos 4 e 5); o trabalho de Elaine Aron sobre o processamento sensorial da sensibilidade e sua relação com a consciência, a intensidade do sentimento e a interiorização (ver capítulo 6); e várias pesquisas sobre persistência e concentração que os introvertidos trazem para a resolução de problemas, muito do que foi resumido maravilhosamente no trabalho de Gerald Matthews (ver capítulo 7).

Na verdade, há mais de três mil anos a cultura ocidental conecta as qualidades na constelação de adjetivos acima. Como o antropólogo C.A. Valentine certa vez escreveu:

> As tradições culturais ocidentais incluem um conceito de variabilidade individual que parece ser antigo, disseminado e persistente. Na forma popular, esta é a noção familiar do homem de ação, homem prático, realista ou pessoa sociável oposta ao indivíduo pensador, sonhador, idealista ou tímido. Os rótulos mais utilizados associados a essa tradição são as designações dos tipos extrovertido e introvertido.

O conceito de Valentine de introversão inclui traços que a psicologia contemporânea classificaria como abertura à experiência (pensador, sonhador), consciência (idealista) e neurose (indivíduo tímido).

Uma longa linhagem de poetas, cientistas e filósofos também tendeu a agrupar esses traços. Voltando ao Gênesis, o livro mais antigo da Bíblia, tínhamos o cerebral Jacó (um "homem quieto vivendo em tendas", que mais tarde se torna Israel, cujo significado é aquele que luta intimamente com Deus), caindo em uma rivalidade fraterna com seu irmão, o aventuroso Esaú (um "habilidoso caçador" e "homem do campo"). Na antiguidade clássica, os médicos Hipócrates e Galeno fizeram a famosa proposição de que nosso temperamento — e destino — era diretamente ligado a nossos fluidos corporais, com o sangue extra e a "bile amarela" tornando-nos sanguíneos ou coléricos (extroversão estável ou neurótica), e com o excesso de fleuma e a "bile preta" tornando-nos calmos ou melancólicos (introversão estável ou neurótica). Aristóteles notou que o temperamento melancólico estava associado à superioridade na filosofia, na poesia e nas artes (hoje podemos classificar isso como abertura à experiência). O poeta inglês do século XVII John Milton escreveu "Il Penseroso" [O pensador] e “L’Allegro” [O alegre], comparando “a pessoa alegre” que saltita pelo campo e deleita-se na cidade com “o pensativo” que caminha meditativamente pelo bosque à noite e estuda em uma “torre solitária”. (Mais uma vez, hoje a descrição do “Il Penseroso” se aplicaria não apenas à introversão, mas também à abertura à experiência e à neurose.) O filósofo alemão do século XIX Schopenhauer contrastou as pessoas de “bom espírito” (enérgicas, ativas e facilmente entediadas) com seu tipo preferido, as “pessoas inteligentes” (sensíveis, imaginativas e melancólicas). “Guardem bem isso, orgulhosos homens de ação!”, declarou seu compatriota Heinrich Heine. “Vocês são, afinal, nada mais do que instrumentos inconscientes dos homens de pensamento.”

Por causa da complexidade dessa definição, eu originalmente planejei inventar meus próprios termos para essa constelação de traços. Decidi não fazer isso, mais uma vez, por questões culturais: as palavras “introvertido” e “extrovertido” têm a vantagem de serem bem conhecidas e altamente evocativas. Cada vez que as pronunciei em um jantar ou para a pessoa ao lado no avião, eles jorraram uma torrente de confissões e reflexões.

# Agradecimentos

Eu não poderia ter escrito *O poder dos quietos* sem a ajuda de incontáveis amigos, familiares e colegas, incluindo Richard Pine, também conhecido (para mim) como Superagente RSP: o mais inteligente, sábio e responsável agente literário com quem qualquer escritor poderia querer trabalhar. Richard acreditou firmemente em *O poder dos quietos*, mesmo antes de mim. E continuou acreditando, durante os cinco anos que levei para pesquisar e escrever o livro. Eu o considero não apenas um agente, mas um parceiro em minha carreira. Também gostei de trabalhar com toda a equipe da InkWell Management, incluindo Ethan Bassoff, Lyndsey Blessing e Charlie Olsen.

Na Crown Publishers, tive o privilégio de trabalhar com a notável Molly Stern e seu time de estrelas. Rachel Klayman deve ser a mais brilhante e dedicada editora dessa área. Ela estava lá às duas da tarde e às duas da manhã, encontrando falhas em meu raciocínio e problemas no texto e melhorando este livro incansavelmente. Também aprecio o quão generosas foram Mary Choteborsky e Jenna Ciongoli com seus talentos editoriais. E tive a sorte de trabalhar com o editor externo Peter Guzzardi, que tem instintos incríveis e um talento para fazer críticas soarem agradáveis. Obrigada de coração a todos vocês. Este livro seria apenas uma sombra do que é sem os seus esforços.

Obrigada especialmente a Rachel Rokicki e Julie Cepler pela criatividade e entusiasmo que trouxeram à causa de *O poder dos quietos*. Elas são muito competentes no que fazem, esforçadas ao extremo e também uma ótima companhia. E agradeço também a Patty Berg, Mark Birkey, Chris Brand, Stephanie Chan, Tina Constable, Laura Duffy, Songhee Kim, Kyle Kolker, Rachel Meier, Annsley Rosner e a todos os outros da equipe da Crown.

Também tive muita sorte em trabalhar com Joel Rickett, Kate Barker, e o restante do incrível grupo da Viking/Penguin U.K.

As maravilhosas pessoas da TED abraçaram as ideias deste livro e me deram a chance de falar sobre elas na conferência da TED em Long Beach, em 2012. Sou grata a Chris Anderson, Kelly Stoetzel, June Cohen, Tom Rielly, Michael Glass, Nicholas Weinberg e toda a equipe da TED.

Brian Little, cujo trabalho descrevi no capítulo 9, tornou-se um extraordinário mentor e amigo. Conheci Brian no início do meu processo de pesquisa, quando lhe pedi uma entrevista. Ele não apenas me concedeu a entrevista como, ao longo dos anos, meu seminário particular de pós-graduação em psicologia da personalidade. Tenho o orgulho de estar entre seus discípulos e amigos.

Elaine Aron, cujo trabalho descrevi no capítulo 6, inspirou-me com o trabalho de sua vida e cedeu generosamente seu tempo, conhecimento e história de vida.

Confiei no apoio e aconselhamento de inúmeros amigos, incluindo: Marci Alboher, Gina Bianchini, Tara Bracco, Janis Brody, Greg Bylinksy, David Callahan, Helen Churko, Mark Colodny, Estie Dallett, Ben Dattner, Ben Falchuk, Christy Fletcher, Margo Flug, Jennifer Gandin Le, Rhonda Garelick, Michael Glass, Vishwa Goohya, Leeat Granek, Amy Gutman, Hillary Hazan-Glass, Wende Jaeger-Hyman, Mahima Joishy, Emily Klein, Chris Le, Rachel Lehmann-Haupt, Lori Lesser, Margot Magowan, Courtney Martin, Fran e Jerry Marton, Furaha Norton, Elizabeth O'Neill, Wendy Paris, Leanne Paluck Reiss, Marta Renzi, Gina Rudan, Howard Sackstein, Marisol Simard, Daphna Stern, Robin Stern, Tim Stock, Jillian Straus, Sam Sugiura, Tom Sugiura, Jennifer Taub, Kate Tedesco, Ruti Teitel, Seinenu Thein, Jacquette Timmons, Marie Lena Tupot, Sam Walker, Daniel Wolff, e Cali Yost. Um "obrigada" superespecial a Anna Beltran, Maritza Flores e Eliza Simpson.

Sou especialmente grata pelo apoio de alguns dos meus mais velhos e queridos amigos: Mark Colodny, Jeff Kaplan, Hitomi Komatsu, Cathy Lankenau-Weeks, Lawrence Mendenhall, Jonathan Sichel, Brande Stellings, Judith van der Reis, Rebecca e Jeremy Wallace-Segall e Naomi Wolf, que se mantêm próximos mesmo que mal tenhamos tido tempo para conversar, quanto mais para visitar uns aos outros, durante os anos em que escrevi este livro e dei à luz meus dois filhos.

Obrigada também a meus colegas do Invisible Institute, que me inspiram e impressionam regularmente: Gary Bass, Elizabeth Devita-Raeburn, Abby Ellin,

Randi Epstein, Sheri Fink, Christine Kenneally, Judith Matloff, Katie Orenstein, Annie Murphy Paul, Pamela Paul, Joshua Prager, Alissa Quart, Paul Raeburn, Kathy Rich, Gretchen Rubin, Lauren Sandler, Deborah Siegel, Rebecca Skloot, Debbie Stier, Stacy Sullivan, Maia Szalavitz, Harriet Washington e Tom Zoellner.

Pela inspiração que eu gostaria de engarrafar e vender se pudesse, obrigada aos donos da casinha em Amagansett: Alison (Sunny) Warriner e Jeanne Mclemore. O mesmo para Evelyn e Michael Polesny, proprietários do mágico Doma Café em Greenwich Village, onde escrevi a maior parte deste livro.

Obrigada também àqueles que ajudaram em vários aspectos para fazer O *poder dos quietos* decolar: Nancy Ancowitz, Mark Colodny, Bill Cunningham, Ben Dattner, Aaron Fedor, Boris Fishman, David Gallo, Christopher Glazek, Suzy Hansen, Jayme Johnson, Jennifer Kahweiler, David Lavin, Ko-Shin Mandell, Andres Richner, JillEllyn Riley, Gretchen Rubin, Gregory Samanez-Larkin, Stephen Schueller, Sree Sreenivasan, Robert Stelmack, Linda Stone, John Thompson, Charles Yao, Helen Wan, Georgia Weinberg e Naomi Wolf.

Devo especialmente às pessoas sobre as quais escrevi e que citei, algumas das quais se tornaram amigas: Michel Anteby, Jay Belsky, Jon Berghoff, Wayne Cascio, Hung Wei Chien, Boykin Curry, Tom DeMarco, Richard Depue, dra. Janice Dorn, Anders Ericsson, Jason Fried, Francesca Gino, Adam Grant, William Graziano, Stephen Harvill, David Hofmann, Richard Howard, Jadzia Jagiellowicz, Roger Johnson, Jerry Kagan, Guy Kawasaki, Camelia Kuhnen, Tiffany Liao, Richard Lippa, Joanna Lipper, Adam McHugh, Mike Mika, Emily Miller, Jerry Miller, Quinn Mills, Purvi Modi, Joseph Newman, Preston Ni, Carl Schwartz, Dave Smith, Mark Snyder, Jacqueline Strickland, Avril Thorne, David Weiss, Mike Wei e Shoya Zichy.

Há muitos outros cujos nomes não mencionei em O *poder dos quietos*, mas que generosamente contribuíram com seu tempo e sabedoria, através de entrevistas e outros meios, e que tanto formaram meu pensamento: Marco Acevedo, Anna Allanbrook, Andrew Ayre, Dawn Rivers Baker, Susan Blew, Jonathan Cheek, Jeremy Chua, Dave Coleman, Ben Dattner, Matthew Davis, Scott Derue, Carl Elliott, Brad Feld, Kurt Fischer, Alex Forbes, Donna Genyk, Carole Grand, Stephen Gerras, Lenny Gucciardi, Anne Harrington, Naomi Karten,

James McElroy, Richard McNally, Greg Oldham, Christopher Peterson, Lise Quintana, Lena Roy, Chris Scherpenseel, Hersh Shefrin, Nancy Snidman, Sandy Tinkler, Virginia Vitzthum, E. O. Wilson, David Winter e Patti Wollman. Obrigada a todos.

Acima de tudo, agradeço à minha família: Lawrence e Gail Horowitz, Barbara Schnipper e Mitchell Horowitz, sobre quem escrevi na dedicatória; Lois, Murray e Steve Schnipper, que fazem do mundo um lugar mais terno; Steve e Gina Cain, meus maravilhosos irmãos da Costa Oeste e a inimitável Heidi Postlewait.

Um obrigado especial e meu amor a Al e Bobbi Cain, que me deram suas opiniões, contatos e aconselhamento profissional enquanto eu pesquisava e escrevia e que constantemente me fizeram torcer para um dia ser uma sogra tão devotada e presente para algum jovem como eles são para mim.

E a meu amado Gonzo (também conhecido como Ken), que deve ser a pessoa mais generosa e mais elegante do mundo. Durante os anos em que escrevi este livro, ele editou meus rascunhos, afiou minhas ideias, fez chá para mim, me fez rir, trouxe chocolate, cuidou do nosso jardim, virou seu mundo de cabeça para baixo para que eu tivesse tempo para escrever, manteve nossas vidas coloridas e excitantes e nos tirou dos Berkshires. Ele também, é claro, nos deu Sammy e Elishku, que encheram nossa casa com quinquilharias, e nossos corações com amor.

# Notas

Introdução: O norte e o sul do temperamento

1 **Montgomery, Alabama, Estados Unidos. Primeiro de dezembro de 1955:** Para uma excelente biografia de Rosa Parks, ver Douglas Brinkley, *Rosa Parks: A Life* (Nova York: Penguin, 2000). A maior parte do material sobre Parks em *O poder dos quietos* foi retirado desse livro. Uma nota sobre Parks: alguns questionaram a singularidade de suas ações, apontando que ela teve bastante treinamento em direitos civis antes de embarcar naquele ônibus. Apesar de isso ser verdade, não há evidência, de acordo com Brinkley, de que Parks tenha agido premeditadamente naquela noite, ou mesmo como uma ativista; ela estava simplesmente sendo ela mesma. O mais importante para o objetivo de *O poder dos quietos* é que sua personalidade não a impediu de ser poderosa, ao contrário, fez com que ela fosse uma resistente não violenta nata.

2 **"o norte e o sul do temperamento":** Winifred Gallagher (citando J.D. Higley), "How We Become What We Are", *The Atlantic Monthly*, setembro de 1994. (Higley estava falando sobre ousadia e inibição, não sobre introversão e extroversão propriamente, mas os conceitos se sobrepõem de várias maneiras.)

3 **Governa o quanto temos tendência a nos exercitar:** Robert M. Stelmack, "On Personality and Arousal: A Historical Perspective on Eysenck and Zuckerman", in Marvin Zuckerman e Robert M. Stelmack, orgs., *On the Psychobiology of Personality: Essays in Honor of Marvin Zuckerman* (San Diego: Elsevier, 2004), 22. Ver também Caroline Davis et al., "Motivations to Exercise as a Function of Personality Characteristics, Age, and Gender", *Personality and Individual Differences* 19, nº 2 (1995): 165-174.

3 **cometer adultério:** Daniel Nettle, *Personality: What Makes You the Way You Are* (Nova York: Oxford University Press, 2007), 100. Ver também David P. Schmitt, "The Big Five Related to Risky Sexual Behaviour Across 10 World Regions: Differential Personality Associations of Sexual Promiscuity and Relationship Infidelity", *European Journal of Personality* 18, nº 4 (2004): 301-319.

3 **funcionar bem sem dormir:** William D.S. Killgore et al., "The Trait of Introversion-Extraversion Predicts Vulnerability to Sleep Deprivation", *Journal of Sleep Research* 16, nº 4 (2007): 354-363. Ver também Daniel Taylor e Robert M. McFatter, "Cognitive Performance After Sleep Deprivation: Does Personality Make a Difference?" *Personality and Individual Differences* 34, nº 7 (2003): 1.179-1.193; e Andrew Smith e Andrea Maben, "Effects of Sleep Deprivation, Lunch, and Personality on Performance, Mood, and Cardiovascular Function", *Physiology and Behavior* 54, nº 5 (1993): 967-972.

3 **aprender com nossos erros:** Ver capítulo 7.

3 **fazer grandes apostas no mercado de ações:** Ver capítulo 7.

3 **a ser bons líderes:** Ver capítulo 2.

3 **e a perguntar: "E se?":** Ver capítulos 3 e 7.

3 **aspectos mais pesquisados:** Em 2 de maio de 2010, na base de dados PSYCINFO havia 9.194 entradas para "extroversão", 6.111 para "introversão", e 12.494 para o tema sobreposto "neurose". Havia menos entradas para os Cinco Grandes Traços da personalidade: abertura à experiência, consciência e disposição a ser agradável. Similarmente, em 14 de junho de 2010, uma pesquisa no Google Acadêmico encontrou 64.700 artigos sobre "extraversão" [em inglês, "extraversion"], 30.600 sobre "extroversão", 55.900 sobre "introversão" e 53.300 sobre "neurose". O psicólogo William Graziano, em um e-mail de 31 de julho de 2010, refere-se a introversão/extroversão como "o gorila de duzentos quilos da personalidade, o que significa que é grande e não pode ser ignorado facilmente".

3 **na Bíblia:** Ver "Uma nota sobre as palavras 'introvertido' e 'extrovertido'".

3 **alguns psicólogos evolucionistas:** Ver capítulo 6.

3 **de um terço a metade dos norte-americanos é introvertido:** Rowan Bayne, em *The Myers-Briggs Type Indicator: A Critical Review and Practical Guide* (Londres: Chapman and Hall, 1995), 47, encontra a incidência da introversão em 36%, o que por sua vez é determinado no estudo de 1985 de Isabel Myers. Um estudo mais recente, publicado pelo Centro de Aplicação de Serviços de Pesquisas sobre Tipos Psicológicos em 1996, testou 914.219 pessoas e descobriu que 49,3% eram extrovertidas e 50,7% eram introvertidas. Ver "Estimated Frequencies of the Types in the United States Population", um prospecto publicado pelo Centro de Aplicação do Tipo Psicológico (CAPT, em inglês) em 1996 e 2003. O fato de a porcentagem de introvertidos encontrados por esses estudos ter aumentado de 36% para 50,7% não significa necessariamente que agora haja mais introvertidos nos Estados Unidos, segundo o CAPT. Pode ser um simples reflexo das populações testadas e incluídas. Na verdade, uma pesquisa totalmente separada, usando o Inventário de Personalidade de Eysenck e o Questionário de Personalidade de Eysenck em vez do teste de Myers-Briggs, indica que a extroversão aumentou com o tempo (de 1966 a 1993) para homens e mulheres: ver

Jean M. Twenge, "Birth Cohort Changes in Extraversion: A Cross-Temporal Meta-Analysis, 1966-1993", *Personality and Individual Differences* 30 (2001): 735-748.

4 **os Estados Unidos estão entre as nações mais extrovertidas:** Isso foi percebido em dois estudos: (1) Juri Allik e Robert R. McCrae, "Toward a Geography of Personality Traits: Patterns of Profiles Across 36 Cultures", *Journal of Cross-Cultural Psychology* 35 (2004): 13-28; e (2) Robert R. McCrae e Antonio Terracciano, "Personality Profiles of Cultures: Aggregate Personality Traits", *Journal of Personality and Social Psychology* 89:3 (2005): 407-425.

4 **Pessoas loquazes, por exemplo:** William B. Swann Jr. e Peter J. Rentfrow, "Blirtatiousness: Cognitive, Behavioral, and Physiological Consequences of Rapid Responding", *Journal of Personality and Social Psychology* 81, nº 6 (2001): 1.160-1.175.

4 **A velocidade do discurso conta:** Howard Giles e Richard L. Street Jr., "Communicator Characteristics and Behavior", in M.L. Knapp e G.R. Miller, orgs., *Handbook of Interpersonal Communication*, 2ª ed. (Thousand Oaks, CA: Sage, 1994), 103-161. (Mas veja uma boa notícia para os introvertidos: fala lenta pode ser percebida como honesta e benevolente, de acordo com outros estudos.)

5 **os eloquentes são considerados mais inteligentes:** Delroy L. Paulhus e Kathy L. Morgan, "Perceptions of Intelligence in Leaderless Groups: The Dynamic Effects of Shyness and Acquaintance", *Journal of Personality and Social Psychology* 72, nº 3 (1997): 581-591.

5 **um estudo informal:** Laurie Helgoe, *Introvert Power: Why Your Inner Life Is Your Hidden Strength* (Naperville, IL: Sourcebooks, 2008), 3-4.

5 **A teoria da gravidade:** Gale E. Christianson, *Isaac Newton* (Oxford University Press, Lives and Legacies Series, 2005).

5 **A teoria da relatividade:** Walter Isaacson, *Einstein: His Life and Universe* (Nova York: Simon & Schuster, 2007), 4, 12, 18, 2, 31, etc. [Edição brasileira: *Einstein: Sua vida, seu universo*. São Paulo: Companhia das Letras, 2007]

5 **"O segundo advento", de W.B. Yeats:** Michael Fitzgerald, *The Genesis of Artistic Creativity: Asperger's Syndrome and the Arts* (Londres: Jessica Kingsley, 2005), 69. Ver também Ira Progoff, *Jung's Psychology and Its Social Meaning* (Londres: Routledge, 1999), 111-112.

5 **Os noturnos de Chopin:** Tad Szulc, *Chopin in Paris: The Life and Times of the Romantic Composer* (Nova York: Simon & Schuster, 2000), 69. [Edição brasileira: *Chopin em Paris: Uma biografia*. Rio de Janeiro: Record, 1999]

5 ***Em busca do tempo perdido*, de Proust:** Alain de Botton, *How Proust Can Change Your Life* (Nova York: Vintage International, 1997). [Edição brasileira: *Como Proust pode mudar sua vida*. Rio de Janeiro: Rocco, 1999]

5 **Peter Pan:** Lisa Chaney, *Hide-and-Seek with Angels: A Life of J.M. Barrie* (Nova York: St. Martin's Press, 2005), 2.

5 **1984 e *A revolução dos bichos*, de George Orwell:** Fitzgerald, *The Genesis of Artistic Creativity*, 89.

5 **Charlie Brown:** David Michaelis, *Schulz and Peanuts: A Biography* (Nova York: Harper, 2007).

5 ***A lista de Schindler*, *E.T.* e *Contatos imediatos de terceiro grau*:** Joseph McBride, *Steven Spielberg: A Biography* (Nova York: Simon & Schuster, 1997), 57, 68.

5 **Google:** Ken Auletta, Googled: The End of the World as We Know It (Nova York: Penguin, 2009), 32. [Edição brasileira: *Googled: A história da maior empresa do mundo virtual — e como sua ascensão afeta as empresas do mundo real*. Rio de Janeiro: Agir, 2011]

5 **Harry Potter:** Entrevista de J.K. Rowling por Shelagh Rogers e Lauren McCormick, Canadian Broadcasting Corp., 26 de outubro de 2000.

5 **"Nem o E=mc$^2$ de Einstein nem *Paraíso perdido*":** Winifred Gallagher, *I.D.: How Heredity and Experience Make You Who You Are* (Nova York: Random House, 1996), 26. [Edição brasileira: *Identidade: A genética e a cultura na formação da personalidade*. São Paulo: Ática, 1998]

6 **a grande maioria dos professores acha:** Charles Meisgeier et al., "Implications and Applications of Psychological Type to Educational Reform and Renewal", *Proceedings of the First Biennial International Conference on Education of the Center for Applications of Psychological Type* (Gainesville, FL: Center for Applications of Psychological Type, 1994), 263-271.

10 **Carl Jung publicara um livro bombástico:** Carl G. Jung, *Psychological Types* (Princeton, NJ: Princeton University Press, 1971; originalmente publicado em alemão como *Psychologische Typen* [Zurich: Rascher Verlag, 1921]), ver esp. 330-337. [Edição brasileira: *Tipos psicológicos*. Petrópolis: Vozes, 2011]

10 **maioria das universidades e grandes empresas:** E-mail para a autora de 9 de julho de 2010, de Leah L. Walling, diretora, Comunicações de Marketing e Marketing de produto, CPP, Inc.

10-11 **introvertidos e extrovertidos diferem quanto ao nível de estímulo externo (...) Muitos têm horror a jogar conversa fora:** Ver Parte Dois: "Sua biologia, sua personalidade?"

11 **"introvertido" não significa eremita:** Introversão também é muito diferente da síndrome de Asperger, a síndrome do autismo que envolve dificuldades em interações sociais como ler expressões faciais e a linguagem corporal. A introversão e a síndrome de Asperger podem envolver sentir-se oprimido em cenários sociais. Mas diferente das pessoas com Asperger, introvertidos possuem fortes habilidades sociais. Comparados com entre um terço e metade dos norte-americanos que são introvertidos, apenas uma em cinco mil pessoas tem síndrome de Asperger. Ver *National Institute of Neurological Disorders and Stroke*, *Asperger Syndrome Fact Sheet*, http://www.ninds.nih.gov/disorders/asperger/detail_asperger.htm.

12 **distintamente introvertido E.M. Forster:** Sunil Kumar, *A Companion to E.M. Forster*, vol. 1 (Nova Delhi: Atlantic Publishers and Distributors, 2007).

12 **"o amor humano em seu auge":** E.M. Forster, *Howards End* (Londres: Edward Arnold, 1910). [Edição brasileira: *Howards End*. São Paulo: Globo, 2006]

12 **Timidez é o medo da desaprovação social:** Elaine N. Aron et al., "Adult Shyness: The Interaction of Temperamental Sensitivity and an Adverse Childhood Environment", *Personality and Social Psychology Bulletin* 31 (2005): 181-197.

12 **muitas vezes eles se sobrepõem:** Muitos artigos abordam essa questão. Veja, por exemplo, Stephen R. Briggs, "Shyness: Introversion or Neuroticism?" *Journal of Research in Personality* 22, nº 3 (1988): 290-307.

14 **"Um homem assim estaria em um sanatório":** William McGuire e R.F.C. Hall, C.G. *Jung Speaking: Interviews and Encounters* (Princeton, NJ: Princeton University Press, 1977), 304.

14 **A Finlândia é um país famoso por sua introversão:** Aino Sallinen-Kuparinen et al., *Willingness to Communicate, Communication Apprehension, Introversion, and Self- Reported Communication Competence: Finnish and American Comparisons*. Communication Research Reports, 8 (1991): 57.

14 **Muitos introvertidos também são "altamente sensíveis":** Ver capítulo 6.

Capítulo 1: O surgimento do "companheiro poderoso e simpático"

19–20 **A data: 1902 (...) o dominaram quando jovem:** Giles Kemp e Edward Claflin, *Dale Carnegie: The Man Who Influenced Millions* (Nova York: St. Martin's Press, 1989). O ano de 1902 é uma data estimada nos contornos da biografia de Carnegie.

20 **"No tempo em que pianos e banheiros eram luxo":** Dale Carnegie, *The Quick and Easy Way to Effective Speaking* (Nova York: Pocket Books, 1962; uma edição revisada de Dorothy Carnegie, com base em *Public Speaking and Influencing Men in Business* [*Como falar em público e influenciar pessoas no mundo dos negócios*], de Dale Carnegie).

21 **Culto ao Caráter para o Culto à Personalidade:** Warren Susman, *Culture as History: The Transformation of American Society in the Twentieth Century* (Washington, DC: Smithsonian Institution Press, 2003), 271-285. Ver também Ian A.M. Nicholson, "Gordon Allport, Character, and the 'Culture of Personality,' 1897-1937", *History of Psychology* 1, nº 1 (1998): 52-68.

21 **A palavra "personalidade" não existia:** Susman, *Culture as History*, 277: A ideia moderna de personalidade emergiu no começo do século XX e tornou-se o que é apenas no período pós I Guerra Mundial. Em 1930, de acordo com o psicólogo da personalidade Gordon W. Allport, o interesse na personalidade alcançara "incríveis proporções". Ver também Sol Cohen, "The Mental Hygiene Movement, the Development of Personality and the School: The Medicalization of American Education", *History of Education Quarterly* 32, nº 2 (1983), 123-149.

21-22 **Em 1790, apenas 3% (...) um terço do país:** Alan Berger, *The City: Urban Communities and Their Problems* (Dubuque, IA: William C. Brown Co.,

1978). Ver também Warren Simpson Thompson et al., *Population Trends in the United States* (Nova York: Gordon and Breach Science Publishers, 1969).

22 **"Não podemos todos viver em cidades":** David E. Shi, *The Simple Life: Plain Living and High Thinking in American Culture* (Athens, GA: University of Georgia Press, 1985), 154.

22 **"A razão para que um homem conquiste uma promoção":** Roland Marchand, *Advertising the American Dream: Making Way for Modernity, 1920-1940* (Berkeley: University of California Press, 1985), 209.

22 ***O peregrino*:** John Bunyan, *The Pilgrim's Progress* (Nova York: Oxford University Press, 2003). [Edição brasileira: *O peregrino*. São Paulo: Mundo Cristão, 2008] Ver também Elizabeth Haiken, *Venus Envy: A History of Cosmetic Surgery* (Baltimore: Johns Hopkins University Press, 1997), 99.

22 **um homem modesto que (...) "ofendia pela superioridade":** Amy Henderson, "Media and the Rise of Celebrity Culture", *Organization of American Historians Magazine of History* 6 (primavera de 1992).

22 **Em 1899, um manual:** Orison Swett Marden, *Character: The Grandest Thing in the World* (1899; reimpressão, Kessinger Publishing, 2003), 13.

22–23 **Mas por volta de 1920, populares guias de autoajuda (...) "É assim que a personalidade começa a ganhar destaque":** Susman, *Culture as History*, 271-285.

23 **A revista *Success* e o jornal *The Saturday Evening Post*:** Carl Elliott, *Better Than Well: American Medicine Meets the American Dream* (Nova York: W.W. Norton, 2003), 61.

23 **uma misteriosa qualidade chamada "fascinação":** Susman, 279.

23 **"As pessoas que passam na rua":** Hazel Rawson Cades, "A Twelve-to-Twenty Talk", *Women's Home Companion*, setembro de 1925: 71 (citado por Haiken, p.91).

24 **os norte-americanos tenham se tornado obcecados por estrelas de cinema:** Em 1907, havia cinco mil cinemas nos Estados Unidos; em 1914, havia 180 mil e crescendo. Os primeiros filmes apareceram em 1894 e apesar de as identidades dos atores serem inicialmente mantidas secretas pelos estúdios (mantendo-se em sintonia com o espírito de uma era mais privada), em 1910 nasceu a noção de "estrela de cinema". Entre 1910 e 1915, o influente cineasta D.W. Griffith fez filmes que sobrepunham closes de estrelas com cenas de multidão. Sua mensagem era clara: aqui estava a personalidade de sucesso, destacando-se em toda a sua glória dos não diferenciados zés-ninguém do mundo. Os norte-americanos absorveram a mensagem com entusiasmo. A grande maioria dos perfis biográficos publicados no *The Saturday Evening Post* e na *Collier's* na aurora do século XX era sobre políticos, homens de negócios e profissionais. Mas nos anos 1920

e 1930, a maioria dos perfis era sobre estrelas como Gloria Swanson e Charlie Chaplin. (Ver Susman e Henderson; ver também Charles Musser, *The Emergence of Cinema: The American Screen to 1907* [Berkeley: University of California Press, 1994], 81; e Daniel Czitrom, *Media and the American Mind: From Morse to McLuhan* [Chapel Hill: University of North Carolina Press, 1982, p.42].)

24 **"Linho Eaton's Highland":** Marchand, *Advertising the American Dream*, 11.

24 **"As pessoas ao seu redor estão julgando-o em silêncio":** Jennifer Scanlon, *Inarticulate Longings: The Ladies' Home Journal, Gender, and the Promises of Consumer Culture* (Routledge, 1995), 209.

24 **"Olhos críticos estão medindo-o agora mesmo":** Marchand, *Advertising the American Dream*, 213.

24 **"Já tentou vender-se a você mesmo?":** Marchand, 209.

24 **"Deixe seu rosto refletir confiança, não se preocupe!":** Marchand, *Advertising the American Dream*, 213.

25 **quisera "ser bem-sucedida, alegre, triunfante":** Esse anúncio foi publicado na revista *Cosmopolitan* de agosto de 1921: 24.

25 **"como posso me tornar mais popular?":** Rita Barnard, *The Great Depression and the Culture of Abundance: Kenneth Fearing, Nathanael West, and Mass Culture in the 1930s* (Cambridge, UK: Cambridge University Press, 1995), 188. Ver também Marchand, *Advertising the American Dream*, 210.

25–26 **homens e mulheres mostravam alguma reserva (...) às vezes chamadas de "frígidas":** Patricia A. McDaniel, *Shrinking Violets and Caspar Milquetoasts: Shyness, Power, and Intimacy in the United States, 1950-1995* (Nova York: New York University Press, 2003), 33-43.

26 **Nos anos 1920, um influente psicólogo (...) "Nossa civilização atual (...) parece premiar a pessoa agressiva":** Nicholson, "Gordon Allport, Character, and the Culture of Personality, 1897-1937", 52-68. Ver também Gordon Allport, "A Test for Ascendance- Submission", *Journal of Abnormal & Social Psychology* 23 (1928): 118-136. Allport, a quem muitas vezes se refere como o fundador da psicologia da personalidade, publicou "Personality Traits: Their Classification and Measurement" em 1921, o mesmo ano em que Jung publicou *Psychological Types*. Ele começou a ensinar seu curso "Personalidade: seus aspectos psicológicos e sociais" na universidade de Harvard em 1924; foi provavelmente o primeiro curso sobre personalidade a ser ensinado nos Estados Unidos.

26 **Jung (...) "todos os preconceitos correntes contra o tipo":** C.G. Jung, *Psychological Types* (Princeton, NJ: Princeton University Press, 1990; reimpressão da edição de 1921), 403-405. [Edição brasileira: *Tipos psicológicos*. Petrópolis: Vozes, 2011]

26–27 **O CI, como se tornou conhecido (...) "a coragem necessária":** Haiken, *Venus Envy*, 111-114.

27 **Apesar do tom esperançoso desse artigo (...) "Uma personalidade saudável para todas as crianças":** McDaniel, *Shrinking Violets*, 43-44.

27 **pais bem-intencionados (...) concordavam:** Encyclopedia of Children and Childhood in History and Society: "Shyness", http://www.faqs.org/childhood/Re-So/Shyness.html.

27 **Alguns desencorajavam os filhos (...) aprender a socializar:** David Riesman, *The Lonely Crowd* (Garden City, NY: Doubleday Anchor, reimpresso em acordo com Yale University Press, 1953), esp. 79-85 e 91. [Edição brasileira: *A multidão solitária*. São Paulo: Perspectiva, 1995] Ver também "The People: Freedom—New Style", *Time*, 27 de setembro de 1954.

27 **crianças quietas (...) "anormalidades suburbanas":** William H. Whyte, *The Organization Man* (Nova York: Simon & Schuster, 1956; reimpressão, Filadélfia: University of Pennsylvania Press, 2002), 382, 384.

28 **O reitor de Harvard, Paul Buck:** Jerome Karabel, *The Chosen: The Hidden History of Admission and Exclusion at Harvard, Yale, and Princeton* (Boston: Houghton Mifflin, 2005), 185, 223.

28 **"'Vemos pouca utilidade no introvertido *brilhante*'":** Whyte, *The Organization Man*, 105.

28 **Esse reitor (...) "ajuda se eles puderem causar uma boa impressão":** Whyte, *The Organization Man*, 212.

28 **"Estamos vendendo, apenas vendendo, a IBM":** Hank Whittemore, "IBM in Westchester—The Low Profile of the True Believers". *New York*, 22 de maio, 1972. A cantoria acabou nos anos 1950, de acordo com esse artigo. Para toda a letra de "Vendendo a IBM", veja http://www.digibarn.com/collections/songs/ibm-songs.

29 **O restante dos homens corporativos (...) dizia o anúncio do Equanil:** Louis Menand, "Head Case: Can Psychiatry Be a Science?" *The New Yorker*, 1° de março de 2010.

29 **Nos anos 1960, o tranquilizante Serentil:** Elliott, *Better Than Well*, xv.

29 **Extroversão está no nosso DNA:** Kenneth R. Olson, "Why Do Geographic Differences Exist in the Worldwide Distribution of Extraversion and Openness to Experience? The History of Human Emigration as an Explanation", *Individual Differences Research* 5, n° 4 (2007): 275-288. Ver também Chuansheng Chen, "Population Migration and the Variation of Dopamine D4 Receptor (DRD4) Allele Frequencies Around the Globe", *Evolution and Human Behavior* 20 (1999): 309-324.

29 **e aos romanos, para quem o pior castigo possível:** Mihaly Csikszentmihalyi, *Flow: The Psychology of Optimal Experience* (Nova York: Harper Perennial, 1990), 165. [Edição brasileira: *A descoberta do fluxo*. Rio de Janeiro: Rocco, 1999]

30 **Até o cristianismo dos antigos reflorescimentos religiosos norte-americanos:**

Muito antes da língua de ouro do orador de Chautauqua virar o mundo de Dale Carnegie de cabeça para baixo, retomadas religiosas estavam acontecendo sob grandes tendas por todo o país. A própria Chautauqua inspirou-se nesses "Grandes Despertares", o primeiro entre os anos 1730 e 1740, e o segundo nas primeiras décadas do século XIX. O cristianismo oferecido nos Despertares era novo e teatral, seus líderes eram orientados para as vendas, focados em encher suas grandes tendas de seguidores. A reputação dos pastores dependia do quão exuberante eram seu discurso e gestos.

O sistema de estrelas dominou o cristianismo muito antes de o conceito de astros do cinema sequer existir. O principal evangelista do primeiro Grande Despertar era um *showman* britânico chamado George Whitefield, que arrastou multidões, que assistiam aos cultos de pé, com suas imitações dramáticas de figuras bíblicas e ilimitados choros, gritos e berros. Mas enquanto o primeiro Grande Despertar equilibrava drama com intelecto e deu origem a universidades como Princeton e Dartmouth, o segundo era ainda mais focado na personalidade; seus líderes focavam puramente em arrastar multidões. Acreditando, como muitos pastores de megaigrejas hoje em dia, que uma abordagem muito acadêmica fracassaria em encher as tendas, muitos líderes evangélicos desistiram de qualquer valor intelectual e abraçaram seus papéis como vendedores e *showmen*. "Minha teologia! Eu não sabia que tinha uma!", exclamou o evangelista do século XIX D.L. Moody.

Esse tipo de oratória afetava não somente estilos de culto, mas também as ideias das pessoas sobre quem *era* Jesus. Em 1925, um executivo de propaganda chamado Bruce Fairchild Barton publicou um livro chamado *The Man Nobody Knows* [O homem que ninguém conhecia]. Ele apresentava Jesus como uma celebridade das vendas que "transformou doze homens das fileiras mais baixas dos negócios em uma organização que conquistou o mundo". Esse Jesus não era um cordeiro, era "o maior executivo do mundo" e "o fundador dos negócios modernos". A noção de Jesus como um modelo para a liderança nos negócios caiu em ouvidos extraordinariamente receptivos. *The Man Nobody Knows* tornou-se um dos livros de não ficção mais vendidos do século XX, de acordo com a Powell's Books. Ver Adam S. McHugh, *Introverts in the Church: Finding Our Place in an Extroverted Culture* (Downers Grove, IL: IVP Books, 2009), 23-25. Ver também Neal Gabler, *Life: The Movie: How Entertainment Conquered Reality* (Nova York: Vintage Books, 1998), 25-26. [Edição brasileira: *Vida: O filme*. São Paulo: Companhia das Letras, 1999]

30 **os antigos norte-americanos reverenciavam a ação:** Richard Hofstadter, *Anti-Intellectualism in American Life* (Nova York: Vintage Books, 1962); ver, por exemplo, pp.51 e 256-257.

30 **Em 1828, a campanha presidencial:** Neal Gabler, *Life: The Movie*, 28. [Edição brasileira: *Vida: O filme*. São Paulo: Companhia das Letras, 1999]

30 **John Quincy Adams, aliás:** Steven J. Rubenzer et al., "Assessing the U.S.

Presidents Using the Revised NEO Personality Inventory", *Assessment* 7, nº 4 (2000): 403-420.

30 **"O respeito pela personalidade humana individual":** Harold Stearns, *America and the Young Intellectual* (Nova York: George H. Duran Co., 1921).

30 **"É notável quanta atenção":** Henderson, "Media and the Rise of Celebrity Culture".

31 **vagaram sozinhos como uma nuvem:** William Wordsworth, "I Wandered Lonely as a Cloud", 1802.

31 **se reanimavam na solidão de Walden Pond:** Henry David Thoreau, *Walden*, 1854. [Edição brasileira: *Walden*. Porto Alegre: L&PM, 2010]

31 **norte-americanos que se consideram tímidos:** Bernardo Carducci e Philip G. Zimbardo, "Are You Shy?" *Psychology Today*, 1º de novembro de 1995.

31 **transtorno da ansiedade social (...) uma em cada cinco pessoas:** M.B. Stein, J.R. Walker, e D.R. Forde, "Setting Diagnostic Thresholds for Social Phobia: Considerations from a Community Survey of Social Anxiety", *American Journal of Psychiatry* 151 (1994): 408-442.

31 **A versão mais recente do *Manual Diagnóstico e Estatístico*:** American Psychiatric Association, *Diagnostic and Statistical Manual of Mental Disorders*, 4ª ed. (*DSM-IV*), 2000. Ver 300.23, "Social Fobia (Social Anxiety Disorder)": "O diagnóstico é apropriado apenas se a evitação, medo ou antecipação ansiosa do encontro social ou situação de interferir significativamente na rotina diária, funcionamento ocupacional, ou vida social da pessoa, ou se a pessoa estiver notavelmente abalada por ter o transtorno. (...) Em situações sociais ou de performance temidas, os indivíduos com o transtorno da ansiedade social experimentam preocupações com a vergonha e têm medo de que os outros os julguem ansiosos, fracos, 'loucos' ou burros. Eles podem temer falar em público devido à preocupação de que outros notem suas mãos ou voz trêmulas ou podem experimentar uma ansiedade extrema ao conversar com outros porque temem parecer desarticulados. (...) O medo ou evitação costuma interferir significativamente na rotina normal, funcionamento ocupacional ou acadêmico, atividades sociais ou relacionamentos, ou a pessoa demonstra preocupação notável em ter o transtorno. Por exemplo, uma pessoa que tem medo de falar em público não receberia um diagnóstico de transtorno da ansiedade social se essa atividade não for rotineiramente encontrada no trabalho ou em sala de aula ou se a pessoa não estiver particularmente preocupada com isso."

31 **"Não é suficiente ser capaz de se sentar na frente do computador":** Daniel Goleman, *Working with Emotional Intelligence* (Nova York: Bantam, 2000), 32. [Edição brasileira: *Trabalhando com a inteligência emocional*. Rio de Janeiro: Objetiva, 1999]

32 **um sucesso nas livrarias de aeroportos e nas listas de mais vendidos:** http://www.nationalpost.com/Business+Bestsellers/3927572/story.html.

32 **"falar é vender, e vender envolve falar":** Michael Erard, *Um: Slips, Stumbles, and Verbal Blunders, and What They Mean* (Nova York: Pantheon, 2007), 156.

32 **mais de 12.500 divisões em 113 países:** http://www.toastmasters.org/MainMenuCategories/WhatisToastmasters.aspx (acessado em 10 de setembro de 2010).

32 **O vídeo promocional:** http://www.toastmasters.org/DVDclips.aspx (acessado em 29 de julho de 2010).

CAPÍTULO 2: O MITO DA LIDERANÇA CARISMÁTICA

35 **Bill Clinton (...) cinquenta milhões de outras pessoas:** Esses nomes e estatísticas são de acordo com o site de Tony Robbins e outros materiais promocionais, em 19 de dezembro de 2009.

35 **cerca de 11 bilhões de dólares por ano:** Melanie Lindner, "What People Are Still Willing to Pay For", *Forbes*, 15 de janeiro de 2009. O número de 11 bilhões de dólares é de 2008, de acordo com a Marketdata Enterprises, uma firma de pesquisa. Essa quantia tinha uma previsão de crescimento de 6,2% em 2012.

37 **chefe de sete empresas privadas:** Esse número está de acordo com o site de Robbins.

38 **temperamento "hiper-rítmico":** Hagop S. Akiskal, "The Evolutionary Significance of Affective Temperaments", *Medscape CME*, publicado em 12 de junho de 2003, atualizado em 24 de junho de 2003.

40 **tamanho sobre-humano:** Steve Salerno observou isso em seu livro, *Sham* (Nova York: Crown Publishers, 2005), 75. Ele também fez a observação posterior sobre o comentário de Robbins de que ele fora tão pobre que guardava seus pratos na banheira.

44 **Fundada em 1908 (...) "educando líderes que farão a diferença no mundo":** Site da Harvard Business School, 11 de setembro de 2010.

44 **presidente George W. Bush (...) eram ex-alunos da Harvard Business School:** Philip Delves Broughton, *Ahead of the Curve: Two Years at Harvard Business School* (Nova York: Penguin, 2008), 2. Ver também www.reuters.com, Factbox: Jeffrey Skilling, 24 de junho de 2010.

48 **irá se formar numa cultura de negócios:** Thomas Harrell, professor de psicologia aplicada da Stanford Business School, seguiu ex-alunos do MBA da Stanford que se graduaram entre 1961 e 1965 e publicou uma série de estudos sobre eles. Ele descobriu que aqueles que recebiam altos salários e eram diretores-gerais tendiam a ser simpáticos e extrovertidos. Ver, por exemplo, Thomas W. Harrell e Bernard Alpert, "Attributes of Successful MBAs: A 20-Year Longitudinal Study", *Human Performance* 2, nº 4 (1989): 301-322.

48 **"'Aqui, todos sabem que é importante ser extrovertido'":** Reggie Garrison et al., "Managing Introversion and Extroversion in the Workplace", Wharton

Program for Working Professionals (WPWP) (Filadélfia: University of Pennsylvania, primavera de 2006).

49 **Chefe para Ted e Alice:** Aqui devo me desculpar: não consigo me lembrar da companhia que tinha esse comercial e não consegui localizá-la.

49 **"Fuja de suas inibições":** http://www.advertolog.com/amtrak/print-outdoor/depart-from-your-inhibitions-2110505 (acessado em 11 de setembro de 2010).

49 **uma série de anúncios do medicamento psicotrópico Paxil:** Christopher Lane, *How Normal Behavior Became a Sickness* (New Haven: Yale University Press, 2007), 127, 131.

51 **Nossa percepção é de que pessoas falantes são mais inteligentes que as quietas:** Delroy L. Paulhus e Kathy L. Morgan, "Perceptions of Intelligence in Leaderless Groups: The Dynamic Effects of Shyness and Acquaintance", *Journal of Personality and Social Psychology* 72, nº 3 (1997): 581-591. Ver também Cameron Anderson e Gavin Kilduff, "Why Do Dominant Personalities Attain Influence in Face-to-Face Groups? The Competence Signaling Effects of Trait Dominance", *Journal of Personality and Social Psychology* 96, nº 2 (2009): 491-503.

51 **dois estranhos que se conheceram pelo telefone:** William B. Swann Jr. e Peter J. Rentfrow, "Blirtatiousness: Cognitive, Behavioral, and Physiological Consequences of Rapid Responding", *Journal of Personality and Social Psychology* 81, nº 6 (2001): 1.160-1.175.

51 **Também vemos pessoas falantes como líderes:** Simon Taggar et al., "Leadership Emergence in Autonomous Work Teams: Antecedents and Outcomes", *Personnel Psychology* 52, nº 4 (Winter 1999): 899-926. ("A pessoa que fala mais tende a ser percebida como líder.")

51 **Quanto mais uma pessoa fala, mais os outros integrantes do grupo:** James Surowiecki, *The Wisdom of Crowds* (Nova York: Doubleday Anchor, 2005), 187. [Edição brasileira: *A sabedoria das multidões*. Rio de Janeiro: Record, 2006]

51 **Também ajuda falar rápido:** Howard Giles e Richard L. Street Jr., "Communicator Characteristics and Behavior", in M.L. Knapp and G.R. Miller, orgs., Handbook of Interpersonal Communication, 2ª ed. (Thousand Oaks, CA: Sage, 1994), 103-161.

51 **pediu-se que grupos de universitários resolvessem problemas de matemática:** Cameron Anderson e Gavin Kilduff, "Why Do Dominant Personalities Attain Influence in Face-to-Face Groups? The Competence-Signaling Effects of Trait Dominance".

52 **Um conhecido estudo sobre comportamento organizacional feito pelo professor Philip Tetlock, da Universidade de Berkeley:** Philip Tetlock, *Expert Political Judgment* (Princeton, NJ: Princeton University Press, 2006).

52 **"O ônibus para Abilene":** Kathrin Day Lassila, "A Brief History of Groupthink: Why Two, Three or Many Heads Aren't Always Better Than One", *Yale Alumni Magazine*, janeiro/fevereiro de 2008.

53 **Schwab (...) Tohmatsu:** Del Jones, "Not All Successful CEOs Are Extroverts", *USA Today*, 7 de junho de 2006.

53 **"alguns trancavam-se em seus escritórios":** Peter F. Drucker, *The Leader of the Future 2: New Visions, Strategies, and Practices for the Next Era*, organizado por Frances Hesselbein, Marshall Goldsmith, e Richard Beckhard (San Francisco: Jossey-Bass, 2006), xi-xii.

53 **aqueles considerados carismáticos pelos principais executivos:** Bradley Agle et al., "Does CEO Charisma Matter? An Empirical Analysis of the Relationships Among Organizational Performance, Environmental Uncertainty, and Top Management Team Perceptions of CEO Charisma", *Academy of Management Journal* 49, nº 1 (2006): 161-174. Ver também Del Jones, "Not All Successful CEOs Are Extroverts". Para um excelente livro sobre esse tópico, ver Rakesh Khurana, *Searching for a Corporate Savior: The Irrational Quest for Charismatic CEOs* (Princeton, NJ: Princeton University Press, 2002).

54 **do influente teórico da administração Jim Collins:** Jim Collins, *Good to Great: Why Some Companies Make the Leap—and Others Don't* (Nova York: HarperCollins, 2001). Note que alguns perguntaram se as companhias que Collins descreveu são tão boas quanto ele disse. Ver Bruce Niendorf e Kristine Beck, "*Good to Great*, or Just Good?" *Academy of Management Perspectives* 22, nº 4 (2008): 13-20. Ver também Bruce Resnick e Timothy Smunt, "Good to Great to... ?" *Academy of Management Perspectives* 22, nº 4 (2008): 6-12.

56 **correlação entre extroversão e liderança:** Timothy Judge et al., "Personality and Leadership: A Qualitative and Quantitative Review", *Journal of Applied Psychology* 87, nº 4 (2002): 765-780. Ver também David Brooks, "In Praise of Dullness", *New York Times*, 18 de maio de 2009, citando Steven Kaplan et al., "Which CEO Characteristics and Abilities Matter?" *National Bureau of Economic Research Working Paper nº 14.195*, julho de 2008, um estudo que expõe que o sucesso de diretores executivos está mais fortemente ligado a "habilidades de execução" que a "habilidades relacionadas a grupos". Brooks também citou outro estudo de Murray Barrick, Michael Mount e Timothy Judge e examinou um século de pesquisas sobre liderança nos negócios, descobrindo que a extroversão não se correlaciona bem com o sucesso dos diretores executivos, mas que a consciência, sim.

56–57 **No primeiro (...) dobrar mais camisetas:** Adam M. Grant et al., "Reversing the Extraverted Leadership Advantage: The Role of Employee Proactivity", *Academy of Management Journal* 54, nº 3 (junho de 2011).

57 **"Muitas vezes, os líderes acabam falando demais":** Carmen Nobel, "Introverts: The Best Leaders for Proactive Employees", *Harvard Business School Working Knowledge: A First Look at Faculty Research*, 4 de outubro de 2010.

58 **Por anos antes do dia em dezembro de 1955:** Tirei muitas informações da excelente biografia escrita por Douglas Brinkley, *Rosa Parks: A Life* (Nova York: Penguin Books, 2000). Nota: Diferentemente de King, Parks passou a acreditar que a violência às vezes era uma arma justificável dos oprimidos.

60 **Moisés, por exemplo:** Minha análise de Moisés é baseada em minha própria leitura do Êxodo, especialmente 3:11, 4:1, 4:3, 4:10, 4:12-17, 6:12, 6:30, e Números 12:3. Outros fizeram análises similares, ver, por exemplo, http://www.theologyweb.com/campus/showthread.php?t=50284 Ver também Doug Ward, "The Meanings of Moses' Meekness", http://godward.org/Hebrew%20Roots/meanings_of_moses.htm. Ver também Marissa Brostoff, "Rabbis Focus on Professional Development", http://www.forward.com/articles/13971 (acessado em 13 de agosto de 2008).

62 **um "conector clássico" chamado Roger Horchow:** Malcolm Gladwell, *The Tipping Point* (Nova York: Back Bay Books, 2002; originalmente publicado por Little, Brown, em março de 2000), 42-46. [Edição brasileira: *O ponto da virada*. Rio de Janeiro: Sextante, 2009]

62 **Em 28 de maio de 2011:** A *fact sheet* do Craigslist, disponível no site www.craigslist.com (acessado em 28 de maio de 2010). Outras informações sobre o Craigslist vêm de (1) entrevista por telefone entre Craig Newmark e a autora em 4 de dezembro de 2006, (2) Idelle Davidson, "The Craigslist Phenomenon", *Los Angeles Times*, 13 de junho de 2004, e (3) Philip Weiss, "A Guy Named Craig", *New York Magazine*, 8 de janeiro de 2006.

63 **"Guy Kawasaki, um introvertido?":** Maria Niles, post em Blogher, uma comunidade de blogs para mulheres, 19 de agosto de 2008. Ver http://www.blogher.com/social-media-introverts.

63 **"Não seria uma grande ironia":** Pete Cashmore, "Irony Alert: Social Media Introverts?" mashable.com, agosto de 2008. Ver http://mashable.com/2008/08/15/irony-alert-social-media-introverts.

63 **introvertidos tendem, mais do que os extrovertidos:** Yair Amichai-Hamburger, "Personality and the Internet", in *The Social Net: Understanding Human Behavior in Cyberspace*, organizado por Yair Amichai-Hamburger (Nova York: Oxford University Press, 2005): 27-56. Ver também Emily S. Orr et al., "The Influence of Shyness on the Use of Facebook in an Undergraduate Sample", *CyberPsychology and Behavior* 12, nº 3 (2009); Levi R. Baker, "Shyness and Online Social Networking Services", *Journal of Social and Personal Relationships* 27, nº 8 (2010). Richard N. Landers e John W. Lounsbury, "An Investigation of Big Five and Narrow Personality Traits in Relation to Internet Usage", *Computers in Human Behavior* 22 (2006): 283-293. Ver também Luigi Anolli et al., "Personality of People Using Chat: An On-Line Research", *CyberPsychology and Behavior* 8, nº 1 (2005). Mas note que extrovertidos tendem a ter mais amigos

no Facebook que introvertidos: Pavica Sheldon, "The Relationship Between Unwillingness-to-Communicate and Students' Facebook Use", *Journal of Media Psychology* 20, nº 2, (2008): 67-75. Isso não surpreende, já que o Facebook tornou-se o lugar em que as pessoas reúnem grandes quantidades de amigos.

64 **uma frequência semanal de 22 mil:** Pastor Rick e Kay Warren, Online Newsroom, http://www.rickwarrennews.com (acessado em 12 de setembro de 2010).

66 **O evangelismo contemporâneo diz que:** Para ter uma base sobre evangelismo, conduzi uma série de fascinantes entrevistas com, entre outros, a naturalmente articulada Lauren Sandler, autora de *Righteous: Dispatches from the Evangelical Youth Movement* (Nova York: Viking, 2006).

67 **"grito do coração perguntando-se como se adequar":** Mark Byron, "Evangelism for Introverts", http://markbyron.typepad.com/main/2005/06/evangalism_for_.html (acessado em 27 de junho de 2005).

67 **"mas não em um comitê paroquial":** Jim Moore, "I Want to Serve the Lord — But Not Serve on a Parish Committee", http://www.beliefnet.com/Faiths/Catholic/2000/07/I-Want-To-Serve-The-Lord-But-Not-Serve-On-A-Parish-Committee.aspx

69 **"aquele frutífero milagre":** Jean Autret, William Burford e Phillip J. Wolfe, trad. e ed., *Marcel Proust on Reading Ruskin* (New Haven, CT: Yale University Press, 1989).

Capítulo 3: Quando a colaboração mata a criatividade

71 ***Sou um cavalo para um só arreio*:** Albert Einstein, in *Forum and Century*, vol. 84, pp.193-194 (o 13º da série Forum, *Living Philosophies*, uma coleção de filosofias pessoais de pessoas famosas, publicada em 1931).

71 **5 de março de 1975:** A história de Stephen Wozniak ao longo desse capítulo foi amplamente retirada de sua autobiografia, *iWoz* (Nova York: W.W. Norton, 2006). [Edição brasileira: *iWoz: A verdadeira história da Apple segundo seu cofundador*. São Paulo: Évora, 2010] A descrição de Woz como sendo a "alma nerd" da Apple vem de http://valleywag.gawker.com/220602/wozniak-jobs-design-roleoverstated.

74 **uma série de estudos sobre a natureza da criatividade:** Donald W. MacKinnon, "The Nature and Nurture of Creative Talent" (Palestra Walter Van Dyke Bingham dada na Universidade de Yale, New Haven, Connecticut, em 11 de abril de 1962). Ver também MacKinnon, "Personality and the Realization of Creative Potential", discurso presidencial feito na Western Psychological Association, Portland, Oregon, em abril de 1964.

74 **Uma das descobertas mais interessantes:** Ver, por exemplo, (1) Gregory J. Feist, "A Meta-Analysis of Personality in Scientific and Artistic Creativity", *Personality and Social Psychology Review* 2, nº 4 (1998): 290-309; (2) Feist, "Au-

tonomy and Independence", *Encyclopedia of Creativity*, vol. 1 (San Diego, CA: Academic Press, 1999), 157-63; e (3) Mihaly Csikszentmihalyi, *Creativity: Flow and the Psychology of Discovery and Invention* (Nova York: Harper Perennial, 1996), 65-68. Há alguns estudos mostrando a correlação entre extroversão e criatividade, mas ao contrário dos realizados por MacKinnon, Csikszentmihalyi, e Feist, que seguiram pessoas cujas carreiras provaram que eram excepcionalmente criativas na "vida real", estes tendem a ser estudos de universitários medindo a criatividade dos voluntários de formas mais casuais, por exemplo, analisando seus hobbies pessoais ou pedindo-lhes que participassem de jogos de criatividade como escrever uma história sobre uma imagem. A tendência era que extrovertidos fossem melhores em cenários de alta excitação como esse. Também é possível, como sugere o psicólogo Uwe Wolfradt, que a relação entre introversão e criatividade seja "discernível apenas em um grau mais alto de criatividade" (Uwe Wolfradt, "Individual Differences in Creativity: Personality, Story Writing, and Hobbies", *European Journal of Personality* 15, nº 4, [julho/agosto de 2001]: 297-310).

74 **Hans Eysenck:** Hans J. Eysenck, *Genius: The Natural History of Creativity* (Nova York: Cambridge University Press, 1995).

75 **"A inovação — o coração da economia do conhecimento":** Malcolm Gladwell, "Why Your Bosses Want to Turn Your New Office into Greenwich Village", *The New Yorker*, 11 de dezembro de 2000.

75 **"Nenhum de nós é tão inteligente quanto 'todos nós'":** Warren Bennis, *Organizing Genius: The Secrets of Creative Collaboration* (Nova York: Basic Books, 1997).

75 **"Michelangelo teve assistentes":** Clay Shirky, *Here Comes Everybody: The Power of Organizing Without Organizations* (Nova York: Penguin, 2008). [Edição brasileira: *Lá vem todo mundo: O poder de organizar sem organizações*. Rio de Janeiro: Zahar, 2012]

76 **organizam suas forças de trabalho em equipes:** Steve Koslowski e Daniel Ilgen, "Enhancing the Effectiveness of Work Groups and Teams", *Psychological Science in the Public Interest* 7, nº 3 (2006): 77-124.

76 **Em 2000, estima-se que metade:** Dennis J. Devine, "Teams in Organizations: Prevalence, Characteristics, and Effectiveness", *Small Group Research* 20 (1999): 678-711.

76 **hoje praticamente todas fazem:** Frederick Morgeson et al., "Leadership in Teams: A Functional Approach to Understanding Leadership Structures and Processes", *Journal of Management* 36, nº 1 (2010): 5-39.

76 **91% dos gerentes de alto nível:** Ibid.

76 **O consultor Stephen Harvill me disse:** Entrevista da autora, 26 de outubro de 2010.

76 **mais de 70% dos funcionários de hoje:** Davis, "The Physical Environment of the Office". Ver também James C. McElroy e Paula C. Morrow, "Employee Reactions to Office Redesign: A Naturally Occurring Quasi-Field Experiment in a Multi-Generational Setting", *Human Relations* 63, nº 5 (2010): 609-636. Ver também Davis, "The Physical Environment of the Office": escritórios abertos são "a organização mais popular de escritórios" hoje. Ver também Joyce Gannon, "Firms Betting Open-Office Design, Amenities Lead to Happier, More Productive Workers", *Post-Gazette* (Pittsburgh), 9 de fevereiro de 2003. Ver também Stephen Beacham, *Real Estate Weekly*, 6 de julho de 2005. A primeira companhia a usar escritórios abertos em um arranha-céu foi a Owens Corning, em 1969. Hoje muitas companhias utilizam, incluindo Proctor & Gamble, Ernst & Young, GlaxoSmithKline, Alcoa, e H.J. Heinz. http://www.owenscorning.com/acquainted/about/history/1960.asp. Ver também Matthew Davis et al., "The Physical Environment of the Office: Contemporary and Emerging Issues", in G.P. Hodgkinson e J.K. Ford, orgs., *International Review of Industrial and Organizational Psychology*, vol. 26 (Chichester, UK: Wiley, 2011), 193-235: "(...) houve uma ampla introdução de escritórios abertos na América do Norte entre os anos 1960 e 1970". Mas veja Jennifer Ann McCusker, "Individuals and Open Space Office Design: The Relationship Between Personality and Satisfaction in an Open Space Work Environment", dissertação, Estudos empresariais, Universidade Alliant International, 12 de abril de 2002 ("o conceito de espaço aberto começou em meados dos anos 1960 com um grupo de consultores administrativos alemães" citando Karen A. Edelman, "Take Down the Walls", *Across the Board* 34, nº 3 [1997]: 32-38).

76 **A quantidade de espaço por funcionário caiu:** Roger Vincent, "Office Walls Are Closing in on Corporate Workers", *Los Angeles Times*, 15 de dezembro de 2010.

76 **"Houve uma mudança do 'eu trabalho' para 'nós trabalhamos'":** Paul B. Brown, "The Case for Design", *Fast Company*, junho de 2005.

76 **A companhia rival na área de móveis de escritório Herman Miller, Inc.:** "New Executive Officescapes: Moving from Private Offices to Open Environments", Herman Miller Inc., 2003.

76 **Em 2006, a Ross School of Business:** Dave Gershman, "Building Is 'Heart and Soul' of the Ross School of Business", mlive.com, 24 de janeiro de 2009. Ver também Kyle Swanson, "Business School Offers Preview of New Home, Slated to Open Next Semester", *Michigan Daily*, 15 de setembro de 2008.

77 **De acordo com uma pesquisa nacional de 2002:** Christopher Barnes, "What Do Teachers Teach? A Survey of America's Fourth and Eighth Grade Teachers", conduzida pelo Center for Survey Research and Analysis, Universidade de Connecticut, Civic Report nº 28, setembro de 2002. Ver também Robert E. Slavin, "Research on Cooperative Learning and Achievement: What We Know, What We Need to Know", *Contemporary Educational Psychology* 21, nº

1 (1996): 43-69 (citando descobertas de uma pesquisa nacional de 79% dos professores de escola primária e 62% dos professores de 5ª a 8ª série usavam constantemente o ensino cooperativo). Note que na "vida real" muitos professores estão apenas jogando os alunos em grupos, mas não usando o "aprendizado cooperativo" em si, que envolve um conjunto de procedimentos mais específico, de acordo com e-mail da autora para Roger Johnson do Cooperative Learning Center na Universidade de Minnesota.

77 **aprendizado cooperativo:** Bruce Williams, *Cooperative Learning: A Standard for High Achievement* (Thousand Oaks, CA: Corwin, 2004), 3-4.

78 **Janet Farrall e Leonie Kronborg:** Janet Farrall e Leonie Kronborg, "Leadership Development for the Gifted and Talented", in *Fusing Talent — Giftedness in Australian Schools*, organizado por M. McCann e F. Southern (Adelaide: The Australian Association of Mathematics Teachers, 1996).

79 **"Funcionários estão colocando suas vidas inteiras":** entrevista de rádio com Kai Ryssdal, "Are Cubicles Going Extinct?", *Marketplace*, da American Public Media, 15 de dezembro de 2010.

79 **A significativa maioria dos primeiros entusiastas dos computadores:** Sarah Holmes e Philip L. Kerr, "The IT Crowd: The Type Distribution in a Group of Information Technology Graduates", *Australian Psychological Type Review* 9, nº 1 (2007): 31-38. Ver também Yair Amichai-Hamburger et al., "'On the Internet No One Knows I'm an Introvert': Extraversion, Neuroticism, and Internet Interaction", *CyberPsychology and Behavior* 5, nº 2 (2002): 125-128.

79 **"É um clichê na tecnologia":** Dave W. Smith, e-mail para a autora, 20 de outubro de 2010.

80 **"Como poderia aquele garoto, que eu vencera tão facilmente":** Ver Daniel Coyle, *The Talent Code* (Nova York: Bantam Dell, 2009), 48. [Edição brasileira: *O código do talento*. Rio de Janeiro: Agir, 2010]

80 **três grupos de habilidosos violinistas:** K. Anders Ericsson et al., "The Role of Deliberate Practice in the Acquisition of Expert Performance", *Psychological Review* 100, nº 3 (1993): 363-406.

81 **"Estudo sério e solitário":** Neil Charness et al., "The Role of Deliberate Practice in Chess Expertise", *Applied Cognitive Psychology* 19 (2005): 151-165.

81 **Universitários que tendem a estudar sozinhos:** David Glenn, "New Book Lays Failure to Learn on Colleges' Doorsteps", *The Chronicle of Higher Education*, 18 de janeiro de 2001.

81 **Até atletas de elite em esportes de equipe:** Starkes e Ericsson, "Expert Performance in Sports: Advances in Research on Sports Expertise", *Human Kinetics* (2003): 67-71.

81 **Ericsson disse-me que em vários campos:** Entrevista com a autora, 13 de abril de 2010.

82 **dez mil horas de Prática Deliberada:** Aos dezoito anos, os melhores violinistas da Academia de Música de Berlim haviam gasto uma média de mais de sete mil horas praticando sozinhos, cerca de duas mil horas a mais que os bons violinistas e quatro mil horas a mais que os professores de música.

83 **"intensa curiosidade ou o interesse focado parecem estranhos a seus colegas":** Csikszentmihalyi, *Creativity*, 177.

83 **"porque praticar música ou estudar":** Ibid., 65.

83 **Madeleine L'Engle:** Ibid., 253-254.

83 **"Caro sr. Babbage":** Charles Darwin, *The Correspondence of Charles Darwin Volume 2: 1837-1843* (Cambridge, Inglaterra: Cambridge University Press, 1987), 67.

83 **Jogos de Guerra de Programação:** Eles são descritos em Tom DeMarco e Timothy Lister, *Peopleware: Productive Projects and Teams* (Nova York: Dorset House, 1987). [Edição brasileira: *Peopleware: Como gerenciar equipes e projetos tornando-os mais produtivos*. São Paulo: McGraw Hill, 1990]

84 **Uma montanha de dados recentes sobre escritórios abertos:** Ver, por exemplo, o seguinte: (1) Vinesh Oommen et al., "Should Health Service Managers Embrace Open Plan Work Environments? A Review", *Asia Pacific Journal of Health Management* 3, nº 2 (2008). (2) Aoife Brennan et al., "Traditional Versus Open Office Design: A Longitudinal Field Study", *Environment and Behavior* 34 (2002): 279. (3) James C. McElroy e Paula Morrow, "Employee Reactions to Office Redesign: A Naturally Occurring Quasi-Field Experiment in a Multi-Generational Setting", *Human Relations* 63 (2010): 609. (4) Einar De Croon et al., "The Effect of Office Concepts on Worker Health and Performance: A Systematic Review of the Literature", *Ergonomics*, 48, nº 2 (2005): 119-134. (5) J. Pejtersen et al., "Indoor Climate, Psychosocial Work Environment and Symptoms in Open-Plan Offices", *Indoor Air* 16, nº 5 (2006): 392-401. (6) Herman Miller Research Summary, 2007, "It's All About Me: The Benefits of Personal Control at Work". (7) Paul Bell et al., *Environmental Psychology* (Lawrence Erlbaum, 2005), 162. (8) Davis, "The Physical Environment of the Office".

85 **pessoas aprendem melhor depois de um calmo passeio:** Marc G. Berman et al., "The Cognitive Benefits of Interacting with Nature", *Psychological Science* 19, nº 12 (2008): 1.207-1.212. Ver também Stephen Kaplan e Marc Berman, "Directed Attention as a Common Resource for Executive Functioning and Self-Regulation", *Perspectives on Psychological Science* 5, nº 1 (2010): 43-57.

85 **Outro estudo, com 38 mil pessoas que trabalham com conhecimento:** Davis et al., "The Physical Environment of the Office".

85 **Até desempenhar múltiplas tarefas (...) um mito:** John Medina, *Brain Rules* (Seattle, WA: Pear Press, 2008), 87. [Edição brasileira: *Aumente o poder do seu cérebro*. Rio de Janeiro: Sextante, 2010]

85 **Backbone Entertainment:** Mike Mika, entrevista com a autora, 12 de julho de 2006.

85 **Reebok:** Kimberly Blanton, "Design It Yourself: Pleasing Offices Laid Out by the Workers Who Use Them Can Be a Big Advantage When Companies Compete for Talent", *Boston Globe*, 1º de março de 2005.

85 **Durante dez anos, começando em 2000:** TEDx Midwest Talk, 15 de outubro de 2010. Também, e-mail para a autora em 5 de novembro de 2010.

86 **Kafka, por exemplo:** Anthony Storr, *Solitude: A Return to the Self* (Nova York: Free Press, 2005), 103. [Edição brasileira: *Solidão*. São Paulo: Benvirá, 2011]

86 **o consideravelmente mais alegre Theodor Geisel:** Judith Morgan e Neil Morgan, *Dr. Seuss and Mr. Geisel: A Biography* (Nova York: DaCapo, 1996).

86 **lendário publicitário Alex Osborn:** Alex Osborn, *Your Creative Power* (W. Lafayette, IN: Purdue University Press, 1948).

88 ***brainstorming* não funciona de verdade:** Marvin D. Dunnette et al., "The Effect of Group Participation on Brainstorming Effectiveness for Two Industrial Samples", *Journal of Applied Psychology* 47, nº 1 (1963): 30-37.

88 **cerca de quarenta anos após a pesquisa:** Ver por exemplo, Paul A. Mongeau e Mary Claire Morr, "Reconsidering Brainstorming", *Group Facilitation* 1, nº 1 (1999): 14. Ver também Karan Girotra et al., "Idea Generation and the Quality of the Best Idea", *Management Science* 56, nº 4 (abril de 2010): 591-605. (O nível mais alto de inovação vem de um processo híbrido no qual as pessoas pensam em suas ideias sozinhas antes de compartilhá-las com os colegas.)

88 **"homens de negócios devem estar loucos":** Adrian Furnham, "The Brainstorming Myth", *Business Strategy Review* 11, nº 4 (2000): 21-28.

89 **Grupos que fazem isso pela internet:** Paul Mongeau e Mary Claire Morr, "Reconsidering Brainstorming".

89 **O mesmo vale para a pesquisa acadêmica:** Charlan Nemeth e Jack Goncalo, "Creative Collaborations from Afar: The Benefits of Independent Authors", *Creativity Research Journal* 17, nº 1 (2005): 1-8.

89 **acreditam que seu grupo teve uma performance muito melhor:** Keith Sawyer, *Group Genius: The Creative Power of Collaboration* (Nova York: Basic Books, 2007), 66.

90 **medo da humilhação pública:** Susan K. Opt e Donald A. Loffredo, "Rethinking Communication Apprehension: A Myers-Briggs Perspective", *Journal of Psychology* 134, nº 5 (2000): 556-70.

90 **dois times universitários jogaram:** James C. Moore e Jody A. Brylinsky, "Spectator Effect on Team Performance in College Basketball", *Journal of Sport Behavior* 16, nº 2 (1993): 77.

90 **O economista comportamental Dan Ariely:** Dan Ariely, "What's the Value of a Big Bonus?" *New York Times*, 19 de novembro de 2008.

91 **Gregory Berns:** As experiências de Solomon Asch e Gregory Berns são descritas em Gregory Berns, *Iconoclast: A Neuroscientist Reveals How to Think Diffe-*

*rently* (Boston, MA: Harvard Business Press, 2008), 59-81. [Edição brasileira: *O iconoclasta: Um neurocientista revela como pensar diferente e realizar o impossível*. Rio de Janeiro: BestBusiness, 2009] Ver também Sandra Blakeslee, "What Other People Say May Change What You See", *New York Times*, 28 de junho de 2005. E ver Gregory S. Berns et al., "Neurobiological Correlates of Social Conformity and Independence During Mental Rotation", *Biological Psychiatry* 58 (2005): 245-253.

92 **uma maior ativação da amígdala:** Na verdade, em algumas iterações do experimento, onde voluntários jogavam com um grupo de computadores em vez de com um grupo de pessoas, suas amígdalas ficaram quietas mesmo quando discordavam dos computadores. Isso sugere que as pessoas que não se conformam sofrem menos com o medo de estarem erradas do que com a ansiedade de ser excluídas do grupo.

92 **interações frente a frente criam confiança:** Belinda Luscombe, "Why E-Mail May Be Hurting Off-Line Relationships", *Time*, 22 de junho de 2010.

93 **a densidade populacional está ligada à inovação:** Jonah Lehrer, "How the City Hurts Your Brain", *Boston Globe*, 2 de janeiro de 2009.

94 **criando escritórios abertos "flexíveis":** Davis et al., "The Physical Environment of the Office".

94 **Na Pixar:** Bill Capodagli, "Magic in the Workplace: How Pixar and Disney Unleash the Creative Talent of Their Workforce", *Effectif*, setembro/ outubro de 2010: 43-45.

94 **De forma semelhante, na Microsoft:** Michelle Conlin, "Microsoft's Meet-My-Mood Offices", *Bloomberg Businessweek*, 10 de setembro de 2007.

## Capítulo 4: Seria o temperamento determinado pelo destino?

**Uma nota geral sobre esse capítulo**: O capítulo 4 discute o trabalho do psicólogo Jerome Kagan sobre a alta reatividade, o que alguns psicólogos contemporâneos considerariam estar na interseção entre a introversão e outro traço chamado "neurose". Para facilitar a leitura, não elucidei essa distinção no texto.

99 **Para um desses estudos, lançado em 1989:** Esse estudo é extensamente discutido em Jerome Kagan e Nancy Snidman, *The Long Shadow of Temperament* (Cambridge, MA: Harvard University Press, 2004).

100 **"as descrições de Carl Jung de introversão e extroversão":** Ibid., 218.

100 **o reservado Tom e o extrovertido Ralph:** Jerome Kagan, *Galen's Prophecy* (Nova York: Basic Books, 1998), 158-161.

101 **Alguns dizem que temperamento é a fundação:** Ver http://www.selfgrowth.com/articles/Warfield3.html.

101 **importante órgão:** Kagan e Snidman, *The Long Shadow of Temperament*, 10.

102 **Quando o disco de *frisbee* parece direcionado para o seu nariz:** Essa imagem vem de um vídeo on-line com Joseph Ledoux, um cientista da NYU que estuda a base neural das emoções, especialmente do medo e da ansiedade. Ver "Fearful Brain in an Anxious World", *Science & the City*, http://www.nyas.org/Podcasts/Atom.axd (acessado em 20 de novembro de 2008).

103 **"atenção alerta":** Elaine N. Aron, *Psychotherapy and the Highly Sensitive Person* (NovaYork: Routledge, 2010), 14.

103 **Elas usam mais movimentos dos olhos:** Vários estudos documentaram essas tendências em crianças altamente reativas. Ver Jerome Kagan, "Reflection-Impulsivity and Reading Ability in Primary Grade Children", *Child Development* 363, nº 3 (1965): 609-628. Ver também Ellen Siegelman, "Reflective and Impulsive Observing Behavior", *Child Development* 40, nº 4 (1969): 1.213-1.222. Esses estudos usam o termo "reflexivo" em vez de "altamente reativo", mas é certo que eles estão falando sobre o mesmo grupo de crianças. Siegelman descreve-as como "geralmente preferindo situações de baixo risco, mas escolhendo tarefas intelectuais mais difíceis e solitárias (...) menos ativas motoramente e mais cautelosas" (p.1.214). (Estudos similares foram feitos com adultos; ver capítulos 6 e 7.)

103 **Crianças altamente reativas também tendem a pensar sobre e sentir profundamente:** Elaine Aron, *The Highly Sensitive Child: Helping Our Children Thrive When the World Overwhelms Them* (Nova York: Broadway Books, 2002).

103 **se uma criancinha altamente reativa quebrar o brinquedo de outra:** Veja os estudos de Grazyna Kochanska mencionados no capítulo 6.

103 **como um grupo de crianças deve compartilhar determinado brinquedo:** Winifred Gallagher (citando Kagan), "How We Become What We Are". *The Atlantic Monthly*, setembro de 1994.

104 **olhos azuis, alergias e rinite alérgica (...) corpo magro e o rosto fino:** Kagan, *Galen's Prophecy*, 160-161.

104 **Considere os filmes da Disney:** Ibid., 161.

104 **a introversão e a extroversão são fisiologicamente:** David G. Winter, *Personality: Analysis and Interpretation of Lives* (Nova York: McGraw-Hill, 1996), 511-516.

105 **40% e 50% herdadas geneticamente:** Thomas J. Bouchard Jr. e Matt McGue, "Genetic and Environmental Influences on Human Psychological Differences", *Journal of Neurobiology* 54 (2003): 4-5.

106 **da eugenia nazista e da supremacia branca:** Escreveu-se sobre isso em vários lugares, inclusive em Peter D. Kramer, *Listening to Prozac* (Nova York: Penguin, 1993), 150. [Edição brasileira: *Ouvindo o Prozac*. Rio de Janeiro: Record, 1995]

106 **"Fui forçado, chutando e gritando":** Gallagher (citando Kagan), "How We Become What We Are".

106 **A publicação de suas primeiras descobertas:** Kramer, *Listening to Prozac*, 154. [Edição brasileira: *Ouvindo o Prozac*. Rio de Janeiro: Record, 1995]

106 **Kagan me conduz:** Fiz uma série de entrevistas com Jerome Kagan entre 2006 e 2010.

106 **se descreve como tendo sido um menino ansioso:** Jerome Kagan, *An Argument for Mind* (New Haven, CT: Yale University Press, 2006), 4, 7.

107 **o medo de falar em público é o número um:** Victoria Cunningham, Morty Lefkoe, e Lee Sechrest, "Eliminating Fears: An Intervention that Permanently Eliminates the Fear of Public Speaking", *Clinical Psychology and Psychotherapy* 13 (2006): 183-193.

107 **A fobia de falar em público pode ter muitas causas:** Gregory Berns, *Iconoclast: A Neuroscientist Reveals How to Think Differently* (Boston, MA: Harvard Business Press, 2008), 59-81. [Edição brasileira: *O iconoclasta: Um neurocientista revela como pensar diferente e realizar o impossível*. Rio de Janeiro: BestBusiness, 2009]

108 **introvertidos possuem significativamente maior tendência:** Susan K. Opt e Donald A. Loffredo, "Rethinking Communication Apprehension: A Myers--Briggs Perspective", *Journal of Psychology* 134, nº 5 (2000): 556-570. Ver também Michael J. Beatty, James C. McCroskey, e Alan D. Heisel, "Communication Apprehension as Temperamental Expression: A Communibiological Paradigm", *Communication Monographs* 65 (1998): 197-219. Ver também Peter D. Macintyre e Kimly A. Thivierge, "The Effects of Speaker Personality on Anticipated Reactions to Public Speaking", *Communication Research Reports* 12, nº 2 (1995): 125-133.

109 **em um grupo de pessoas, em média metade da variabilidade:** David G. Winter, *Personality*, 512.

109 **pela temperatura ou pela umidade:** Natasha Mitchell, "Jerome Kagan: The Father of Temperament", entrevista no rádio com Mitchell no *ABC Radio International*, 26 de agosto de 2006 (acessado em http://www.abc.net.au/rn/allinthemind/stories/2006/1722388.htm).

109 **"pulam algumas cercas (...) perigo e excitação":** Gallagher (citando Lykken), "How We Become What We Are".

109 **"A universidade está recheada de introvertidos":** Entrevista com a autora em 15 de junho de 2006.

110 **se criadas em famílias atenciosas e em ambientes (...) "ramos do mesmo galho genético":** Winifred Gallagher, *I.D.: How Heredity and Experience Make You Who You Are* (Nova York: Random House, 1996), 29, 46-50. [Edição brasileira: *Identidade: A genética e a cultura na formação da personalidade*. São Paulo: Ática, 1998] Ver também Kagan e Snidman, *The Long Shadow of Temperament*, 5.

110 **crianças adquirem a noção de certo e errado:** Grazyna Kochanska e R.A. Thompson, "The Emergence and Development of Conscience in Toddlerhood

and Early Childhood", in *Parenting and Children's Internalization of Values*, organizado por J.E. Grusec e L. Kucynski (Nova York: John Wiley and Sons), 61. Ver também Grazyna Kochanska, "Toward a Synthesis of Parental Socialization and Child Temperament in Early Development of Conscience", *Child Development* 64 nº 2 (1993): 325-347; Grazyna Kochanska e Nazan Aksan, "Children's Conscience and Self-Regulation", *Journal of Personality* 74, nº 6 (2006): 1587-1617; Grazyna Kochanska et al., "Guilt and Effortful Control: Two Mechanisms That Prevent Disruptive Developmental Trajectories", *Journal of Personality and Social Psychology* 97, nº 2 (2009): 322-333.

111 **tragédia de um temperamento ousado e exuberante:** Gallagher, *I.D.*, 46-50. [Edição brasileira: *Identidade: A genética e a cultura na formação da personalidade*. São Paulo: Ática, 1998]

111 **de acordo com a inovadora teoria chamada "hipótese da orquídea":** David Dobbs, "The Science of Success", revista *The Atlantic*, 2009. Ver também Jay Belsky et al., "Vulnerability Genes or Plasticity Genes?" *Molecular Psychiatry*, 2009: 1-9; Michael Pluess e Jay Belsky, "Differential Susceptibility to Rearing Experience: The Case of Childcare", *The Journal of Child Psychology and Psychiatry* 50, nº 4 (2009): 396-404; Pluess e Belsky, "Differential Susceptibility to Rearing Experience: Parenting and Quality Child Care", *Developmental Psychology* 46, nº 2 (2010): 379-390; Jay Belsky e Michael Pluess, "Beyond Diathesis Stress: Differential Susceptibility to Environmental Influences", *Psychological Bulletin* 135, nº 6 (2009): 885-908; Bruce J. Ellis e W. Thomas Boyce, "Biological Sensitivity to Context", *Current Directions in Psychological Science* 17, nº 3 (2008): 183-187.

111 **com depressão, ansiedade ou timidez:** Aron, *Psychotherapy and the Highly Sensitive Person*, 3. Ver também A. Engfer, "Antecedents and Consequences of Shyness in Boys and Girls: A 6-year Longitudinal Study", in *Social Withdrawal, Inhibition, and Shyness in Childhood*, organizado por K.H. Rubin e J.B. Asendorpf (Hillsdale, NJ: Lawrence Erlbaum, 1993), 49-79; W.T. Boyce et al., "Psychobiologic Reactivity to Stress and Childhood Respiratory Illnesses: Results of Two Prospective Studies", *Psychosomatic Medicine* 57 (1995): 411-422; L. Gannon et al., "The Mediating Effects of Psychophysiological Reactivity and Recovery on the Relationship Between Environmental Stress and Illness", *Journal of Psychosomatic Research* 33 (1989): 165-175.

111 **Na verdade, cerca de um quarto das crianças altamente reativas de Kagan:** E-mail de Kagan para a autora, 22 de junho de 2010.

111 **bons pais, recebem cuidados e têm um ambiente estável em casa:** Ver, por exemplo, Belsky et al., "Vulnerability Genes or Plasticity Genes?", 5. Ver também Pluess e Belsky, "Differential Susceptibility to Rearing Experience: The Case of Childcare", 397.

112 **gentis, honestas:** Aron, *The Highly Sensitive Child*. [Edição brasileira: *Crianças*

*sensíveis: Como preparar seu filho para enfrentar o mundo de hoje*. Rio de Janeiro: Campus, 2003]

112 **Não se tornam necessariamente representantes de turma:** Entrevista da autora com Jay Belsky, 28 de abril de 2010.

112 **mundo dos macacos *Rhesus*:** Stephen J. Suomi, "Early Determinants of Behaviour: Evidence from Primate Studies", *British Medical Bulletin* 53, nº 1 (1997): 170-184 ("bebês altamente reativos criados por fêmeas cuidadosas na verdade pareceram precoces, de acordo com seus temperamentos... Esses indivíduos tornaram-se, em especial, aptos a recrutar e manter outros membros do grupo como aliados em resposta a encontros agonísticos e, talvez como consequência, eles em seguida chegaram a e mantiveram altas posições na hierarquia de dominância do grupo. Claramente, a alta reatividade não precisa estar sempre associada a consequências adversas de curto e longo prazo", p.180). Ver também este vídeo no site da *Atlantic Monthly*: http://www.theatlantic.com/magazine/archive/2009/12/the--science-of-success/7761, no qual Suomi nos conta que "os macacos que tinham o mesmo alelo curto e cresceram com boas mães não tiveram qualquer problema. Eles acabaram tão bem ou melhor que os macacos que tinham a outra versão do gene". (Note também que a ligação entre o alelo curto do gene SERT e a depressão em humanos é bem discutida, mas um pouco controversa.)

112 **é associado com a alta reatividade e a introversão:** Seth J. Gillihan et al., "Association Between Serotonin Transporter Genotype and Extraversion", *Psychiatric Genetics* 17, nº 6 (2007): 351-354. Ver também M.R. Munafo et al., "Genetic Polymorphisms and Personality in Healthy Adults: A Systematic Review and Meta-Analysis", *Molecular Psychiatry* 8 (2003): 471-484. E ver Cecilie L. Licht et al., "Association Between Sensory Processing Sensitivity and the 5-HTTLPR Short/Short Genotype".

112 **especulou que os macacos altamente reativos:** Dobbs, "The Science of Success".

112–113 **meninas adolescentes com o alelo curto do gene SERT (...) *menos* ansiedade em dias calmos:** Belsky et al., "Vulnerability Genes or Plasticity Genes?"

113 **essa diferença mantém-se aos cinco anos:** Elaine Aron, *Psychotherapy and the Highly Sensitive Person*, 240-241.

113 **são mais resistentes do que outras:** Boyce, "Psychobiologic Reactivity to Stress and Childhood Respiratory Illnesses: Results of Two Prospective Studies". Ver também W. Thomas Boyce e Bruce J. Ellis, "Biological Sensitivity to Context: I. Evolutionary-Developmental Theory of the Origins and Functions of Stress Reactivity", *Development and Psychopathology* 27 (2005): 283.

113 **O alelo curto do gene SERT:** Ver Judith R. Homberg e Klaus-Peter Lesch, "Looking on the Bright Side of Serotonin Transporter Gene Variation", *Biological Psychiatry*, 2010.

113 **"marinheiros estejam tão ocupados — sabiamente — procurando sob a linha da água":** Belsky et al., "Vulnerability Genes or Plasticity Genes?".

113 **"O tempo e o esforço que investem":** Entrevista da autora com Jay Belsky, 28 de abril de 2010.

CAPÍTULO 5: ALÉM DO TEMPERAMENTO

115 ***O prazer surge na fronteira*:** Mihaly Csikszentmihalyi, *Flow: The Psychology of Optimal Experience* (Nova York: Harper Perennial, 1990), 52. [Edição brasileira: *A descoberta do fluxo*. Rio de Janeiro: Rocco, 1999]

115 **sala sem janelas com o dr. Carl Schwartz:** Conduzi uma série de entrevistas com o dr. Schwartz entre 2006 e 2010.

117 ***os traços de um temperamento de alta ou baixa reatividade*:** Carl Schwartz et al., "Inhibited and Uninhibited Infants 'Grown Up': Adult Amygdalar Response to Novelty", *Science* 300, nº 5.627 (2003): 1.952-1.953.

118 **Se você foi um bebê altamente reativo:** Para uma boa visão da relação entre a amígdala e o córtex pré-frontal, ver Joseph Ledoux, *The Emotional Brain: The Mysterious Underpinnings of Emotional Life* (Nova York: Simon & Schuster, 1996), capítulos 6 e 8. [Edição brasileira: *O cérebro emocional*. Rio de Janeiro: Objetiva, 1998] Ver também Gregory Berns, *Iconoclast: A Neuroscientist Reveals How to Think Differently* (Boston, MA: Harvard Business Press, 2008), 59-81. [Edição brasileira: *O iconoclasta: Um neurocientista revela como pensar diferente e realizar o impossível*. Rio de Janeiro: BestBusiness, 2009]

119 **falam consigo mesmas para repensar situações tensas:** Kevin N. Ochsner et al., "Rethinking Feelings: An fMRI Study of the Cognitive Regulation of Emotion", *Journal of Cognitive Neuroscience* 14, nº 8 (2002): 1.215-1.229.

119 **cientistas condicionaram ratos:** Ledoux, *The Emotional Brain*, 248-249. [Edição brasileira: *O cérebro emocional*. Rio de Janeiro: Objetiva, 1998]

122 **Hans Eysenck:** David C. Funder, *The Personality Puzzle* (Nova York: W.W. Norton, 2010), 280-283.

123 **altos níveis de estímulo no cérebro:** E-mail de Jerome Kagan para a autora, 23 de junho de 2010.

123 **muitos tipos diferentes de estímulos:** E-mail de Carl Schwartz para a autora, 16 de agosto de 2010. Note também que introvertidos parecem não estar em um estado básico de alta excitação tanto quanto são suscetíveis a recair nesse estado.

123 **torcedores agitados em um jogo de futebol:** E-mail de Jerome Kagan para a autora, 23 de junho de 2010.

123 **muitas evidências de que introvertidos *são* mais sensíveis:** Escreveu-se sobre isso em vários lugares. Ver, por exemplo, Robert Stelmack, "On Personality and Arousal: A Historical Perspective on Eysenck and Zuckerman", in *On the Psychobiology of Personality: Essays in Honor of Marvin Zuckerman*, organizado

por Marvin Zuckerman e Robert Stelmack (Pergamon, 2005), 17-28. Ver também Gerald Matthews et al., *Personality Traits* (Cambridge, UK: Cambridge University Press, 2003), 169-170, 186-189, 329-142. Ver também Randy J. Larsen e David M. Buss, *Personality Psychology: Domains of Knowledge About Human Nature* (Nova York: McGraw Hill, 2005), 202-206.

124 **suco de limão:** Funder, *The Personality Puzzle*, 281.

124 **nível de som dos extrovertidos:** Russell G. Geen, "Preferred Stimulation Levels in Introverts and Extroverts: Effects on Arousal and Performance", *Journal of Personality and Social Psychology* 46, nº 6 (1984): 1.303-1.312.

125 **Elas podem procurar um lar:** Essa ideia vem de Winifred Gallagher, *House Thinking: A Room-by-Room Look at How We Live* (Nova York: Harper Collins, 2006).

125 **introvertidos funcionam melhor do que extrovertidos quando privados do sono:** William Kilgore et al., "The Trait of Introversion-Extraversion Predicts Vulnerability to Sleep Deprivation", *Journal of Sleep Research* 16, nº 4 (2007): 354-363.

125 **Extrovertidos sonolentos atrás do volante:** Matthews, *Personality Traits*, 337.

126 **O excesso de estímulo interfere na atenção:** Gerald Matthews e Lisa Dorn, "Cognitive and Attentional Processes in Personality and Intelligence", in *International Handbook of Personality and Intelligence*, organizado por Donald H. Saklofske e Moshe Zeidner (Nova York: Plenum Press, 1995): 367-396. Ou, como coloca o psicólogo Brian Little, "extrovertidos muitas vezes descobrem que conseguem lidar com muitos discursos ou reuniões de uma maneira que seria desastrosa para os introvertidos".

127 **um ciclo de terror, medo e vergonha:** Berns, *Iconoclast*, 59-81. [Edição brasileira: *O iconoclasta: Um neurocientista revela como pensar diferente e realizar o impossível*. Rio de Janeiro: BestBusiness, 2009]

CAPÍTULO 6: "FRANKLIN ROOSEVELT ERA UM POLÍTICO, MAS SUA MULHER, ELEANOR, AGIA DE ACORDO COM SUA CONSCIÊNCIA"

130 ***Um homem tímido sem dúvida teme a atenção de estranhos*:** Charles Darwin, *The Expressions of the Emotions in Man and Animals* (Charleston, SC: BiblioBazaar, 2007), 259. [Edição brasileira: *A expressão das emoções no homem e nos animais*. São Paulo: Companhia das Letras, 2000]

130 **Domingo de Páscoa, 1939. Lincoln Memorial:** Minha descrição do concerto é baseada em filmagens do evento.

130 **E não chegaria sem Eleanor Roosevelt (...) cantasse no Lincoln Memorial:** Allida M. Black, *Casting Her Own Shadow: Eleanor Roosevelt and the Shaping of Postwar Liberalism* (Nova York: Columbia University Press, 1996), 41-44.

131 **"Aquilo foi algo único":** *The American Experience: Eleanor Roosevelt* (Public Broadcasting System, Ambrica Productions, 2000). Ver transcrição: http://www.pbs.org/wgbh/amex/eleanor/filmmore/transcript/transcript1.html.

131 **Eles se conheceram quando ele tinha vinte anos:** Blanche Wiesen Cook, *Eleanor Roosevelt, Volume One: 1884-1933* (Nova York: Viking Penguin, 1992), esp. 125-236. Ver também *The American Experience: Eleanor Roosevelt.*

133 **cuja primeira publicação, em 1997:** Elaine N. Aron e Arthur Aron, "Sensory-Processing Sensitivity and Its Relation to Introversion and Emotionality", *Journal of Personality and Social Psychology* 3, nº 2 (1997): 345-368.

135–136 **Quando era mais jovem (...) Ela decidiu descobrir:** A informação biográfica sobre Aron vem de (1) entrevista com a autora, 21 de agosto de 2008; (2) Elaine N. Aron, *The Highly Sensitive Person: How to Thrive When the World Overwhelms You* (Nova York: Broadway Books, 1996) [Edição brasileira: *Use a sensibilidade a seu favor: Pessoas altamente sensíveis*. São Paulo: Gente, 2002]; (3) Elaine N. Aron, *The Highly Sensitive Person in Love: Understanding and Managing Relationships When the World Overwhelms You* (Nova York: Broadway Books, 2000).

136 **Primeiro Aron entrevistou 39 pessoas (...) uma lâmpada brilhando um pouco mais:** Aron e Aron, "Sensory-Processing Sensitivity". Ver também E.N. Aron, "Revisiting Jung's Concept of Innate Sensitiveness", *Journal of Analytical Psychology* 49 (2004): 337-367. Ver também Aron, *The Highly Sensitive Person*. [Edição brasileira: *Use a sensibilidade a seu favor: Pessoas altamente sensíveis*. São Paulo: Gente, 2002]

136 **cientistas da Universidade de Stony Brook:** Jadzia Jagiellowicz et al., "Sensory Processing Sensitivity and Neural Responses to Changes in Visual Scenes", *Social Cognitive and Affective Neuroscience*, 2010, doi.10.1093/scan/nsq001.

137 **ecoa as descobertas de Jerome Kagan:** Jerome Kagan, "Reflection-Impulsivity and Reading Ability in Primary Grade Children", *Child Development* 363, nº 3 (1965): 609-628. Ver também Ellen Siegelman, "Reflective and Impulsive Observing Behavior", *Child Development* 40, nº 4 (1969): 1.213-1.222.

137 **"Se você está pensando de forma mais complexa":** Entrevista com a autora, 8 de maio de 2010.

137 **altamente empáticas:** Aron e Aron, "Sensory-Processing Sensitivity". Ver também Aron, "Revisiting Jung's Concept of Innate Sensitiveness". Ver também Aron, *The Highly Sensitive Person*. [Edição brasileira: *Use a sensibilidade a seu favor: Pessoas altamente sensíveis*. São Paulo: Gente, 2002] E ver os seguintes estudos de ressonância magnética: Acevedo, "Sensory Processing Sensitivity and Neural Responses to Strangers' Emotional States". E ver Jadzia Jagiellowicz, "Faster and More Intense: Emotion Processing and Attentional Mechanisms in Individuals with Sensory Processing Sensitivity". Note que muitos psicólogos da personalidade que aderem à teoria da personalidade dos "Cinco Grandes" associam empatia não com sensibilidade (um constructo que está ganhando atenção, mas que é relativamente menos conhecido que os Cinco Grandes), mas com um traço chamado "disposição a ser agradável", e até com a extroversão. O trabalho de Aron não desafia essas associações, mas as expande. Um dos

aspectos mais valiosos do trabalho de Aron é a forma radical e fecunda com que reinterpreta a psicologia da personalidade.

137 **Elas tendem a ter a consciência surpreendentemente forte:** Em estudos de laboratório, olhando para figuras feitas para criar emoções fortes, positivas ou negativas, eles relataram sentir-se mais excitados emocionalmente que pessoas não sensíveis. Ver B. Acevedo, A. Aron, e E. Aron, "Sensory Processing Sensitivity and Neural Responses to Strangers' Emotional States", in A. Aron (palestrante), *High Sensitivity, a Personality/Temperament Trait: Lifting the Shadow of Psychopathology*, simpósio apresentado no encontro anual da American Psychological Association, em San Diego, Califórnia, 2010. Ver também Jadzia Jagiellowicz, Arthur Aron, Elaine Aron, e Turhan Canli, "Faster and More Intense: Emotion Processing and Attentional Mechanisms in Individuals with Sensory Processing Sensitivity", in Aron, *High Sensitivity*.

138 **foram associados à sensibilidade:** Seth J. Gillihan et al., "Association Between Serotonin Transporter Genotype and Extraversion", *Psychiatric Genetics* 17, nº 6 (2007): 351-354. See also M.R. Munafo et al., "Genetic Polymorphisms and Personality in Healthy Adults: A Systematic Review and Meta-Analysis", *Molecular Psychiatry* 8 (2003): 471-484.

138 **mostra-se a elas fotos de rostos assustados:** David C. Funder, *The Personality Puzzle* (Nova York: W.W. Norton, 2010), citando A.R. Hariri et al., "Serotonin Transporter Genetic Variation and the Response of the Human Amygdala", *Science* 297 (2002): 400-403.

138 **rostos de pessoas passando por sentimentos fortes:** Acevedo, "Sensory Processing Sensitivity and Neural Responses to Strangers' Emotional States". Ver também Jadzia Jagiellowicz, "Faster and More Intense: Emotion Processing and Attentional Mechanisms in Individuals with Sensory Processing Sensitivity".

138–140 **Em 1921, Franklin Roosevelt contraiu pólio (...) como se *sentiam* os norte-americanos sofredores:** Cook, *Eleanor Roosevelt, Volume One*, 125-236. Ver também *The American Experience: Eleanor Roosevelt.*

140–141 **criança (...) "relacionamentos harmoniosos, competentes e pró-sociais com pais, professores e amigos":** Grazyna Kochanska et al., "Guilt in Young Children: Development, Determinants, and Relations with a Broader System of Standards", *Child Development* 73, nº 2 (março/abril de 2002): 461-482. Ver também Grazyna Kochanska e Nazan Aksan, "Children's Conscience and Self-Regulation", *Journal of Personality* 74, nº 6 (2006): 1.587-1.617. Ver também Grazyna Kochanska et al., "Guilt and Effortful Control: Two Mechanisms That Prevent Disruptive Developmental Trajectories", *Journal of Personality and Social Psychology* 97, nº 2 (2009): 322-333.

141 **um estudo da Universidade de Michigan, feito em 2010:** S.H. Konrath et al., "Changes in Dispositional Empathy in American College Students Over

Time: Meta-Analysis", *Personality and Social Psychology Review*, agosto de 2010, publicação eletrônica antes da impressa (acessado em http://www.ncbi.nlm.nih.gov/pubmed/20688954).

141 **relacionado ao predomínio das mídias sociais:** Pamela Paul, "From Students, Less Kindness for Strangers?", *New York Times*, 25 de junho de 2010.

141 **quando seus colegas eram provocados:** Elaine Aron, *The Highly Sensitive Child* (Nova York: Random House, 2002), 18, 282-283.

141 **Eric Malpass:** Eric Malpass, *The Long Long Dances* (Londres: Corgi, 1978).

141 **Introvertidos altamente reativos suam mais:** V. De Pascalis, "On the Psychophysiology of Extraversion", in *On the Psychobiology of Personality: Essays in Honor of Marvin Zuckerman*, organizado por Marvin Zuckerman e Robert M. Stelmack (San Diego: Elsevier, 2004), 22. Ver também Randy J. Larsen e David M. Buss, *Personality Psychology: Domains of Knowledge About Human Nature* (NovaYork: McGraw-Hill, 2005), 199.

142 **sociopatas estão no extremo:** Van K. Tharp et al., "Autonomic Activity During Anticipation of an Averse Tone in Noninstitutionalized Sociopaths", *Psychophysiology* 17, nº 2 (1980): 123-128. Ver também Joseph Newman et al., "Validating a Distinction Between Primary and Secondary Psychopathy with Measures of Gray's BIS and BAS Constructs", *Journal of Abnormal Psychology* 114 (2005): 319-323.

142 **eles têm amígdalas danificadas:** Yaling Yang et al., "Localization of Deformations Within the Amygdala in Individuals with Psychopathy", *Archives of General Psychiatry* 66, nº 9 (2009), 986-994.

142 **Detectores de mentira (...) em parte testes de condutibilidade da pele:** Eles também medem a respiração, o pulso e a pressão sanguínea.

143 **pulso supercalmo durante o lançamento:** Winifred Gallagher, *I.D.: How Heredity and Experience Make You Who You Are* (Nova York: Random House, 1996), 24. [Edição brasileira: *Identidade: A genética e a cultura na formação da personalidade*. São Paulo: Ática, 1998]

143 **Corine Dijk:** Corine Dijk e Peter J. De Jong, "The Remedial Value of Blushing in the Context of Transgressions and Mishaps", *Emotion* 9, nº 2 (2009): 287-291.

144 **"O rubor chega em dois ou três segundos":** Benedict Carey, "Hold Your Head Up: A Blush Just Shows You Care", *New York Times*, 2 de junho de 2009: D5.

144 **"Como é impossível controlar o rubor":** Ibid.

144 **Keltner traçou as raízes da vergonha humana (...) do que importar-se de menos:** Dacher Keltner, *Born to Be Good: The Science of a Meaningfu Life* (Nova York: W.W. Norton, 2009), 74-96.

145 **"O tipo que é 'sensível' ou 'reativo' (...) 'a oportunidade só bate na porta uma vez'":** Elaine Aron, "Revisiting Jung's Concept of Innate Sensitiveness", 337-367.

145 **27 atributos associados:** Entrevista da autora com Elaine Aron, 21 de agosto de 2008.

145 **outros 30% são extrovertidos:** Aron, *Psychotherapy and the Highly Sensitive Person*, 5.

146 ***Mais de uma centena* de espécies (...) o que estava acontecendo ao seu redor:** Max Wolf et al., "Evolutionary Emergence of Responsive and Unresponsive Personalities", *Proceedings of the National Academy of Sciences* 105, nº 41 (2008): 15.825-15.830. Ver também Aron, *Psychotherapy and the Highly Sensitive Person*, 2.

146 **animais "rápidos" e "lentos" dessem festas:** David Sloan Wilson, *Evolution for Everyone: How Darwin's Theory Can Change the Way We Think About Our Lives* (Nova York: Bantam Dell, 2007), 110.

146 ***trade-off* da teoria da evolução:** Daniel Nettle, "The Evolution of Personality Variation in Humans and Other Animals", *American Psychologist* 61, nº 6 (2006): 622-631.

147 **Quando Wilson jogou armadilhas de metal:** Wilson, *Evolution for Everyone*, 100-114.

147 ***guppy*:** Nettle, "The Evolution of Personality Variation in Humans and Other Animals", 624. Ver também Shyril O'Steen et al., "Rapid Evolution of Escape Ability in Trinidadian Guppies", *Evolution* 56, nº 4 (2002): 776-784. Note que outro estudo descobriu que peixes ousados se dão melhor com predadores (mas esses eram ciclídeos em tanques de peixes, não lúcios em rios): Brian R. Smith e Daniel T. Blumstein, "Behavioral Types as Predictors of Survival in Trinidadian Guppies", *Behavioral Ecology* 21, nº 5 (2010): 65-73.

148 **nômades que herdaram:** Dan Eisenberg et al., "Dopamine Receptor Genetic Polymorphisms and Body Composition in Undernourished Pastoralists: An Exploration of Nutrition Indices Among Nomadic and Recently Settled Ariaal Men of Northern Kenya", *BMC Evolutionary Biology* 8, nº 173 (2008), doi:10.1186/1471-2148-8-173. Ver também: http://machineslikeus.com/news/adhd-advantage-nomadic-tribesmen.

148 **extrovertidos têm mais parceiros sexuais (...) cometem mais crimes:** Nettle, "The Evolution of Personality Variation in Humans and Other Animals", 625. Ver também Daniel Nettle, *Personality: What Makes You the Way You Are* (Nova York: Oxford University Press, 2007).

148 **Como Jung especulou quase um século atrás:** Carl Jung, *Psychological Types*, vol. 6 de *The Collected Works of C.G. Jung* (Princeton, NJ: Princeton University Press, 1971), 559. [Edição brasileira: *Tipos psicológicos*. Petrópolis: Vozes, 2011]

148 **cujos traços promovem a sobrevivência do grupo:** Ver, por exemplo, Nicholas Wade, "The Evolution of the God Gene", *New York Times*, 15 de novembro de 2009.

148 **"Imagine uma manada de antílopes":** Elaine Aron, "Book Review: Unto

Others: The Evolution and Psychology of Unselfish Behavior", janeiro de 2007, *Comfort Zone Online*: http://www.hsperson.com/pages/3Feb07.htm.

149 **membros "gaviões" e "pombos":** Elaine Aron, "A Future Headline: 'HSPs, the Key to Human Survival?'" agosto de 2007, Comfort Zone Online: http://www.hsperson.com/pages/1Aug07.htm.

149 **chapim-real:** Nettle, "The Evolution of Personality Variation in Humans and Other Animals", 624-625. Ver também Sloan Wilson, *Evolution for Everyone*, 110.

150 **"Se você mandar um introvertido a uma recepção":** David Remnick, "The Wilderness Campaign", *The New Yorker*, 13 de setembro de 2004.

150 **"A maioria das pessoas na política tira energia":** John Heilemann, "The Comeback Kid", revista *New York*, 21 de maio de 2006.

151 **"É sobre a sobrevivência do planeta":** Benjamin Svetkey, "Changing the Climate", *Entertainment Weekly*, 14 de julho de 2006.

154 **"reis guerreiros" e "conselheiros sacerdotais":** Aron, "Revisiting Jung's Concept of Innate Sensitiveness".

Capítulo 7: Por que Wall Street quebrou e Warren Buffett prosperou?

155 **Logo após as 7h30:** A história de Alan e a descrição de Dorn e sua casa são baseadas em uma série de entrevistas por e-mail e telefone com a autora, conduzidas entre 2008 e 2010.

157 **A história das finanças está cheia de exemplos:** Também há muitos exemplos na história militar. "Hurra, garotos, nós os pegamos", foi o famoso grito do general Custer na batalha de Little Bighorn em 1876 — logo antes de toda a sua unidade de duzentos homens ser varrida por três mil índios Sioux e Cheyenne. O general MacArthur avançou diante de repetidas ameaças de ataques chineses durante a Guerra da Coreia, e isso custou quase dois milhões de vidas, com pouco ganho estratégico. Stálin recusou-se a acreditar que os alemães invadiriam a Rússia em 1941, mesmo depois de *noventa* alertas de que um ataque era iminente. Ver Dominic D.P. Johnson, *Overconfidence and War: The Havoc and Glory of Positive Illusions* (Cambridge, MA: Harvard University Press, 2004).

157 **A fusão da AOL com a Time Warner:** Nina Monk, *Fools Rush In: Steve Case, Jerry Levin, and the Unmaking of AOL Time-Warner* (Nova York: HarperCollins, 2005).

158 **Eles se protegem melhor dos aspectos negativos:** O professor de psicologia Richard Howard, em uma entrevista com a autora, em 17 de novembro de 2008, observa que os introvertidos tendem a regular para baixo as emoções positivas e os extrovertidos tendem a regulá-las para cima.

158 **nosso sistema límbico:** Note que hoje em dia muitos cientistas não gostam da expressão "sistema límbico". Isso porque ninguém sabe realmente a que partes do cérebro ela se refere. As áreas incluídas nesse sistema mudaram com os anos e hoje muitos usam a expressão para falar de regiões ligadas às

emoções. Mesmo assim, é um atalho útil.

159 **"Não, não, não! Não faça isso":** Ver, por exemplo, Ahmad R. Hariri, Susan Y. Bookheimer e John C. Mazziotta, "Modulating Emotional Responses: Effects of a Neocortical Network on the Limbic Systems", *NeuroReport* 11 (1999): 43-48.

159 **o que *faz* um extrovertido ser extrovertido:** Richard E. Lucas e Ed Diener, "Cross-Cultural Evidence for the Fundamental Features of Extraversion", *Journal of Personality and Social Psychology* 79, nº 3 (2000): 452-468. Ver também Michael D. Robinson et al., "Extraversion and Reward-Related Processing: Probing Incentive Motivation in Affective Priming Tasks", *Emotion* 10, nº 5 (2010): 615-626.

159 **maiores ambições econômicas, políticas e hedonistas:** Joshua Wilt e William Revelle, "Extraversion", in *Handbook of Individual Differences in Social Behavior*, organizado por Mark R. Leary e Rich H. Hoyle (Nova York: Guilford Press, 2009), 39.

159 **A chave parece ser a emoção positiva:** Ver Lucas e Diener, "Cross-Cultural Evidence for the Fundamental Features of Extraversion". Ver também Daniel Nettle, *Personality: What Makes You the Way You Are* (Nova York: Oxford University Press, 2007).

160 **A base dessa euforia:** Richard Depue e Paul Collins, "Neurobiology of the Structure of Personality: Dopamine, Facilitation of Incentive Motivation, and Extraversion", *Behavioral and Brain Sciences* 22, nº 3 (1999): 491-569. Ver também Nettle, *Personality: What Makes You the Way You Are*.

160 **Dopamina é a "substância química da recompensa":** Depue e Collins, "Neurobiology of the Structure of Personality: Dopamine, Facilitation of Incentive Motivation, and Extraversion". Ver também Nettle, *Personality: What Makes You the Way You Are*. Ver também Susan Lang, "Psychologist Finds Dopamine Linked to a Personality Trait and Happiness", *Cornell Chronicle* 28, nº 10 (1996).

160 **primeiras descobertas têm sido intrigantes:** Algumas das descobertas nessa linha de pesquisa foram contraditórias ou não foram replicadas, mas juntas elas proporcionam uma importante via de questionamentos.

160 **Em uma experiência, Richard Depue:** Depue e Collins, "Neurobiology of the Structure of Personality: Dopamine, Facilitation of Incentive Motivation, and Extraversion".

160 **extrovertidos que vencem jogos de azar:** Michael X. Cohen et al., "Individual Differences in Extraversion and Dopamine Genetics Predict Neural Reward Responses", *Cognitive Brain Research* 25 (2005): 851-861.

160 **Outra pesquisa mostrou ainda que o córtex medial orbitofrontal:** Colin G. DeYoung et al., "Testing Predictions from Personality Neuroscience: Brain Structure and the Big Five", *Psychological Science* 21, nº 6 (2010): 820-828.

161 **introvertidos possuem uma "menor resposta" (...) "se sacrificar para chegar**

**lá":** Nettle, *Personality: What Makes You the Way You Are.*

161 **"Isso é *ótimo*!":** Michael J. Beatty et al., "Communication Apprehension as Temperamental Expression: A Communibiological Paradigm", *Communication Monographs* 65 (1988): relatando que pessoas com alto receio de se comunicar "valorizavam moderado (...) sucesso menos que aqueles com esse traço em baixa".

161 **"Todos presumem que seja bom acentuar emoções positivas":** Entrevista de Richard Howard com a autora em 17 de novembro de 2008. Howard também apontou essa abordagem interessante de Roy F. Baumeister et al., "How Emotions Facilitate and Impair Self-Regulation", in *Handbook of Emotion Regulation*, organizado por James J. Gross (Nova York: Guilford Press, 2009), 422: "Emoções positivas podem varrer para longe as restrições normais que promovem o comportamento civilizado."

161 **Outra desvantagem dessa onda:** Note que esse tipo de comportamento com tomada de riscos está no que Daniel Nettle (*Personality: What Makes You the Way You Are*, 83) chama de "território compartilhado" da extroversão e, em outro traço da personalidade, consciência. Em alguns casos, a consciência é o melhor indicador.

162 **extrovertidos têm mais tendência do que introvertidos a morrer em acidentes de trânsito (...) casar-se novamente:** Nettle, *Personality: What Makes You the Way You Are.* Ver também Timo Lajunen, "Personality and Accident Liability: Are Extroversion, Neuroticism and Psychoticism Related to Traffic and Occupational Fatalities?" *Personality and Individual Differences* 31, nº 8 (2001): 1.365-1.373.

162 **extrovertidos tendem mais que os introvertidos a ter confiança em excesso:** Peter Schaefer, "Overconfidence and the Big Five", *Journal of Research in Personality* 38, nº 5 (2004): 473-80.

162 **melhor com mais mulheres:** Ver, por exemplo, Sheelah Kolhatkar, "What if Women Ran Wall Street?" *New York Magazine*, 21 de março de 2010.

162 **um grande indicador da tomada de riscos financeiros:** Camelia M. Kuhnen e Joan Y. Chiao, "Genetic Determinants of Financial Risk Taking", *PLoS ONE* 4 (2): e4362. doi:10.1371/journal.pone.0004362 (2009). Ver também Anna Dreber et al., "The 7R Polymorphism in the Dopamine Receptor D4 Gene (DRD4) Is Associated with Financial Risk Taking in Men". *Evolution and Human Behavior* 30, nº 2 (2009): 85-92.

162 **Quando diante de uma baixa probabilidade de vencer:** J.P. Roiser et al., "The Effect of Polymorphism at the Serotonin Transporter Gene on Decision-making, Memory and Executive Function in Ecstasy Users and Controls", *Psychopharmacology* 188 (2006): 213-227.

162-163 **Outro estudo com 64 investidores:** Mark Fenton O'Creevy et al., *Traders: Risks, Decisions, and Management in Financial Markets* (Oxford, Reino Unido: Oxford University Press, 2005), 142-143.

163 **adiar gratificações, uma capacidade crucial:** Jonah Lehrer, "Don't", *The New Yorker*, 18 de maio de 2009. Ver também Jacob B. Hirsh et al., "Positive Mood Effects on Delay Discounting", *Emotion* 10, nº 5 (2010): 717-721. Ver também David Brooks, *The Social Animal* (Nova York: Random House, 2011), 124.

163 **cientistas deram aos participantes a escolha:** Samuel McClure et al., "Separate Neural Systems Value Immediate and Delayed Monetary Rewards", *Science* 306 (2004): 503-507.

163 **Um estudo similar sugere:** Hirsch, "Positive Mood Effects on Delay Discounting".

163 **Mas aquele era exatamente o tipo de cálculo errado de riscos (e recompensas):** O julgamento de Wall Street foi embaçado por uma estranha mistura de (1) comportamento corrosivo, (2) oportunidade de ganhar altas taxas de transação (3) medo de perder a fatia do mercado para a concorrência e (4) incapacidade de equilibrar apropriadamente oportunidade *versus* risco.

164 **Poder em excesso concentrado nas mãos de "tomadores de riscos" agressivos:** Entrevista com a autora, 5 de março de 2009.

164 **"Por vinte anos, o DNA":** Fareed Zakaria, "There Is a Silver Lining", *Newsweek*, 11 de outubro de 2008.

164 **Vincent Kaminski:** Steven Pearlstein, "The Art of Managing Risk", *The Washington Post*, 8 de novembro de 2007. Ver também Alexei Barrionuevo, "Vincent Kaminski: Sounding the Alarm But Unable to Prevail", in "10 Enron Players: Where They Landed After the Fall", *The New York Times*, 29 de janeiro de 2006. E ver Kurt Eichenwald, *Conspiracy of Fools: A True Story* (Nova York: Broadway, 2005), 250.

166 **Imagine que você foi convidado para o laboratório de Newman:** C.M. Patterson e Joseph Newman, "Reflectivity and Learning from Aversive Events: Toward a Psychological Mechanism for the Syndromes of Disinhibition", *Psychological Review* 100 (1993): 716-736. Os que carregam a variante S do polimorfismo 5-HTTLPR (que é associado à introversão e à sensibilidade) também mostraram ser mais rápidos em aprender a evitar estímulos penalizadores em tarefas de evitação passiva. Ver E.C. Finger et al., "The Impact of Tryptophan Depletion and 5-HTTLPR Genotype on Passive Avoidance and Response Reversal Instrumental Learning Tasks", *Neuropsychopharmacology* 32 (2007): 206-215.

166 **os introvertidos são "impulsionados a inspecionar":** John Brebner e Chris Cooper, "Stimulus or Response-Induced Excitation: A Comparison of the Behavior of Introverts and Extroverts", *Journal of Research in Personality* 12, nº 3 (1978): 306-311.

166 **mais você tenderá a aprender:** Na verdade, mostrou-se que uma das maneiras

cruciais pelas quais aprendemos é analisando nossos erros. Ver Jonah Lehrer, *How We Decide* (Nova York: Houghton Mifflin Harcourt, 2009), 51.

166–167 **Se você *forçar* extrovertidos a parar (...) como reagir a sinais de alerta no futuro:** Entrevista com a autora, 13 de novembro de 2008. Outra maneira de entender por que algumas pessoas se preocupam com os riscos e outras os ignoram é voltar à ideia de redes cerebrais. Nesse capítulo foquei no sistema de recompensas regido pela dopamina e seu papel em entregar as coisas boas da vida. Mas há uma rede cerebral espelho, geralmente chamada de sistema de evitação de perdas, cujo trabalho é chamar nossa atenção para o risco. Se a rede de recompensas está atrás de frutas brilhantes, o sistema de evitação de perdas preocupa-se com as maçãs ruins.

O sistema de evitação de perdas, como a rede de recompensas, é uma faca de dois gumes. Ele pode tornar as pessoas ansiosas, desagradavelmente ansiosas, tão ansiosas que ficarão de fora de mercados em alta, enquanto todo mundo fica rico. Mas isso também faz com que tomem menos riscos estúpidos. Esse sistema é mediado em parte por um neurotransmissor chamado serotonina — quando as pessoas recebem drogas como o Prozac (conhecido como inibidor seletivo da retomada de serotonina), que afetam o sistema de evitação de perdas, elas se tornam mais indiferentes ao perigo. Elas também se tornam mais sociáveis. Essas características coincidem estranhamente, aponta o especialista em neurofinança dr. Richard Peterson, com o comportamento irracional e exuberante dos investidores. "Essas características de diminuição da percepção da ameaça e aumento da afiliação social [resultante de drogas como o Prozac] espelham a menor percepção de risco e a reunião de investidores excessivamente ousados", escreve ele. "É como se investidores das bolhas experimentassem uma desativação parcial do sistema de evitação de perdas de seus cérebros."

167 **performance relativa de introvertidos e extrovertidos:** Dalip Kumar e Asha Kapila, "Problem Solving as a Function of Extraversion and Masculinity", *Personality and Individual Differences* 8, nº 1 (1987): 129-132.

167 **Extrovertidos tiram melhores notas:** Adrian Furnham et al., "Personality, Cognitive Ability, and Beliefs About Intelligence as Predictors of Academic Performance", *Learning and Individual Differences* 14 (2003): 49-66. Ver também Isabel Briggs Myers e Mary H. McCaulley, *MBTI Manual: A Guide to the Development and Use of the Myers-Briggs Type Indicator* (Palo Alto, CA: Consulting Psychologists Press, 1985), 116; ver também o estudo de Myers de 1980 que é citado em Allan B. Hill, "Developmental Student Achievement: The Personality Factor", *Journal of Psychological Type* 9, nº 6 (2006): 79-87.

167 **o conhecimento de 141 universitários:** Eric Rolfhus e Philip Ackerman, "Assessing Individual Differences in Knowledge: Knowledge, Intelligence, and Related Traits", *Journal of Educational Psychology* 91, nº 3 (1999): 511-526.

167 **quantidade desproporcional de diplomas:** G.P. Macdaid, M.H. Mc-Caulley, e R.I. Kainz, *Atlas of Type Tables* (Gainesville, FL: Center for Applications of Psychological Type, 1986), p. 483-435. Ver também Hill, "Developmental Student Achievement".

167 **têm melhor performance que os extrovertidos no teste Watson-Glaser:** Joanna Moutafi, Adrian Furnham, e John Crump, "Demographic and Personality Predictors of Intelligence: A Study Using the NEO Personality Inventory and the Myers-Briggs Type Indicator", *European Journal of Personality* 17, nº 1 (2003): 79-84.

168 **Introvertidos não são mais inteligentes do que extrovertidos:** Entrevista da autora com Gerald Matthews, 24 de novembro de 2008. Ver também D.H. Saklofske e D.D. Kostura, "Extraversion-Introversion and Intelligence", *Personality and Individual Differences* 11, nº 6 (1990): 547-551.

168 **particularmente aquelas desempenhadas sob pressão temporal e social:** Gerald Matthews e Lisa Dorn, "Cognitive and Attentional Processes in Personality and Intelligence", in *International Handbook of Personality and Intelligence*, organizado por Donald H. Saklofske e Moshe Zeidner (Nova York: Plenum Press, 1995), 367-396. Ver também Gerald Matthews et al., *Personality Traits* (Cambridge, Reino Unido: Cambridge University Press, 2003), cap. 12.

168 **também dirigem sua atenção de formas diferentes (...) perguntam-se "e se":** Debra L. Johnson et al., "Cerebral Blood Flow and Personality: A Positron Emission Tomography Study", *The American Journal of Psychiatry* 156 (1999): 252-2. Ver também Lee Tilford Davis e Peder E. Johnson, "An Assessment of Conscious Content as Related to Introversion-Extroversion", *Imagination, Cognition and Personality* 3, nº 2 (1983).

168 **um quebra-cabeça para cinquenta pessoas:** Colin Cooper e Richard Taylor, "Personality and Performance on a Frustrating Cognitive Task", *Perceptual and Motor Skills* 88, nº 3 (1999): 1.384.

168 **uma série de complicados labirintos impressos:** Rick Howard e Maeve McKillen, "Extraversion and Performance in the Perceptual Maze Test", *Personality and Individual Differences* 11, nº 4 (1990): 391-396. Ver também John Weinman, "Noncognitive Determinants of Perceptual Problem-Solving Strategies", *Personality and Individual Differences* 8, nº 1 (1987): 53-58.

169 **matrizes progressivas de Raven:** Vidhu Mohan e Dalip Kumar, "Qualitative Analysis of the Performance of Introverts and Extroverts on Standard Progressive Matrices", *British Journal of Psychology* 67, nº 3 (1976): 391-397.

169 **traços de personalidade de funcionários efetivos de call-center:** Entrevista com a autora, 13 de fevereiro de 2007.

170 **se você estivesse contratando funcionários para um banco de investimentos:** Entrevista com a autora, 7 de julho de 2010.

170 **se mostrarmos imagens eróticas a homens:** Camelia Kuhnen et al., "Nucleus Accumbens Activation Mediates the Influence of Reward Cues on Financial Risk Taking", *NeuroReport* 19, nº 5 (2008): 509-513.

171 **todos os introvertidos permanecem constantemente (...) vigilantes em relação a perigos:** Na verdade, muitos psicólogos da personalidade contemporâneos diriam que a vigilância ao perigo é mais característica de um traço conhecido como "neurose" do que da introversão em si.

171 **a vigilância à ameaça é mais característica de um traço:** Mas a evitação do perigo é correlacionada à introversão e à neurose (os dois traços são associados com a "alta reatividade" de Jeremy Kagan e com a "alta sensibilidade" de Elaine Aron). Ver Mary E. Stewart et al., "Personality Correlates of Happiness and Sadness: EPQ-R and TPQ Compared", *Personality and Individual Differences* 38, nº 5 (2005): 1.085-1.096.

171 **Se você quiser determinar:** Pode ser encontrado em http://www.psy.miami.edu/faculty/ccarver/sclBISBAS.html. Eu me deparei pela primeira vez com essa escala no excelente livro de Jonathan Haidt, *The Happiness Hypothesis: Finding Modern Truth in Ancient Wisdom* (Nova York: Basic Books, 2005), 34.

172 **"se tornam independentes do âmbito social":** Mihaly Csikszentmihalyi, *Flow: The Psychology of Optimal Experience* (Nova York: Harper Perennial, 1990), 16. [Edição brasileira: A *descoberta do fluxo*. Rio de Janeiro: Rocco, 1999]

172 **"Teorias psicológicas geralmente presumem":** Mihaly Csikszentmihalyi, *The Evolving Self: A Psychology for the Third Millennium* (Nova York: Harper Perennial, 1994), xii.

173 **provavelmente vai achar que sua energia é ilimitada:** O mesmo vale para a felicidade. Pesquisas sugerem que a euforia e outras emoções positivas parecem vir um pouco mais facilmente para os extrovertidos, que, como grupo, são mais felizes. Mas quando psicólogos compararam extrovertidos felizes com introvertidos felizes, descobriram que os dois grupos compartilham muitas das mesmas características — com grande autoestima, livres da ansiedade, satisfeitos com sua vida no trabalho — e que esses aspectos predizem a felicidade com mais força do que a extroversão em si. Ver Peter Hills e Michael Argyle, "Happiness, Introversion-Extraversion and Happy Introverts", *Personality and Individual Differences* 30 (2001): 595-608.

173 **"Liberte seu extrovertido interior":** Coluna da *BusinessWeek* on-line, 26 de novembro de 2008.

173 **Chuck Prince:** Para um relato da persona de Chuck Prince, ver, por exemplo, Mara Der Hovanesian, "Rewiring Chuck Prince", *Bloomberg BusinessWeek*, 20 de fevereiro de 2006.

174 **Seth Klarman:** Para informações sobre Klarman, ver, por exemplo, Charles Klein, "Klarman Tops Griffin as Investors Hunt for 'Margin of Safety'", *Bloom-*

*berg BusinessWeek*, 11 de junho de 2010. Ver também Geraldine Fabrikant, "Manager Frets Over Market but Still Outdoes It", *New York Times*, 13 de maio de 2007.

175 **Michael Lewis:** Michael Lewis, *The Big Short: Inside the Doomsday Machine* (Nova York: W.W. Norton, 2010). [Edição brasileira: *A jogada do século*. Rio de Janeiro: BestBusiness, 2011]

176 **Warren Buffett:** A história de Warren Buffett relatada nesse capítulo vem de uma excelente biografia: Alice Schroeder, *The Snowball: Warren Buffett and the Business of Life* (Nova York: Bantam Books, 2008). [Edição brasileira: *A bola de neve. Warren Buffett e o negócio da vida*. Rio de Janeiro: Sextante, 2008]

177 **"sistema de pontos interior":** Alguns psicólogos relacionariam o autodirecionamento de Buffett não necessariamente à introversão, mas a um fenômeno diferente chamado "lócus interno de controle".

CAPÍTULO 8: O SOFT POWER

181 **Mike Wei:** As entrevistas com Mike Wei e outros de Cupertino relatadas nesse capítulo foram conduzidas pela autora em vários estágios entre 2006 e 2010.

182 **artigo chamado "A nova fuga branca":** Suein Hwang, "The New White Flight", *Wall Street Journal*, 19 de novembro de 2005.

182–183 **53 foram finalistas da bolsa de mérito nacional (...) 27% mais alta que a média nacional:** Site da Monta Vista High School em 31 de maio de 2010.

184 **Falar simplesmente não é o foco:** Richard C. Levin, "Top of the Class: The Rise of Asia's Universities", *Foreign Affairs*, maio/junho de 2010.

185 **o jornal *San Jose Mercury News* publicou um artigo:** Sarah Lubman, "East West Teaching Traditions Collide", *San Jose Mercury News*, 23 de fevereiro de 1998.

186 **"universidades possam aprender a ouvir o som do silêncio":** Heejung Kim, "We Talk, Therefore We Think? A Cultural Analysis of the Effect of Talking on Thinking", *Journal of Personality and Social Psychology* 83, nº 4 (2002): 828-842.

186 **O *Journal of Research in Personality*:** Robert R. McCrae, "Human Nature and Culture: A Trait Perspective", *Journal of Research in Personality* 38 (2004): 3-14.

186 **O povo norte-americano é um dos mais extrovertidos:** Ver, por exemplo, David G. Winter, *Personality: Analysis and Interpretation of Lives* (Nova York: McGraw-Hill, 1996), 459.

187 **um estudo comparando crianças entre oito e dez anos:** Xinyin Chen et al., "Social Reputation and Peer Relationships in Chinese and Canadian Children: A Cross-Cultural Study", *Child Development* 63, nº 6 (1992): 1.336-1.343. Ver também W. Ray Crozier, *Shyness: Development, Consolidation and Change* (Routledge, 2001), 147.

187 **estudantes chineses de ensino médio disseram aos pesquisadores:** Michael Harris Bond, *Beyond the Chinese Face: Insights from Psychology* (Nova York: Oxford University Press, 1991), 62.

187 **Outro estudo pediu a alunos ásio-americanos:** Kim, "We Talk, Therefore We Think?".

187 **atitudes tradicionais na Ásia em relação à palavra falada:** Ver, por exemplo, Heejung Kim e Hazel Markus, "Freedom of Speech and Freedom of Silence: An Analysis of Talking as a Cultural Practice", in *Engaging Cultural Differences in Liberal Democracies*, organizado por Richard K. Shweder et al. (NovaYork: Russell Sage Foundation, 2002), 432-452.

187 **provérbios do Oriente:** Alguns deles vêm da epígrafe do artigo de Heejung Kim e Hazel Markus, citado acima.

188 **o penoso exame *jinshi* da era da dinastia Ming:** Nicholas Kristof, "The Model Students", *New York Times*, 14 de maio de 2006.

189 **figuras de homens em posição de dominância:** Jonathan Freeman et al., "Culture Shapes a Mesolimbic Response to Signals of Dominance and Subordination that Associates with Behavior", *NeuroImage* 47 (2009): 353-359.

190 **"apenas aqueles que vêm de uma tradição explícita":** Harris Bond, *Beyond the Chinese Face*, 53.

190 ***taijin kyofusho*:** Carl Elliott, *Better Than Well: American Medicine Meets the American Dream* (Nova York: W.W. Norton, 2003), 71.

190 **monges budistas tibetanos encontram paz interior:** Marc Kaufman, "Meditation Gives Brain a Charge, Study Finds", *Washington Post*, 3 de janeiro de 2005.

190 **"Sua civilidade foi bem noticiada":** Lydia Millet, "The Humblest of Victims", *New York Times*, 7 de agosto de 2005.

190 **ocidentalização de várias décadas:** Ver, por exemplo, Xinyin Chen et al., "Social Functioning and Adjustment in Chinese Children: The Imprint of Historical Time", *Child Development* 76, nº 1 (2005): 182-195.

193 **Um estudo comparando euro-americanos:** C.S. Huntsinger e P.E. Jose, "A Longitudinal Investigation of Personality and Social Adjustment Among Chinese American and European American Adolescents", *Child Development* 77, nº 5 (2006): 1.309-1.324. Na verdade, a mesma coisa parece estar acontecendo com crianças chinesas *na China* enquanto o país ocidentaliza-se, de acordo com uma série de estudos longitudinais medindo as mudanças em atitudes sociais. Enquanto a timidez era associada a conquistas sociais e acadêmicas entre crianças no ensino fundamental até 1990, em 2002 ela indicava rejeição dos colegas e mesmo depressão. Ver Chen, "Social Functioning and Adjustment in Chinese Children".

194 **O jornalista Nicholas Lemann:** "Jews in Second Place", *Slate*, 25 de junho de 1996.

196 **"A...E...U...O...I":** Essas vogais foram apresentadas fora da sequência usual no seminário de Preston Ni.

197 **De acordo com sua autobiografia, Gandhi era:** A história de Gandhi relatada nesse capítulo vem principalmente de *Gandhi: An Autobiography: The Story of My Experiments with Truth* (Boston: Beacon Press, 1957), principalmente 6, 20, 40-41, 59, 60-62, 90-91. [Edição brasileira: *Gandhi — Autobiografia: Minha vida e minhas experiências com a verdade*. São Paulo: Palas Athena, 2010]

200 **O exame TIMSS:** Eu originalmente aprendi sobre isso em Malcolm Gladwell, *Outliers: The Story of Success* (Nova York: Little Brown and Company, 2008). [Edição brasileira: *Fora de série: Outliers*. Rio de Janeiro: Sextante, 2008]

200 **Por exemplo, em 1995, o primeiro ano em que o teste foi aplicado:** "Pursuing Excellence: A Study of U.S. Eighth-Grade Mathematics and Science Teaching, Learning Curriculum, and Achievement in International Context, Initial Findings from the Third International Mathematics and Science Study", U.S. Department of Education, National Center for Education Statistics, Pursuing Excellence, NCES 97-198 (Washington, DC: U.S. Government Printing Office, 1996).

200 **Em 2007, quando pesquisadores mediram:** "TIMSS Executive Summary". As nações cujos estudantes preenchem mais o questionário também tendem a ter estudantes que vão bem no teste TIMSS: Erling E. Boe et al., "Student Task Persistence in the Third International Mathematics and Science Study: A Major Source of Achievement Differences at the National, Classroom and Student Levels" (Research Rep. nº 2002-TIMSS1) (Filadélfia: University of Pennsylvania, Graduate School of Education, Center for Research and Evaluation in Social Policy). Note que esse estudo baseia-se nos dados de 1995.

201 **psicóloga especializada em cruzamentos culturais Priscilla Blinco:** Priscilla Blinco, "Task Persistence in Japanese Elementary Schools", in *Windows on Japanese Education*, organizado por Edward R. Beauchamp (Westport, CT: Greenwood Press, 1991). Malcolm Gladwell escreveu sobre esse estudo em seu livro *Outliers*. [Edição brasileira: *Fora de série: Outliers*. Rio de Janeiro: Sextante, 2008]

CAPÍTULO 9: QUANDO VOCÊ DEVE AGIR COM MAIS EXTROVERSÃO DO QUE REALMENTE TEM?

205 **Conheça Brian Little:** As histórias sobre Brian Little nesse capítulo vêm de numerosas entrevistas por telefone e e-mail com a autora entre 2006 e 2010.

206 **Hipócrates, Milton, Schopenhauer, Jung:** Por favor, veja "Uma nota sobre as palavras 'introvertido' e 'extrovertido'" para mais sobre esse ponto.

206 **Walter Mischel:** Para uma visão geral do debate pessoa-situação, ver, por exemplo, David C. Funder, *The Personality Puzzle* (Nova York: W.W. Norton,

2010), 118-1. Ver também Walter Mischel e Yuichi Shoda, "Reconciling Processing Dynamics and Personality Dispositions", *Annual Review of Psychology* 49 (1998): 229-258. Em maior apoio à premissa de que realmente existe uma personalidade fixa: sabemos hoje que pessoas que pontuam como introvertidos em testes de personalidade tendem a ter fisiologias diferentes e provavelmente herdam alguns genes diferentes daqueles que pontuam como extrovertidos. Também sabemos que traços de personalidade indicam uma impressionante variedade de resultados importantes da vida. Se você for extrovertido, tende mais a possuir um grande círculo de amizades, a ter um comportamento sexual de risco, a sofrer acidentes e a ser bom em trabalhos dirigidos às pessoas como vendas, recursos humanos ou ensino. (Isso não significa que você fará essas coisas — apenas que você tem mais tendência que o típico introvertido.) Se você for um introvertido, tem maior tendência a ser bom no ensino médio, na universidade e na terra dos diplomas avançados, a ter menores círculos sociais, a ficar casado com seu parceiro original e a seguir trabalhos autônomos como arte, pesquisa, matemática e engenharia. Extroversão e introversão até predizem os desafios psicológicos que você pode enfrentar: depressão e ansiedade para os introvertidos (pense em Woody Allen); hostilidade, narcisismo e excesso de confiança para os extrovertidos (pense no capitão Ahab de *Moby Dick*, cheio de raiva contra uma baleia branca).

Além disso, há estudos mostrando que a personalidade de alguém de setenta anos pode ser prevista com notável exatidão a partir do início da idade adulta. Em outras palavras, apesar da notável variedade de situações que experimentamos na vida, nossos traços essenciais mantêm-se constantes. Não é que nossas personalidades não evoluam; a pesquisa de Kagan sobre a maleabilidade de pessoas altamente reativas por si só prova que é errada essa noção. Mas tendemos a manter padrões previsíveis. Se você for a décima pessoa mais introvertida de sua turma no ensino médio, seu comportamento pode flutuar com o tempo, mas você ainda vai provavelmente se encontrar em décimo lugar em sua 50ª reunião de turma. Nessa reunião, você também notará que muitos dos seus colegas estarão mais introvertidos do que você se lembra dos tempos de escola: mais quietos, mais contidos e com menor necessidade de excitação. Também estarão emocionalmente mais estáveis, agradáveis e conscientes. Os psicólogos chamam esse processo de "maturação intrínseca" e encontraram esses mesmos padrões de desenvolvimento da personalidade em países tão diferentes quanto Alemanha, Reino Unido, Espanha, República Tcheca e Turquia. Eles também os encontraram em chimpanzés.

Isso faz sentido evolutivamente. Altos níveis de extroversão talvez ajudem a achar pares e é por isso que somos mais sociáveis enquanto adolescentes e jovens adultos. Mas quando a questão é manter casamentos e criar filhos, ter um desejo incansável de ir a todas as festas da cidade pode ser menos útil do que a vontade de ficar em casa e amar aquele com quem você está. Além disso, um certo grau de introspecção pode nos ajudar a envelhecer com tranquilidade. Se a tarefa da primeira metade da vida é sair o máximo que puder, a da segunda metade é dar sentido a onde você esteve.

207 **a vida social é performance:** Ver, por exemplo, Carl Elliott, *Better Than Well: American Medicine Meets the American Dream* (Nova York: W.W. Norton, 2003), 47.

207 **Jack Welch em sua coluna na *BusinessWeek*:** Jack Welch, "Release Your Inner Extrovert", *BusinessWeek* on-line, 26 de novembro de 2008.

209 **teoria do traço livre:** Para uma visão geral da teoria do traço livre, ver, por exemplo, Brian R. Little, "Free Traits, Personal Projects, and Ideo-Tapes: Three Tiers for Personality Psychology", *Psychological Inquiry* 7, nº 4 (1996): 340-344.

210 **"Seja verdadeiro para si mesmo":** Na verdade, esse conselho vem menos de Shakespeare do que de seu personagem Polônio, em Hamlet.

212 **psicólogo e pesquisador chamado Richard Lippa:** Richard Lippa, "Expressive Control, Expressive Consistency, and the Correspondence Between Expressive Behavior and Personality", *Journal of Behavior and Personality* 36, nº 3 (1976): 438-461. Na verdade, psicólogos descobriram que algumas pessoas que dizem não ser tímidas em um questionário escrito eram bastante aptas a esconder os aspectos da timidez que conseguem controlar conscientemente, como conversar com membros do sexo oposto e falar por longos períodos de tempo. Mas muitas vezes deixam "vazar" sua timidez inadvertidamente, por meio da postura corporal e de expressões faciais tensas.

212 **psicólogos chamam de "automonitoramento":** Mark Snyder, "Self-Monitoring of Expressive Behavior", *Journal of Personality and Social Psychology* 30, nº 4 (1974): 526-537.

213 **se sentem menos estressados ao fazer isso:** Joyce E. Bono e Meredith A. Vey, "Personality and Emotional Performance: Extraversion, Neuroticism, and Self-Monitoring", *Journal of Occupational Health Psychology*" 12, nº 2 (2007): 177-192.

219 **"Nicho restaurador" é o termo de Little:** Ver, por exemplo, Brian Little, "Free Traits and Personal Contexts: Expanding a Social Ecological Model of Well-Being", in *Person-Environment Psychology: New Directions and Perspectives*, organizado por W. Bruce Walsh et al. (Mahwah, NJ: Lawrence Erlbaum Associates, 2000).

220 **"acordo do traço livre":** Ver, por exemplo, Brian Little e Maryann F. Joseph, "Personal Projects and Free Traits: Mutable Selves and Well Beings", in *Personal Project Pursuit: Goals, Action, and Human Flourishing*, organizado por Brian R. Little et al. (Mahwah, NJ: Lawrence Erlbaum Associates, 2007), 395.

223 **"Trabalho emocional":** Howard S. Friedman, "The Role of Emotional Expression in Coronary Heart Disease", in *In Search of the Coronary-Prone: Beyond Type A*, organizado por A.W. Siegman et al. (Hillsdale, NJ: Lawrence Erlbaum Associates, 1989), 149-168.

223 **aqueles que reprimem emoções negativas:** Melinda Wenner, "Smile! It Could Make You Happier: Making an Emotional Face — or Suppressing One — Influences Your Feelings", *Scientific American Mind*, 14 de outubro de 2009, http://www.scientificamerican.com/article.cfm?id=smile-it-could-make-you-happier.

Capítulo 10: O abismo da comunicação

226 **pessoas que dão um grande valor à intimidade:** Randy J. Larsen e David M. Buss, *Personality Psychology: Domains of Knowledge About Human Nature* (Nova York: McGraw-Hill, 2005), 353.

226 **"Extrovertidos parecem precisar de pessoas como um fórum":** E-mail de William Graziano para a autora, 31 de julho de 2010.

227 **Em um estudo com 132 alunos:** Jens B. Aspendorf e Susanne Wilpers, "Personality Effects on Social Relationships", *Journal of Personality and Social Psychology* 74, nº 6 (1998): 1.531-1.544.

227 **nos chamados Cinco Grandes Traços:** A disposição a ser agradável é definida mais tarde nesse capítulo. A abertura à experiência mede a curiosidade, a abertura a novas ideias e a apreciação da arte, da invenção e de experiências incomuns; pessoas "conscientes" são disciplinadas, zelosas, eficientes e organizadas; "estabilidade emocional" mede o quanto se é livre de emoções negativas.

227 **se elas forem colocadas na frente da tela de um computador:** Benjamin M. Wilkowski et al., "Agreeableness and the Prolonged Spatial Processing of Antisocial and Prosocial Information", *Journal of Research in Personality* 40, nº 6 (2006): 1.152-1.168. Ver também Daniel Nettle, *Personality: What Makes You the Way You Are* (Nova York: Oxford University Press, 2007), capítulo sobre disposição a ser agradável.

227 **mesma tendência a serem agradáveis:** Sob a definição dos Cinco Grandes Traços da personalidade, a extroversão e a disposição a ser agradável são por definição ortogonais. Veja, por exemplo, Colin G. DeYoung et al., "Testing Predictions from Personality Neuroscience: Brain Structure and the Big Five", *Psychological Science* 21, nº 6 (2010): 820-828: "A disposição a ser agradável parece identificar uma coleção de dados relacionados ao altruísmo: preocupação com as necessidades, desejos e direitos dos outros (oposta ao aproveitamento dos outros, que parece estar relacionada primariamente à extroversão)".

230 **e que os últimos são "confrontadores":** Ver, por exemplo: (1) Donald A. Loffredo e Susan K. Opt, "Argumentation and Myers-Briggs Personality Type Preferences", artigo apresentado na National Communication Association Convention, Atlan-

ta, GA; (2) Rick Howard e Maeve McKillen, "Extraversion and Performance in the Perceptual Maze Test", *Personality and Individual Differences* 11, nº 4 (1990): 391-396; (3) Robert L. Geist e David G. Gilbert, "Correlates of Expressed and Felt Emotion During Marital Conflict: Satisfaction, Personality, Process and Outcome", *Personality and Individual Differences* 21, nº 1 (1996): 49-60; (4) E. Michael Nussbaum, "How Introverts Versus Extroverts Approach Small-Group Argumentative Discussions", *The Elementary School Journal* 102, nº 3 (2002): 183-197.

230 **Um estudo esclarecedor feito pelo psicólogo William Graziano:** William Graziano et al., "Extraversion, Social Cognition, and the Salience of Aversiveness in Social Encounters", *Journal of Personality and Social Psychology* 49, nº 4 (1985): 971-980.

231 **robôs interagiam com vítimas de derrame:** Ver Jerome Groopman, "Robots That Care", *The New Yorker*, 2 de novembro de2009. Ver também Adriana Tapus e Maja Mataric, "User Personality Matching with Hands-Off Robot for Post-Stroke Rehabilitation Therapy", in *Experimental Robotics*, vol. 39 de *Springer Tracts in Advance Robotics* (Berlim: Springer, 2008), 165-175.

231 **estudo da escola de negócios da Universidade de Michigan:** Shirli Kopelman e Ashleigh Shelby Rosette, "Cultural Variation in Response to Strategic Emotions in Negotiations", *Group Decision and Negotiation* 17, nº 1 (2008): 65-77.

232 **Em seu livro *Anger*:** Carol Tavris, *Anger: The Misunderstood Emotion* (Nova York: Touchstone, 1982).

233 **a hipótese da catarse é um mito:** Russell Geen et al., "The Facilitation of Aggression by Aggression: Evidence against the Catharsis Hypothesis", *Journal of Personality and Social Psychology* 31, nº 4 (1975): 721-726. Ver também Tavris, *Anger*.

233 **pessoas que usam botox:** Carl Zimmer, "Why Darwin Would Have Loved Botox", *Discover*, 15 de outubro de 2009. Ver também Joshua Ian Davis et al., "The Effects of BOTOX Injections on Emotional Experience", *Emotion* 10, nº 3 (2010): 433-440.

236 **32 pares de introvertidos e extrovertidos:** Matthew D. Lieberman e Robert Rosenthal, "Why Introverts Can't Always Tell Who Likes Them: Multitasking and Nonverbal Decoding", *Journal of Personality and Social Psychology* 80, nº 2 (2006): 294-310.

237 **requer a realização de uma impressionante quantidade de tarefas:** Gerald Matthews e Lisa Dorn, "Cognitive and Attentional Processes in Personality and Intelligence", in *International Handbook of Personality and Intelligence*, organizado por Donald H. Saklofske e Moshe Zeidner (Nova York: Plenum, 1995), 367-396.

237 **interpretar o que a outra pessoa está dizendo:** Lieberman e Rosenthal, "Why Introverts Can't Always Tell Who Likes Them".

238 **experiência feita pela psicóloga do desenvolvimento Avril Thorne:** Avril Thorne, "The Press of Personality: A Study of Conversations Between Introverts and Extraverts", *Journal of Personality and Social Psychology* 53, nº 4 (1987): 718-726.

CAPÍTULO 11: SOBRE SAPATEIROS E GENERAIS

Alguns dos conselhos desse capítulo são baseados em entrevistas que conduzi com muitos professores, administradores de escolas e psicólogos infantis carinhosos, e nos seguintes livros maravilhosos:

Barbara G. Markway e Gregory P. Markway, *Nurturing the Shy Child* (Nova York: St. Martin's Press, 2005).

Bernardo J. Carducci, *Shyness: A Bold New Approach* (Nova York: Harper Paperbacks, 2000). [Edição brasileira: *Vencendo a timidez*. São Paulo: M. Books, 2012]

Elaine Aron, *The Highly Sensitive Child: Helping Our Children Thrive When the World Overwhelms Them* (Nova York: Broadway Books), 2002.

Jerome Kagan e Nancy Snidman, *The Long Shadow of Temperament* (Cambridge, MA: Harvard University Press, 2004).

Kenneth H. Rubin, *The Friendship Factor* (Nova York: Penguin, 2002).

Natalie Madorsky Elman e Eileen Kennedy-Moore, *The Unwritten Rules of Friendship* (Boston: Little Brown, 2003). [Edição brasileira: *As regras da amizade*. São Paulo: M. Books, 2004]

Ward K. Swallow, *The Shy Child: Helping Children Triumph Over Shyness* (Nova York: Time Warner, 2000).

241 **Mark Twain certa vez contou a história:** Isso vem de Donald Mackinnon, que acreditava (embora não estivesse 100% certo) de que Mark Twain contou essa história. Ver Donald W. MacKinnon, "The Nature and Nurture of Creative Talent" (Palestra Walter Van Dyke Bingham dada na Universidade de Yale, New Haven, CT, em 11 de abril de 1962).

241 **essa história como um alerta (...) pelo dr. Jerry Miller:** Conduzi diversas entrevistas em pessoa e por e-mail com o dr. Miller entre 2006 e 2010.

246 **Emily Miller:** Conduzi diversas entrevistas com Emily Miller entre 2006 e 2010.

247 **Elaine Aron:** Elaine N. Aron, *Psychotherapy and the Highly Sensitive Person* (Nova York: Routledge, 2010), 18-19.

249 **dr. Kenneth Rubin:** Rubin, *The Friendship Factor*.

253 **"muito pouco é disponibilizado para esse estudante":** Jill D. Burruss e Lisa Kaenzig, "Introversion: The Often Forgotten Factor Impacting the Gifted", *Virginia Association for the Gifted Newsletter* 21, nº 1 (1999).

255 **Especialistas acreditam que experiências negativas relacionadas a falar em público:** Gregory Berns, *Iconoclast: A Neuroscientist Reveals How to Think Differently* (Boston, MA: Harvard Business Press, 2008), 77. [Edição brasileira: *O iconoclasta: Um neurocientista revela como pensar diferente e realizar o impossível*. Rio de Janeiro: BestBusiness, 2009]

255 **Extrovertidos tendem a gostar de movimento:** Isabel Myers et al., *MBTI Manual: A Guide to the Development and Use of the Myers-Briggs Type Indicator*, 3ª ed., 2ª impressão (Palo Alto, CA: Consulting Psychologists Press, 1998), 261-262. Ver também Allen L. Hammer, ed., *MBTI Applications: A Decade of Research on the Myers-Briggs Type Indicator* (Palo Alto, CA: Consulting Psychologists Press, 1996).

255 **pré-requisito para o desenvolvimento de talentos:** Ver capítulo 3, especialmente o trabalho de Anders Ericsson.

256 **"geralmente ficam muito confortáveis com um ou dois colegas":** E-mail de Roger Johnson para a autora, 14 de junho de 2010.

256 **Não coloque crianças quietas em lugares próximos às áreas de "alta interação":** James McCroskey, "Quiet Children in the Classroom: On Helping Not Hurting", *Communication Education* 29 (1980).

258 **ser popular não é necessário:** Rubin, *The Friendship Factor*: "Descobertas de pesquisas não sugerem que a popularidade é o caminho de ouro para todo tipo de coisas boas. Simplesmente não há muita evidência de que isso garanta sucesso acadêmico ou social na adolescência, no início da vida adulta ou mais tarde na vida. Se seu filho fizer amizade com uma outra criança e os dois claramente se divertirem juntos ou gostarem da companhia um do outro e forem companheiros que se dão apoio, bom para ele. Pare de se preocupar. Nem toda criança precisa ser parte de um grupo grande e feliz. Nem toda criança precisa de muitos amigos; para algumas, um ou dois bastam."

259 **o engajamento e o compromisso intensos em uma atividade:** I. McGregor e Brian Little, "Personal Projects, Happiness, and Meaning: On Doing Well and Being Yourself", *Journal of Personality and Social Psychology* 74, nº 2 (1998): 494-512.

263 **o psicólogo Dan McAdams:** Jack J. Bauer, Dan P. McAdams, e Jennifer L. Pals, "Narrative Identity and Eudaimonic Well-Being", *Journal of Happiness Studies* 9 (2008): 81-104.

270 **o antropólogo C.A. Valentine:** C.A. Valentine, "Men of Anger and Men of Shame: Lakalai Ethnopsychology and Its Implications for Sociological Theory", *Ethnology* nº 2 (1963): 441-477. Eu primeiro ouvi falar sobre esse artigo no excelente livro de David Winter, *Personality: Analysis and Interpretation of Lives* (Nova York: McGraw-Hill, 1996).

270 **Aristóteles:** *Aristoteles, Problematica Physica* XXX, 1 (Bekker 953A 10 ff.), traduzido por Jonathan Barnes, *The Complete Works of Aristotle, the Revised Oxford Translation II* (Princeton, N.J.: Bollingen, 1984).

270 **John Milton:** citado em David G. Winter, *Personality: Analysis and Interpretation of Lives* (Nova York: McGraw-Hill, 1996), 380-384.

271 **Schopenhauer:** Arthur Schopenhauer, "Personality, or What a Man Is", in *The Wisdom of Life and Other Essays* (Nova York e Londres: Dunne, 1901), 12-35 (trabalho original publicado em 1851); citado em Winter, *Personality*, 384-386.

# Índice

Editora responsável
*Sandra Espilotro*

Produção
*Adriana Torres*
*Ana Carla Sousa*

Produção editorial
*Gabriel Machado*

Revisão de tradução
*Rayana Faria*

Revisão
*Taís Monteiro*

Diagramação
*Leandro B. Liporage*

Este livro foi impresso em janeiro de 2013,
pela Edigráfica, para a Agir.
A fonte usada no miolo é Goudy, corpo 10,5/16.
O papel do miolo é chambril avena 80g/m², e o da capa é cartão 250g/m².